EntreCultures 3

Communicate, Explore, and Connect Across Cultures

Elizabeth Zwanziger
Sara Deveaux
Françoise Vandenplas
Kyle Woollums

Wayside®
PUBLISHING

Printed in the USA

6 7 8 9 10 KP 22

Print date: 1350

Hardcover ISBN 978-1-641590-07-5

Le Monde Francophone

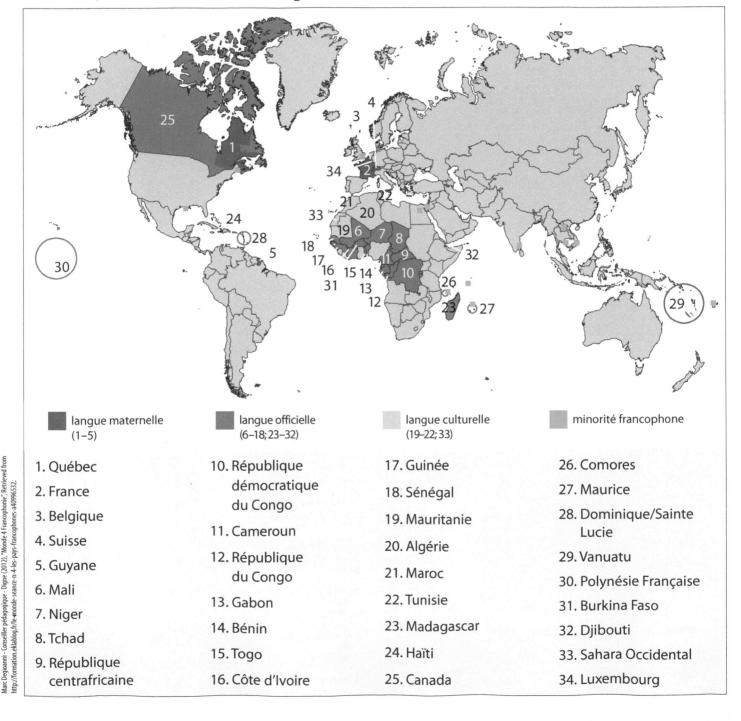

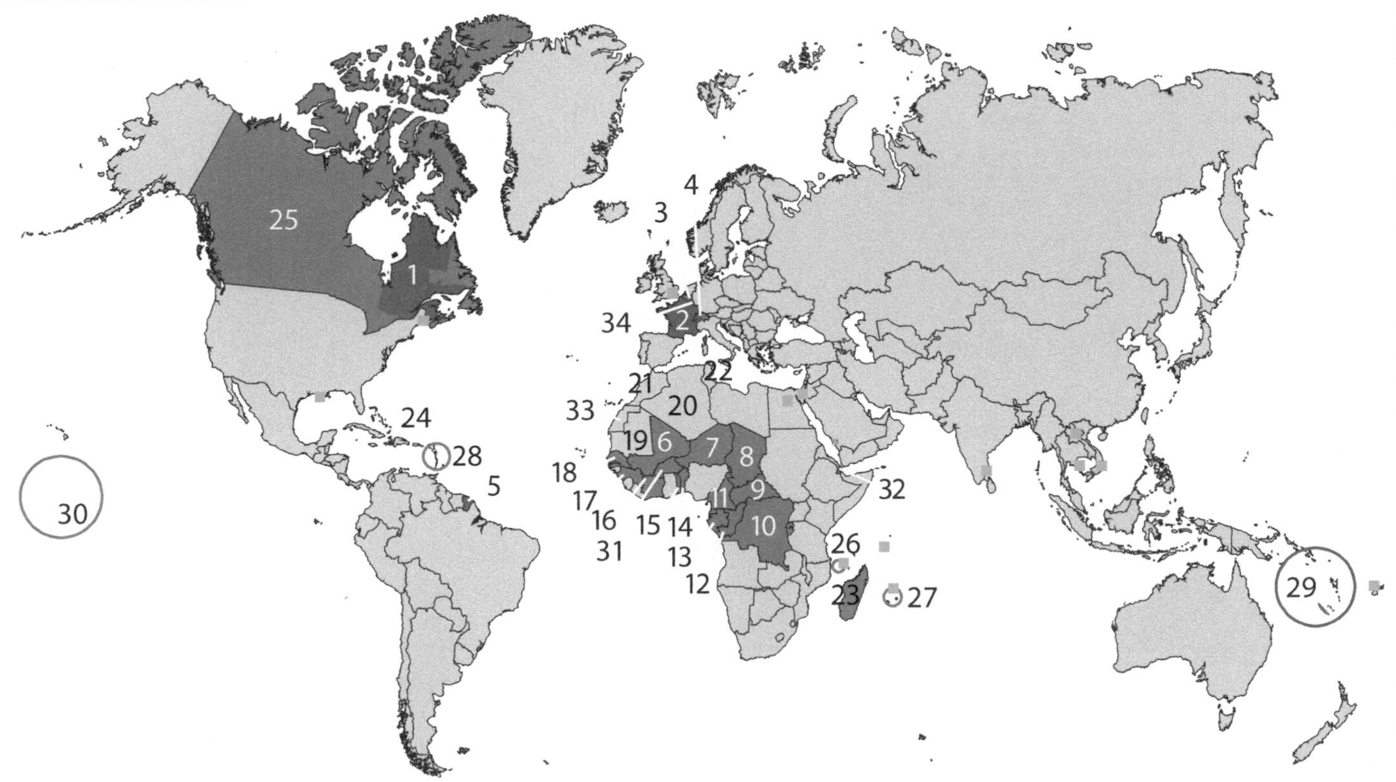

langue maternelle (1–5)

langue officielle (6–18; 23–32)

langue culturelle (19–22; 33)

minorité francophone

1. Québec
2. France
3. Belgique
4. Suisse
5. Guyane
6. Mali
7. Niger
8. Tchad
9. République centrafricaine
10. République démocratique du Congo
11. Cameroun
12. République du Congo
13. Gabon
14. Bénin
15. Togo
16. Côte d'Ivoire
17. Guinée
18. Sénégal
19. Mauritanie
20. Algérie
21. Maroc
22. Tunisie
23. Madagascar
24. Haïti
25. Canada
26. Comores
27. Maurice
28. Dominique/Sainte Lucie
29. Vanuatu
30. Polynésie Française
31. Burkina Faso
32. Djibouti
33. Sahara Occidental
34. Luxembourg

Marc Degioanni - Conseiller pédagogique - Digne (2012), "Monde 4 Francophonie", Retrieved from http://formation.eklablog.fr/le-monde-seance-n-4-les-pays-francophones-a40996532.

Glossary of Classroom and Activity Instructions

Expressions pour les activités

aidez	*help*
ajoutez	*add*
allez	*go*
choisissez	*choose*
circulez	*circulate*
cochez	*check (the box)*
commencez	*begin*
corrigez	*correct, fix*
créez	*create*
demandez	*ask*
dessinez	*draw*
dites	*say/state*
donnez	*give*
écoutez	*listen*
écrivez	*write*
enregistrez	*record, film*
envoyez	*send*
faites	*do, make*
familiarisez	*familiarize*
formez	*form, create*
justifiez	*justify*
laissez un message	*leave a message*
lisez	*read*
mentionnez	*mention*
mettez	*put*
observez	*observe*
oubliez	*forget*
partagez	*share*
pensez	*think*
rajoutez	*add*
recherchez	*research*
reconnaissez	*recognize*
réfléchissez	*think/reflect*
regardez	*use*
reliez	*connect*
remarquez	*notice*
remplissez	*fill (out)*
suivez	*follow*
téléchargez	*upload*
terminez	*finish*
travaillez	*work*
trouvez	*find*
un choix	*choice*
une colonne	*column*
un critère d'évaluation	*grading criteria (rubric)*
une famille de mots	*word family*
un mot lié	*related word*
un nuage de mots	*word cloud*
une phrase	*a sentence*
une représentation schématique	*graphic organizer*
un thème	*a theme*
à l'oral	*out loud*
à propos de	*about*
d'après	*according to*
en caractères gras	*in bold*
ensuite	*then*
entre	*(in) between*
faux/fausse(s)	*false*
même si	*even if*
pour chaque + nom	*for each + noun*
puis	*then*
sans	*without*
suite à	*after*
suivant(e)(s)	*following*
vrai(e)(s)	*true*
y compris	*including*

Pour indiquer de qui ou à qui on parle

je	*mon/ma/mes*	*moi*
tu	*ton/ta/tes*	*toi*
il	*son/sa/ses*	*lui*
elle	*son/sa/ses*	*elle*
on	*son/sa/ses*	*soi*
nous	*notre/nos*	*nous*
vous	*votre/vos*	*vous*
ils	*leur/leurs*	*eux*
elles	*leur/leurs*	*elles*

Expressions pour travailler ensemble

Je sais (que)...	*I know...*
Tu sais (que)...?	*Do you know...?*
À quelle page?	*What page?*
C'est à moi.	*It's my turn.*
C'est à toi.	*It's your turn.*
Qu'est-ce que tu penses de...?	*What do you think about [something/someone]...?*
Tu as raison.	*You're right.*
Ce n'est pas correct.	*That's not right.*
Je suis d'accord.	*I agree.*
Je ne suis pas d'accord.	*I disagree.*
J'ai dit...	*I said...*
C'est ici [dans le texte].	*It's here [in the text].*
Tu veux commencer?	*Do you want to start?*
Vas-y!	*You go ahead.*

Descriptions d'emplacement - Où est le cercle?

Acknowledgements

We would like to express our sincere gratitude to all those who accompanied us on the journey that is this edition of ***EntreCultures*** level three program. It was an honor to work with such talented professionals who kept the project on track and moving forward.

From the birth of the series, Eliz Tchakarian, Editorial Project Manager, coached us to organize our thoughts and ideas in order to create an engaging, quality program for students of French. Thank you to Janet Parker for putting together a diverse author team with teaching experience in different types of school settings in different geographic areas. Curriculum Coordinator Helen Small's thoughtful leadership and guidance were invaluable to the authors. We appreciate ***EntreCultures 1*** and ***2*** authors Hélène Schuster, Ed Weiss, Jan Hagedorn, and Erin Gibbons for joining forces with us as Contributing Authors, particularly on the rubrics and video program. Additional ***EntreCultures*** series authors, Brittany Goings and Florence Falloux, many thanks for your collegial support and ideas for improving ***EntreCultures 3***. Contributing Authors Sheila Conrad and Eliane Kurbegov enriched the content of our online presence. We commend our outstanding editors, Eileen M. Angelini, Florian P. Croisé, and Ana-Maria M'Enesti, whose suggestions and attention to detail were indispensable to the completion of this work. Permissions Coordinators Elizabeth Rench, Kelsey Hare, and Jacob Asnicar were persistent and detail-oriented in seeking permission to use the authentic documents in print and online. We also thank Sophie Ducouret who provided assistance in the initial editing stages. Our series would not have been as truly authentic nor as compelling without the generous work and contributions of our international video bloggers, amazing young people from across the francophone world who shared their lives with our readers to help make a real-life connection to the French language and francophone culture. With gratitude, we acknowledge Lily, Sylvette, Clément, Maggie, Charles, and Nickar for being the faces of ***EntreCultures 3***, as well as Nathalie Gorey, Pierre Benoît, and April Lu who led us to them. We also thank guest bloggers Saif, Ariane Hakizimana, and *artiste extraordinaire*, Séverine Colmet-Daâge.

We thank Derrick Alderman and Rivka Levin at Bookwonders, our talented and artistic production team, who brought our manuscript to life on the attractive and colorful pages of the final product. We thank Wayside Publishing Senior Graphic Designers Nathan Galvez, Shelby Newsted, Sawyer McCarron-Rutledge, and Tawny Cantor, who designed many of the beautiful graphics used in both the print and online versions of the book. We also extend our appreciation to our Content Manager/Business Analyst and Senior Technical Support Representatives, respectively, Maddie Bonneau, James LeVasseur, and everyone on the IT team.

Special thanks to the Wayside Publishing Sales and Product Innovation team lead by Director Sofia Goller. We'd like to specifically thank the Instructional Strategists as well as Marketing Specialists Stefanie Millette and Zsofia McMullin. In collaboration with the Wayside Publishing Sales and Marketing team, we are getting the word out to the French teaching community about ***EntreCultures***, a new instructional tool and innovative approach to developing students' intercultural communicative competence.

This project was made possible thanks to the leadership, wisdom, and vision of President Greg Greuel, who supported and believed in our team to create this exciting project.

Elizabeth Zwanziger *Sara Deveaux* *Françoise Vandenplas* *Kyle Wolliums*

World-Readiness Standards For Learning Languages

GOAL AREAS	STANDARDS		
COMMUNICATION Communicate effectively in more than one language in order to function in a variety of situations and for multiple purposes	**Interpersonal Communication:** Learners interact and negotiate meaning in spoken, signed, or written conversations to share information, reactions, feelings, and opinions.	**Interpretive Communication:** Learners understand, interpret, and analyze what is heard, read, or viewed on a variety of topics.	**Presentational Communication:** Learners present information, concepts, and ideas to inform, explain, persuade, and narrate on a variety of topics using appropriate media and adapting to various audiences of listeners, readers, or viewers.
CULTURES Interact with cultural competence and understanding	**Relating Cultural Practices to Perspectives:** Learners use the language to investigate, explain, and reflect on the relationship between the practices and perspectives of the cultures studied.	**Relating Cultural Products to Perspectives:** Learners use the language to investigate, explain, and reflect on the relationship between the products and perspectives of the cultures studied.	
CONNECTIONS Connect with other disciplines and acquire information and diverse perspectives in order to use the language to function in academic and career-related situations	**Making Connections:** Learners build, reinforce, and expand their knowledge of other disciplines while using the language to develop critical thinking and to solve problems creatively.	**Acquiring Information and Diverse Perspectives:** Learners access and evaluate information and diverse perspectives that are available through the language and its cultures.	
COMPARISONS Develop insight into the nature of language and culture in order to interact with cultural competence	**Language Comparisons:** Learners use the language to investigate, explain, and reflect on the nature of language through comparisons of the language studied and their own.	**Cultural Comparisons:** Learners use the language to investigate, explain, and reflect on the concept of culture through comparisons of the cultures studied and their own.	
COMMUNITIES Communicate and interact with cultural competence in order to participate in multilingual communities at home and around the world	**School and Global Communities:** Learners use the language both within and beyond the classroom to interact and collaborate in their community and the globalized world.	**Lifelong Learning:** Learners set goals and reflect on their progress in using languages for enjoyment, enrichment, and advancement.	

The National Standards Collaborative Board. (2015). *World-Readiness Standards for Learning Languages*. 4th ed. Alexandria, VA: Author.

Essential Features

SELF-ASSESSMENT

Learners maintain an online Portfolio to self-assess, reflect, and upload evidence for each Can-Do statement displayed alongside activities in the Student Edition. Building their collections of artifacts allows learners to form vital habits leading them to efficiently continue learning beyond the classroom.

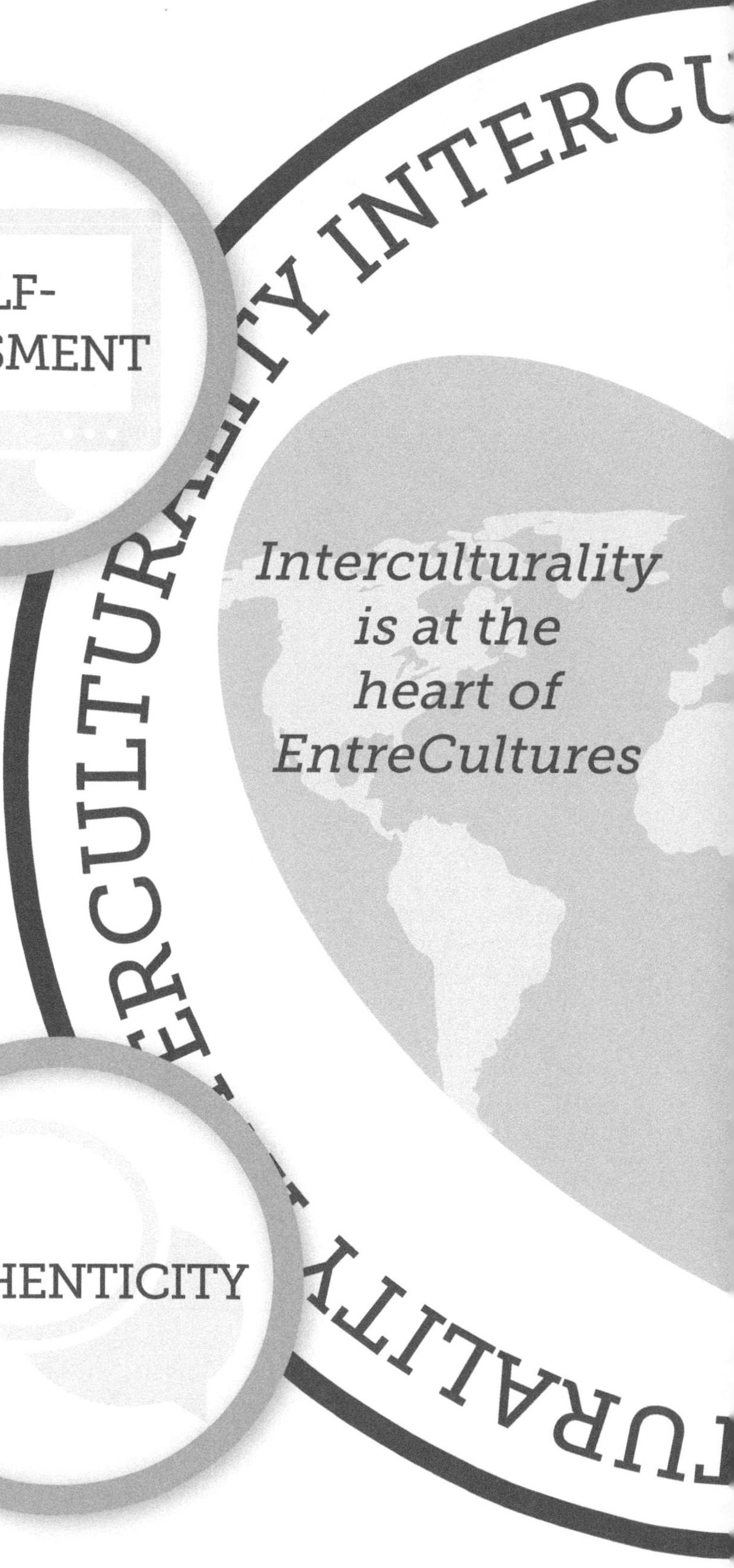

AUTHENTICITY

With ***EntreCultures***, learners explore and compare francophone communities to their own communities. Video blogs created by native speakers allow learners to compare their lives with those of their peers. Activities and assessments are based on authentic sources and set in real-life thematic and cultural contexts.

PERFORMANCE-BASED ASSESSMENT

Units include performance-based formative assessments, ***J'avance***, which solidify culturally appropriate communication skills relating to learners' communities. ***J'y arrive***, summative integrated performance assessments, engage learners in global intercultural contexts. Analytic rubrics that include intercultural and communicative learning targets accompany summative assessments.

Our vision is a world where language learning takes place through the lens of interculturality, so students can discover appropriate ways to interact with others whose perspectives may be different from their own.

RESOURCES FOR TEACHERS AND STUDENTS

The online **Explorer** provides all audio/video resources; scaffolding for Student Edition activities; vocabulary and grammar reinforcement, including flipped classroom videos; additional activities; formative and summative assessments; rubrics; and other teacher resources.

Appendices

In the Teacher Edition, you are provided with audio and audiovisual transcripts for authentic resources, answer keys, instructional strategies, Can-Do statements for each unit, and rubrics. Indices include a Grammar and Learning Strategies Videos Index as well as an index of grammatical concepts. All glossaries are also included in the program.

EntreCultures Mission and Vision

EntreCultures is a three-level, standards-based, thematically-organized program consisting of six in-depth units per level that provide learners with opportunities to interact and engage with authentic materials and adolescent speakers of the language. By learning in an intercultural context, students acquire communication skills and content knowledge while exploring the products, practices, and perspectives of French-speaking cultures.

EntreCultures Mission

EntreCultures aims to prepare learners to communicate, explore, and connect across cultures in order to foster attitudes of mutual understanding and respect.

EntreCultures Vision

Our vision is a world where language learning takes place through the lens of interculturality, so students can discover appropriate ways to interact with others whose perspectives may be different from their own.

Welcome to *EntreCultures 3*

Dear students,

Today, more than ever before, as global citizens, we all live ***entre cultures***. By now, you are on your way to becoming bilingual and biliterate! Your study of a language other than English represents a tremendous asset which will allow you to communicate appropriately and respectfully with a wider variety of people with differing cultural backgrounds. In this third level of ***EntreCultures***, you will continue to build on what you learned in ***EntreCultures 1*** and ***2*** and further expand how to share information, news, or ideas orally and in writing with friends whose experiences and perspectives may differ from your own.

Vous êtes prêts? Alors, en route vers de nouvelles aventures!

Elizabeth Zwanziger
Sara Deveaux
Françoise Vandenplas
Kyle Woollums

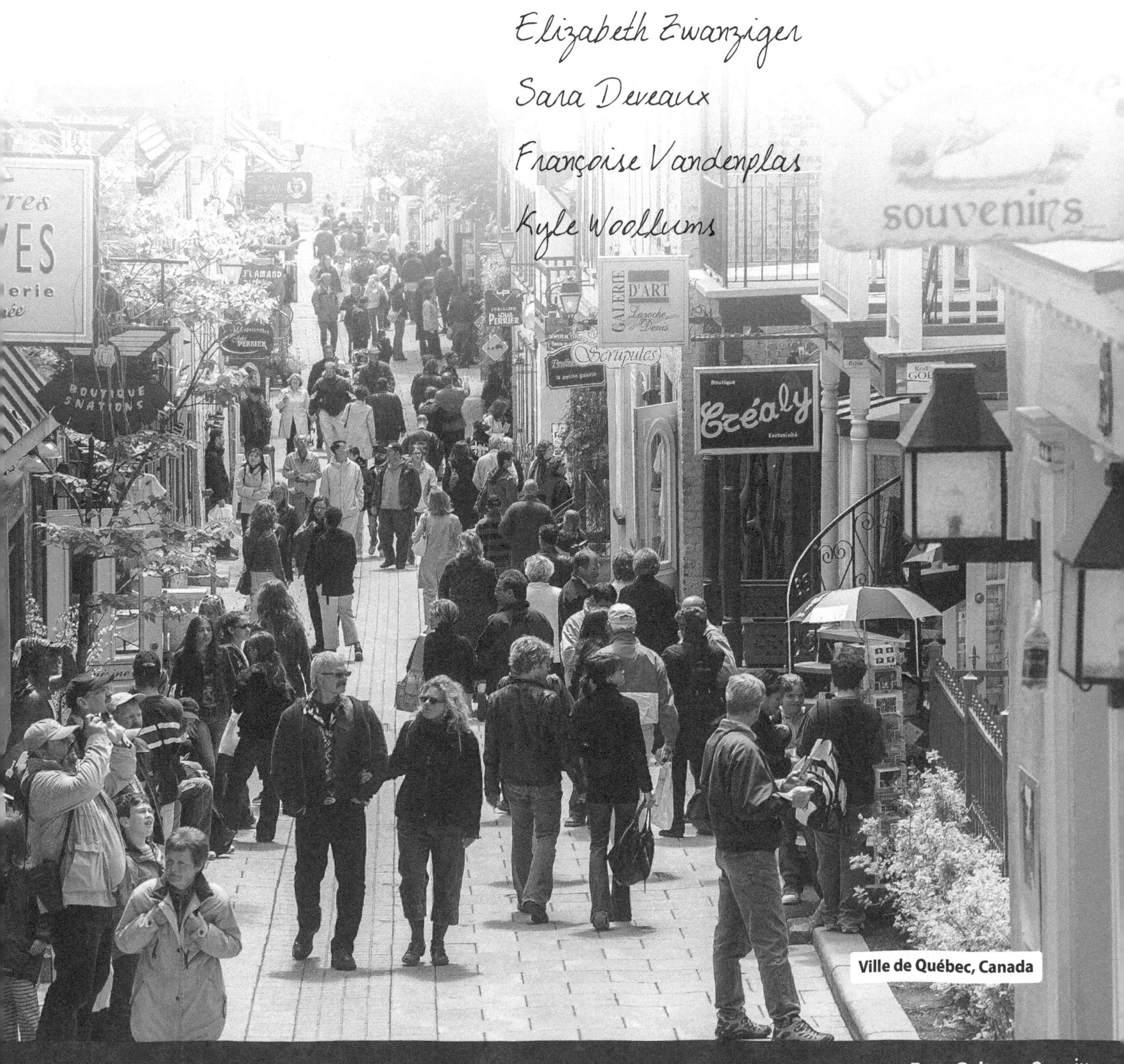

Ville de Québec, Canada

Unit Organization

Éléments supplémentaires

Détail grammatical
Détail linguistique
Rappel
Stratégies

Rencontre interculturelle

Rappelle-toi

Comment dit-on? 1

Expressions utiles
On peut aussi dire

Découvrons 1

- **Zoom culture**
  - Connexions
  - Réflexions
- **Réflexion interculturelle**
- **Mon progrès**
  - Communicatif
  - Interculturel

J'avance 1

Comment dit-on? 2

On peut aussi dire
Expressions utiles

Découvrons 2

- **Zoom culture**
  - Connexions
  - Réflexions
- **Réflexion interculturelle**
- **Mon progrès**
  - Communicatif
  - Interculturel

J'avance 2

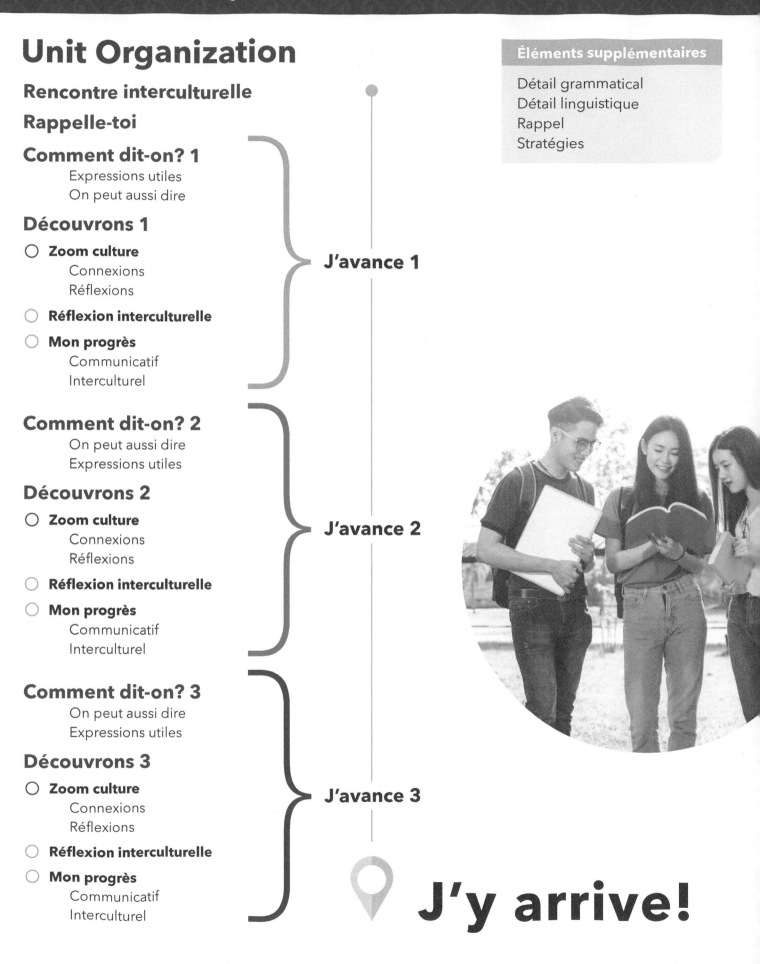

Comment dit-on? 3

On peut aussi dire
Expressions utiles

Découvrons 3

- **Zoom culture**
  - Connexions
  - Réflexions
- **Réflexion interculturelle**
- **Mon progrès**
  - Communicatif
  - Interculturel

J'avance 3

J'y arrive!

Introduction to a Unit

Explorer

EntreCultures 3 Explorer resources include video blogs, audio/video authentic resources, vocabulary, grammar and learning strategies videos, additional vocabulary practice, discussion forums, and more. You will also collect evidence of growth in your online Portfolio in the Learning Site.

Objectifs de l'unité

Review learning targets for interpretive, interpersonal, and presentational communication as well as intercultural learning.

Rappelle-toi

Review previously learned material to activate background knowledge.

Rencontre interculturelle

Start with interculturality.

Questions essentielles

Connect day-to-day learning to bigger questions.

Communiquons

Integrate language and culture to communicate.

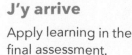

UNITÉ 1

Ma vie et moi!

Objectifs de l'unité

Exchange and present information about friendship and life events during childhood and adolescence.

Interpret authentic texts to gain insights into friendship and life events of childhood and adolescence in the francophone world.

Narrate past experiences that have affected your or another person's present life and path toward independence.

Investigate how friendships and life events shape the lives of young people in francophone cultures.

4

Questions essentielles

How is friendship experienced in my community and in francophone cultures?

Which experiences and events shape childhood?

How do life events and relationships as an adolescent influence whom I am becoming?

Les amis que nous choisissons et certains rites de passage influencent notre enfance et notre adolescence. Dans cette unité, Lily va nous parler de ses amis et de ce qu'ils font ensemble. Elle va aussi décrire des événements importants de son enfance au Sénégal.

Rencontre interculturelle 6

Faites la connaissance de Lily au travers de son blog. **Écoutez** et **regardez** pour en apprendre plus sur sa famille et ses amis.

Rappelle-toi 10

Utilisez ce que vous avez appris dans ***EntreCultures 1*** et ***2*** au sujet de la rentrée scolaire, ce que vous avez fait pendant l'été et ce que vous aimiez faire quand vous étiez petit(e).

Communiquons 14

Comment dit-on? 1 14

Apprenez à **discuter de nouvelles amitiés et des qualités et défauts de vos ami(e)s.**

Découvrons 1 22

Décrivez ce que vous faites avec vos amis avec **les verbes pronominaux réciproques**.

J'avance 1 26

Évaluez votre progrès. **Comprenez une vidéo** qui décrit une amitié. **Posez une question** sur les qualités d'un(e) ami(e) idéal(e) et les activités que vous faites avec des ami(e)s et **répondez-y. Donnez des conseils** pour être un(e) bon(ne) ami(e). **Laissez un message vocal** pour décrire une nouvelle amitié.

Comment dit-on? 2 27

Décrivez la rentrée scolaire et ce que vous faisiez quand vous étiez petit(e).

Découvrons 2 35

Décrivez les actions qui continuent dans le passé, les actions qui en interrompent d'autres et les actions habituelles ou répétées.

J'avance 2 38

Évaluez votre progrès. **Écoutez un message téléphonique** de votre grand-mère. **Parlez à votre grand-mère** pour répondre à ses questions. **Écrivez** comment vous vous sentiez la veille et comment les premiers jours se sont passés.

Comment dit-on? 3 39

Apprenez à **parler des étapes importantes de l'adolescence et du fait de devenir plus indépendant(e).**

Découvrons 3 47

Racontez des événements du passé en utilisant ***le passé composé*** et ***l'imparfait.***

J'avance 3 51

Évaluez votre progrès. **Comprenez** un e-mail d'une vieille amie qui décrit des faits récents, **répondez aux questions** au sujet des changements dans votre vie et **présentez** un événement important qui a changé votre vie.

Synthèse de grammaire et vocabulaire 52

J'y arrive 56

Montrez à quel degré vous êtes en mesure de communiquer avec des gens du monde francophone. **Regardez** et **lisez** les expériences de jeunes francophones lors de la rentrée des classes. **Décrivez** un événement du passé à un(e) autre élève et comparez-le avec celui de Lily. **Partagez** votre expérience avec un(e) partenaire.

5

Comment dit-on?

Begin with the essential vocabulary chunks.

J'avance Formative Assessments

Check progress after each unit section.

Synthèse de grammaire et vocabulaire

Review the language needed.

J'y arrive

Apply learning in the final assessment.

Rencontre interculturelle/Interculturality

Rencontre interculturelle

You will be introduced to the francophone world with the assistance of our teen video bloggers.

Blogger videos are available in Explorer.

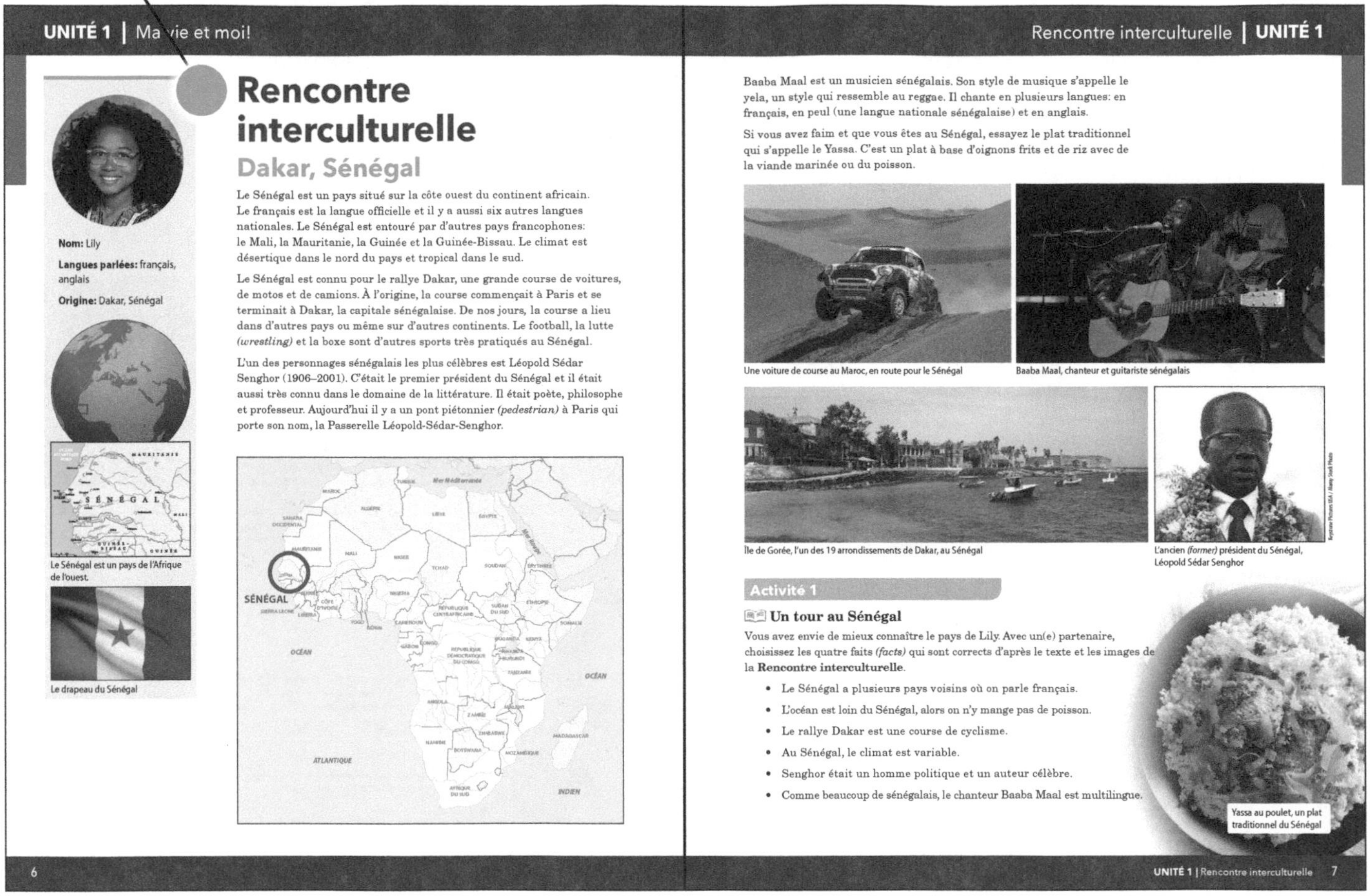

UNITÉ 1 | Ma vie et moi!

Rencontre interculturelle
Dakar, Sénégal

Nom: Lily

Langues parlées: français, anglais

Origine: Dakar, Sénégal

Le Sénégal est un pays de l'Afrique de l'ouest.

Le drapeau du Sénégal

Le Sénégal est un pays situé sur la côte ouest du continent africain. Le français est la langue officielle et il y a aussi six autres langues nationales. Le Sénégal est entouré par d'autres pays francophones: le Mali, la Mauritanie, la Guinée et la Guinée-Bissau. Le climat est désertique dans le nord du pays et tropical dans le sud.

Le Sénégal est connu pour le rallye Dakar, une grande course de voitures, de motos et de camions. À l'origine, la course commençait à Paris et se terminait à Dakar, la capitale sénégalaise. De nos jours, la course a lieu dans d'autres pays ou même sur d'autres continents. Le football, la lutte *(wrestling)* et la boxe sont d'autres sports très pratiqués au Sénégal.

L'un des personnages sénégalais les plus célèbres est Léopold Sédar Senghor (1906–2001). C'était le premier président du Sénégal et il était aussi très connu dans le domaine de la littérature. Il était poète, philosophe et professeur. Aujourd'hui il y a un pont piétonnier *(pedestrian)* à Paris qui porte son nom, la Passerelle Léopold-Sédar-Senghor.

SÉNÉGAL

6

Rencontre interculturelle | UNITÉ 1

Baaba Maal est un musicien sénégalais. Son style de musique s'appelle le yela, un style qui ressemble au reggae. Il chante en plusieurs langues: en français, en peul (une langue nationale sénégalaise) et en anglais.

Si vous avez faim et que vous êtes au Sénégal, essayez le plat traditionnel qui s'appelle le Yassa. C'est un plat à base d'oignons frits et de riz avec de la viande marinée ou du poisson.

Une voiture de course au Maroc, en route pour le Sénégal

Baaba Maal, chanteur et guitariste sénégalais

Île de Gorée, l'un des 19 arrondissements de Dakar, au Sénégal

L'ancien *(former)* président du Sénégal, Léopold Sédar Senghor

Activité 1

Un tour au Sénégal

Vous avez envie de mieux connaître le pays de Lily. Avec un(e) partenaire, choisissez les quatre faits *(facts)* qui sont corrects d'après le texte et les images de la **Rencontre interculturelle**.

- Le Sénégal a plusieurs pays voisins où on parle français.
- L'océan est loin du Sénégal, alors on n'y mange pas de poisson.
- Le rallye Dakar est une course de cyclisme.
- Au Sénégal, le climat est variable.
- Senghor était un homme politique et un auteur célèbre.
- Comme beaucoup de sénégalais, le chanteur Baaba Maal est multilingue.

Yassa au poulet, un plat traditionnel du Sénégal

UNITÉ 1 | Rencontre interculturelle 7

Rencontre interculturelle | UNITÉ 1

aspects de la vie	Lily	nous deux	moi
originaire d'un autre pays			
spectateur/spectatrice aux événements sportifs			
écouter de la musique			
découvertes culturelles			
sorties *(outings)* à la plage			
matchs de tennis			
cours de yoga			
sorties au café			

Étape 3: Parler

Comparez vos résultats de l'**Étape 2** à l'oral avec un(e) partenaire.

Réflexion interculturelle

Quels aspects de la vie au Sénégal vous intéressent? Qu'est-ce que vous voulez apprendre de plus sur ce pays? En quoi la vie serait-elle *(would it be)* semblable à ou différente de la vie dans votre communauté? Répondez aux questions dans le forum de discussion sur Explorer.

Mon progrès interculturel

I can describe similarities and differences between myself and a francophone teen.

Activité 3

AP® Lire et regarder

Répondez aux questions suivantes d'après les informations du texte de la **Rencontre interculturelle** et de la vidéo de Lily. Pour chaque question, choisissez la meilleure réponse et indiquez-la sur Explorer.

1. Quel est l'objectif de ce texte?
   a. présenter plusieurs pays francophones en Afrique centrale
   b. expliquer comment voyager au Sénégal
   c. présenter une jeune Francophone et son pays natal
2. Qu'est-ce que le rallye Dakar?
   a. une spécialité culinaire
   b. une compétition automobile
   c. une école technique
3. Selon la vidéo de Lily, elle a fait ses études dans un lycée:
   a. éthiopien.
   b. anglais.
   c. français.

UNITÉ 1 | Rencontre interculturelle 9

Réflexion interculturelle

After a variety of experiences with cultural products, practices, and perspectives, you will reflect on your growing intercultural awareness.

You will share reflections in the Explorer discussion forum.

Mon progrès interculturel

This unique self-assessment feature makes intercultural goals explicit to you.

You will provide evidence of growth in your online Portfolio in the Learning Site.

Zoom culture

Knowing about cultural products, practices, and perspectives lays a foundation for intercultural reflections.

You will share reflections in the Explorer discussion forum.

Communiquons | UNITÉ 1

a. Avec un(e) partenaire, lisez l'affiche qui présente la journée internationale de l'amitié.
b. Trouvez des synonymes pour les mots qui apparaissent *(appear)* dans la représentation schématique.
c. Écrivez-les dans la colonne «synonyme(s)». Écrivez des mots que vous voyez sur l'affiche ou ajoutez des mots que vous connaissez déjà.

mot	synonyme(s)
ami(e)	
relation amicale	

Étape 2: Parler

Circulez dans la classe et parlez à deux autres élèves. Demandez-leur d'expliquer quelles activités de la Journée internationale de l'amitié sont les plus intéressantes et partagez votre opinion.

Modèle

À quelle activité veux-tu aller?

Je voudrais aller à ____________ *parce que* ____________.

Zoom culture

Pratique culturelle: Parler de ses amis en français

Connexions

À votre avis, qu'est-ce que c'est qu'un(e) ami(e)? Et un copain/une copine?

Les Francophones font la distinction entre les mots **ami(e)** et **copain/copine**. Le mot ami(e) fait partie de la famille de mots "aimer" et "amour" et décrit une personne qui a une place significative dans le cœur de quelqu'un. On peut aussi dire un(e) "grand(e)" ami(e) pour décrire une relation amicale qui est très importante. Un(e) ami(e), c'est un(e) confident(e) avec qui on peut tout partager. Un copain/une copine, c'est une personne que l'on apprécie, mais avec qui on a une relation moins proche *(close)*. On peut voir un copain/une copine tous les jours, sortir avec lui ou avec elle, passer du temps ensemble, mais de vrai(e)s ami(e)s se confient l'un(e) à l'autre.

Réflexion

À votre avis, où se fait-on des amis et où se fait-on des copains? À l'école? Avant ou après l'école? Pendant les vacances? Ailleurs *(elsewhere)*? Expliquez votre réponse.

Réflexion interculturelle

Quelles sont les différences entre votre relation avec vos ami(e)s et les autres élèves de la classe? Est-ce que vous utilisez le mot «ami(e)» pour décrire toutes les personnes que vous connaissez? Parmi *(among)* tous vos amis, lesquels *(which ones)* considérez-vous comme vos grands amis ou vos copains? Répondez aux questions dans le forum de discussion sur Explorer.

Détail linguistique

Les familles de mots

Regardez les mots *ami, amie, amitié, amical(e)* et *amicaux*, et même *aimer, aimable* et *amour*. Qu'est-ce qu'ils ont en commun?: La racine *ami*.

N'oubliez pas que l'on peut souvent deviner *(guess)* le sens de certains mots grâce aux familles de mots.

Pensez au mot travail. Pouvez-vous trouver un mot "cousin"? Utilisez les familles de mots pour enrichir votre vocabulaire en français!

Mon progrès interculturel

I can compare the words used to describe friendship in francophone countries and in my community.

UNITÉ 1 Communiquons | Comment dit-on? 1 15

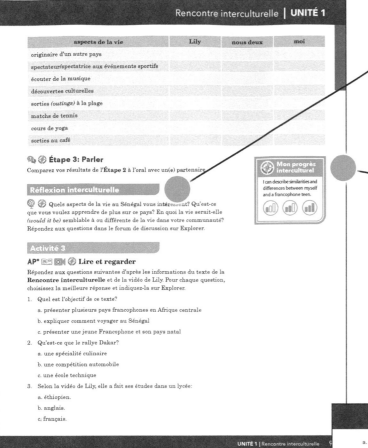

Vocabulaire

Comment dit-on?

Essential vocabulary is presented visually in manageable chunks and authentic contexts.

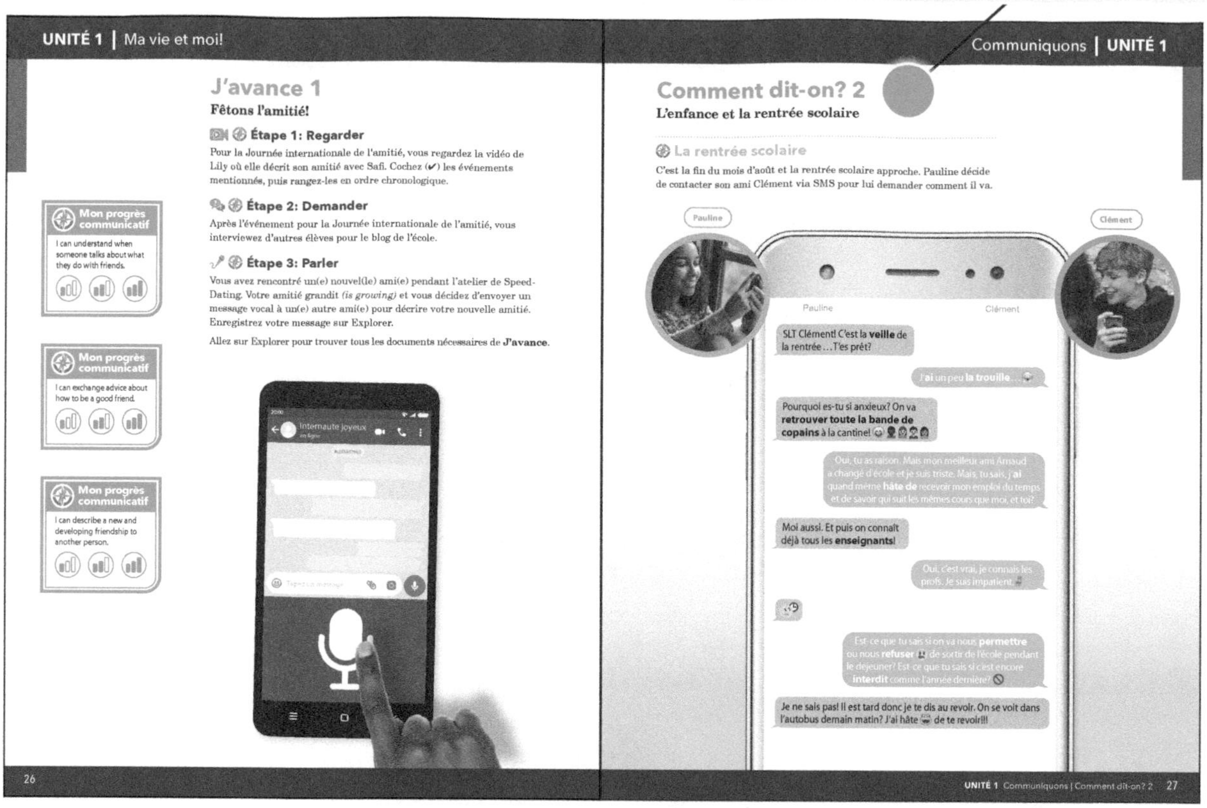

UNITÉ 1 | Ma vie et moi!
J'avance 1
Fêtons l'amitié!
Étape 1: Regarder
Pour la Journée internationale de l'amitié, vous regardez la vidéo de Lily où elle décrit son amitié avec Safi. Cochez (✔) les événements mentionnés, puis rangez-les en ordre chronologique.
Étape 2: Demander
Après l'événement pour la Journée internationale de l'amitié, vous interviewez d'autres élèves pour le blog de l'école.
Étape 3: Parler
Vous avez rencontré un(e) nouvel(le) ami(e) pendant l'atelier de Speed-Dating. Votre amitié grandit (is growing) et vous décidez d'envoyer un message vocal à un(e) autre ami(e) pour décrire votre nouvelle amitié. Enregistrez votre message sur Explorer.
Allez sur Explorer pour trouver tous les documents nécessaires de J'avance.
Mon progrès communicatif
I can understand when someone talks about what they do with friends.
Mon progrès communicatif
I can exchange advice about how to be a good friend.
Mon progrès communicatif
I can describe a new and developing friendship to another person.
Internaute joyeux
26
Communiquons | UNITÉ 1
Comment dit-on? 2
L'enfance et la rentrée scolaire
La rentrée scolaire
C'est la fin du mois d'août et la rentrée scolaire approche. Pauline décide de contacter son ami Clément via SMS pour lui demander comment il va.
Pauline
Clément
SLT Clément! C'est la veille de la rentrée… T'es prêt?
J'ai un peu la trouille…
Pourquoi es-tu si anxieux? On va retrouver toute la bande de copains à la cantine!
Oui, tu as raison. Mais mon meilleur ami Arnaud a changé d'école et je suis triste. Mais, tu sais, j'ai quand même hâte de recevoir mon emploi du temps et de savoir qui suit les mêmes cours que moi, et toi?
Moi aussi. Et puis on connaît déjà tous les enseignants!
Oui, c'est vrai, je connais les profs. Je suis impatient.
Est-ce que tu sais si on va nous permettre ou nous refuser de sortir de l'école pendant le déjeuner? Est-ce que tu sais si c'est encore interdit comme l'année dernière?
Je ne sais pas! Il est tard donc je te dis au revoir. On se voit dans l'autobus demain matin? J'ai hâte de te revoir!!
UNITÉ 1 Communiquons | Comment dit-on? 2 27

On peut aussi dire

Additional vocabulary provides personalization, extension, and variation of skills.

UNITÉ 1 | Ma vie et moi!
On peut aussi dire
aimable
amusant(e)
charmant(e)
égoïste
extraverti(e)
généreux/généreuse
gentil/gentille
humble
introverti(e)
loyal(e)
sincère
tolérant(e)
Les qualités d'un(e) ami(e)
Regarde!
Comme c'est drôle!
Rigolo! Mon ami fidèle, Orion!
Expressions utiles
Ne sois pas… !
Sois… !
Activité 9
Qualités et défauts
Quelles sont les qualités typiquement considérées positives ou négatives chez un(e) ami(e)?
a. Lisez les conversations.

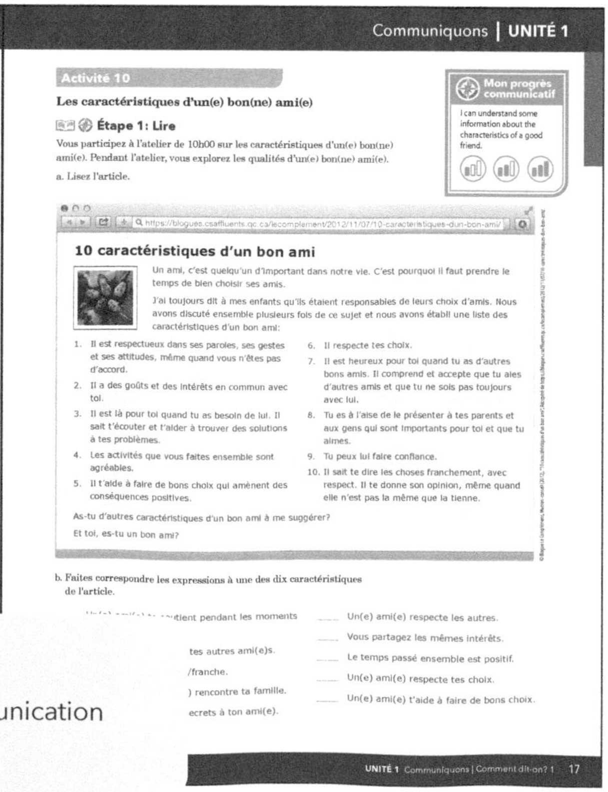

Communiquons | UNITÉ 1
Activité 10
Les caractéristiques d'un(e) bon(ne) ami(e)
Étape 1: Lire
Vous participez à l'atelier de 10h00 sur les caractéristiques d'un(e) bon(ne) ami(e). Pendant l'atelier, vous explorez les qualités d'un(e) bon(ne) ami(e).
a. Lisez l'article.
Mon progrès communicatif
I can understand some information about the characteristics of a good friend.
10 caractéristiques d'un bon ami
Un ami, c'est quelqu'un d'important dans notre vie. C'est pourquoi il faut prendre le temps de bien choisir ses amis.
J'ai toujours dit à mes enfants qu'ils étaient responsables de leurs choix d'amis. Nous avons discuté ensemble plusieurs fois de ce sujet et nous avons établi une liste des caractéristiques d'un bon ami:
1. Il est respectueux dans ses paroles, ses gestes et ses attitudes, même quand vous n'êtes pas d'accord.
2. Il a des goûts et des intérêts en commun avec toi.
3. Il est là pour toi quand tu as besoin de lui. Il sait t'écouter et t'aider à trouver des solutions à tes problèmes.
4. Les activités que vous faites ensemble sont agréables.
5. Il t'aide à faire de bons choix qui amènent des conséquences positives.
6. Il respecte tes choix.
7. Il est heureux pour toi quand tu as d'autres bons amis. Il comprend et accepte que tu aies d'autres amis et que tu ne sois pas toujours avec lui.
8. Tu es à l'aise de le présenter à tes parents et aux gens qui sont importants pour toi et que tu aimes.
9. Tu peux lui faire confiance.
10. Il sait te dire les choses franchement, avec respect. Il te donne son opinion, même quand elle n'est pas la même que la tienne.
As-tu d'autres caractéristiques d'un bon ami à me suggérer?
Et toi, es-tu un bon ami?
b. Faites correspondre les expressions à une des dix caractéristiques de l'article.
Un(e) ami(e) respecte les autres.
Vous partagez les mêmes intérêts.
Le temps passé ensemble est positif.
Un(e) ami(e) respecte tes choix.
Un(e) ami(e) t'aide à faire de bons choix.
UNITÉ 1 Communiquons | Comment dit-on? 1 17

Expressions utiles

These quick reminders show how expressions can boost communication skills, often with phrases that will work across other themes.

For every vocabulary section, there are ***activités supplémentaires*** in Explorer which provide extra practice, if needed or desired. You do not need to complete all of these activities to be successful on ***J'avance*** or ***J'y arrive*** assessments.

Détail linguistique

You will explore curious and useful details of the language.

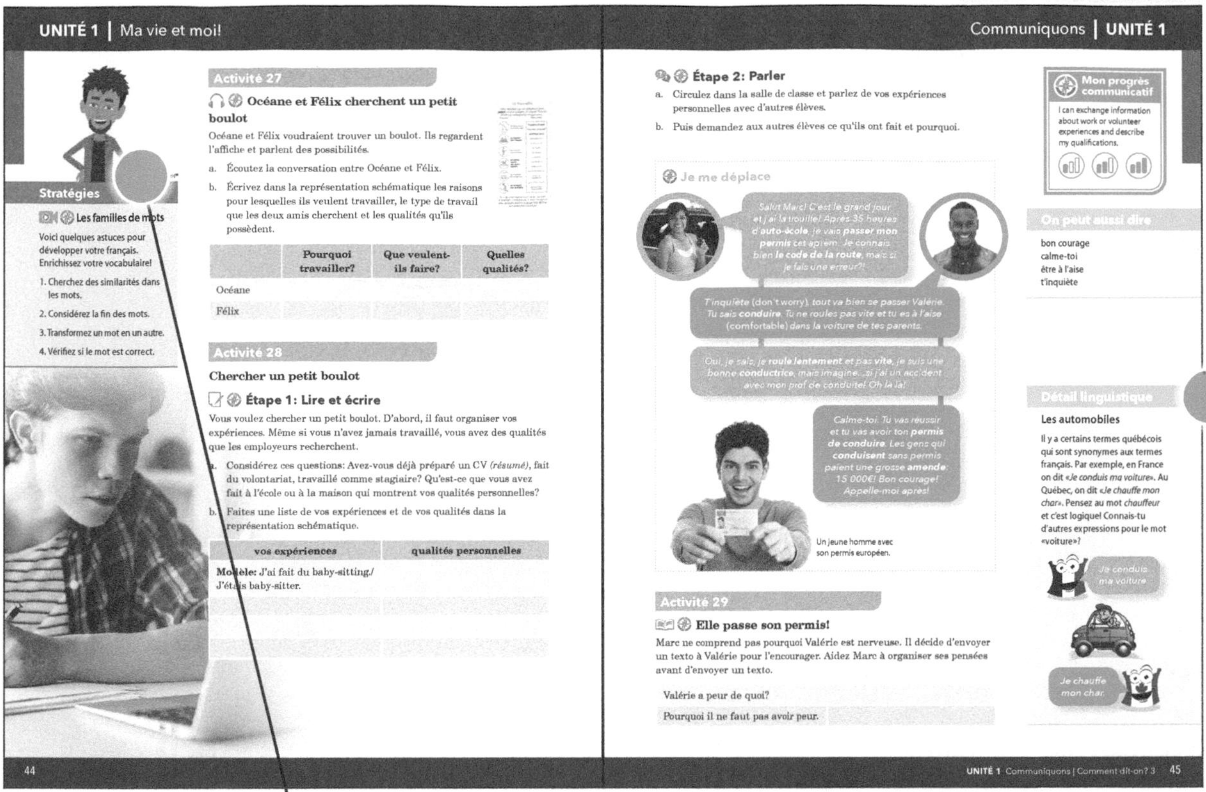
UNITÉ 1 | Ma vie et moi!

Stratégies

Les familles de mots

Voici quelques astuces pour développer votre français. Enrichissez votre vocabulaire!

1. Cherchez des similarités dans les mots.
2. Considérez la fin des mots.
3. Transformez un mot en un autre.
4. Vérifiez si le mot est correct.

Activité 27

Océane et Félix cherchent un petit boulot

Océane et Félix voudraient trouver un boulot. Ils regardent l'affiche et parlent des possibilités.

a. Écoutez la conversation entre Océane et Félix.

b. Écrivez dans la représentation schématique les raisons pour lesquelles ils veulent travailler, le type de travail que les deux amis cherchent et les qualités qu'ils possèdent.

	Pourquoi travailler?	Que veulent-ils faire?	Quelles qualités?
Océane			
Félix			

Activité 28

Chercher un petit boulot

Étape 1: Lire et écrire

Vous voulez chercher un petit boulot. D'abord, il faut organiser vos expériences. Même si vous n'avez jamais travaillé, vous avez des qualités que les employeurs recherchent.

a. Considérez ces questions: Avez-vous déjà préparé un CV *(résumé)*, fait du volontariat, travaillé comme stagiaire? Qu'est-ce que vous avez fait à l'école ou à la maison qui montrent vos qualités personnelles?

b. Faites une liste de vos expériences et de vos qualités dans la représentation schématique.

vos expériences	qualités personnelles
Modèle: J'ai fait du baby-sitting./ J'étais baby-sitter.	

44

Communiquons | UNITÉ 1

Étape 2: Parler

a. Circulez dans la salle de classe et parlez de vos expériences personnelles avec d'autres élèves.

b. Puis demandez aux autres élèves ce qu'ils ont fait et pourquoi.

Je me déplace

Salut Marc! C'est le grand jour et j'ai la trouille! Après 35 heures d'auto-école, je vais passer mon permis cet aprèm. Je connais bien le code de la route, mais si je fais une erreur?!

T'inquiète (don't worry), tout va bien se passer Valérie. Tu sais conduire. Tu ne roules pas vite et tu es à l'aise (comfortable) dans la voiture de tes parents.

Oui, je sais, je roule lentement et pas vite, je suis une bonne conductrice, mais imagine... si j'ai un accident avec mon prof de conduite! Oh là là!

Calme-toi. Tu vas réussir et tu vas avoir ton permis de conduire. Les gens qui conduisent sans permis paient une grosse amende: 15 000€! Bon courage! Appelle-moi après!

Un jeune homme avec son permis européen.

Mon progrès communicatif

I can exchange information about work or volunteer experiences and describe my qualifications.

On peut aussi dire

bon courage
calme-toi
être à l'aise
t'inquiète

Détail linguistique

Les automobiles

Il y a certains termes québécois qui sont synonymes aux termes français. Par exemple, en France on dit «Je conduis ma voiture». Au Québec, on dit «Je chauffe mon char». Pensez au mot chauffeur et c'est logique! Connais-tu d'autres expressions pour le mot «voiture»?

Je conduis ma voiture.

Je chauffe mon char.

Activité 29

Elle passe son permis!

Marc ne comprend pas pourquoi Valérie est nerveuse. Il décide d'envoyer un texto à Valérie pour l'encourager. Aidez Marc à organiser ses pensées avant d'envoyer un texto.

Valérie a peur de quoi?

Pourquoi il ne faut pas avoir peur.

UNITÉ 1 Communiquons | Comment dit-on? 3 45

Stratégies

Learning Strategies are briefly explained in the book.

All Learning Strategies videos from all three levels are available in Explorer.

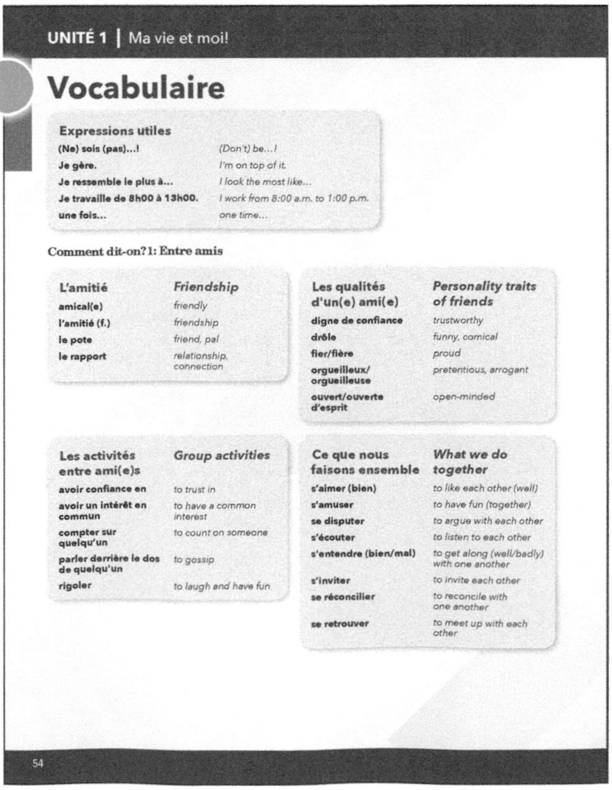
UNITÉ 1 | Ma vie et moi!

Vocabulaire

Expressions utiles

(Ne) sois (pas)...!	*(Don't) be...!*
Je gère.	*I'm on top of it.*
Je ressemble le plus à...	*I look the most like...*
Je travaille de 8h00 à 13h00.	*I work from 8:00 a.m. to 1:00 p.m.*
une fois...	*one time...*

Comment dit-on? 1: Entre amis

L'amitié	*Friendship*
amical(e)	*friendly*
l'amitié (f.)	*friendship*
le pote	*friend, pal*
le rapport	*relationship, connection*

Les qualités d'un(e) ami(e)	*Personality traits of friends*
digne de confiance	*trustworthy*
drôle	*funny, comical*
fier/fière	*proud*
orgueilleux/orgueilleuse	*pretentious, arrogant*
ouvert/ouverte d'esprit	*open-minded*

Les activités entre ami(e)s	*Group activities*
avoir confiance en	*to trust in*
avoir un intérêt en commun	*to have a common interest*
compter sur quelqu'un	*to count on someone*
parler derrière le dos de quelqu'un	*to gossip*
rigoler	*to laugh and have fun*

Ce que nous faisons ensemble	*What we do together*
s'aimer (bien)	*to like each other (well)*
s'amuser	*to have fun (together)*
se disputer	*to argue with each other*
s'écouter	*to listen to each other*
s'entendre (bien/mal)	*to get along (well/badly) with one another*
s'inviter	*to invite each other*
se réconcilier	*to reconcile with one another*
se retrouver	*to meet up with each other*

54

Vocabulaire

These lists summarize the vocabulary studied in the unit.

You will find more practice in context in Explorer.

Rappelle-toi

Rappelle-toi
Use familiar vocabulary in context before learning new material.

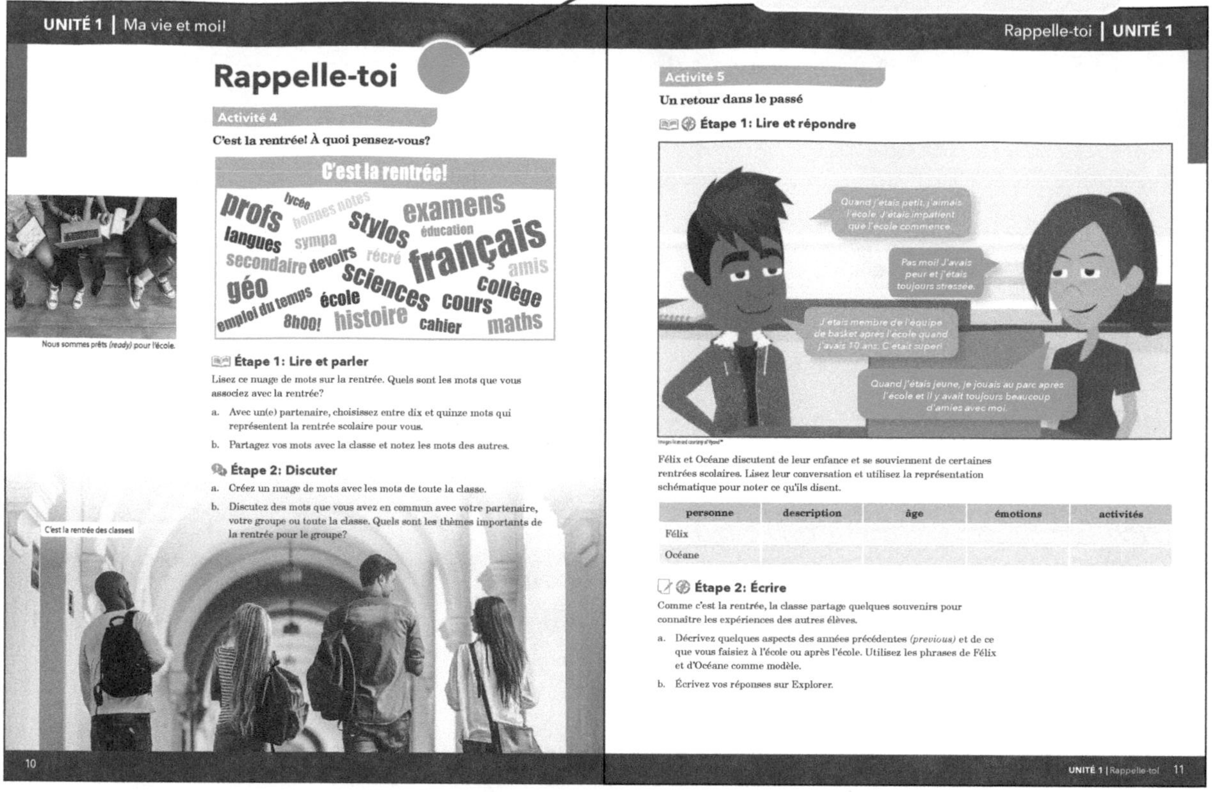

UNITÉ 1 | Ma vie et moi!

Rappelle-toi

Activité 4

C'est la rentrée! À quoi pensez-vous?

Nous sommes prêts *(ready)* pour l'école.

Étape 1: Lire et parler

Lisez ce nuage de mots sur la rentrée. Quels sont les mots que vous associez avec la rentrée?

a. Avec un(e) partenaire, choisissez entre dix et quinze mots qui représentent la rentrée scolaire pour vous.

b. Partagez vos mots avec la classe et notez les mots des autres.

Étape 2: Discuter

a. Créez un nuage de mots avec les mots de toute la classe.

b. Discutez des mots que vous avez en commun avec votre partenaire, votre groupe ou toute la classe. Quels sont les thèmes importants de la rentrée pour le groupe?

C'est la rentrée des classes!

10

Rappelle-toi | UNITÉ 1

Activité 5

Un retour dans le passé

Étape 1: Lire et répondre

Félix et Océane discutent de leur enfance et se souviennent de certaines rentrées scolaires. Lisez leur conversation et utilisez la représentation schématique pour noter ce qu'ils disent.

personne	description	âge	émotions	activités
Félix				
Océane				

Étape 2: Écrire

Comme c'est la rentrée, la classe partage quelques souvenirs pour connaître les expériences des autres élèves.

a. Décrivez quelques aspects des années précédentes *(previous)* et de ce que vous faisiez à l'école ou après l'école. Utilisez les phrases de Félix et d'Océane comme modèle.

b. Écrivez vos réponses sur Explorer.

UNITÉ 1 | Rappelle-toi 11

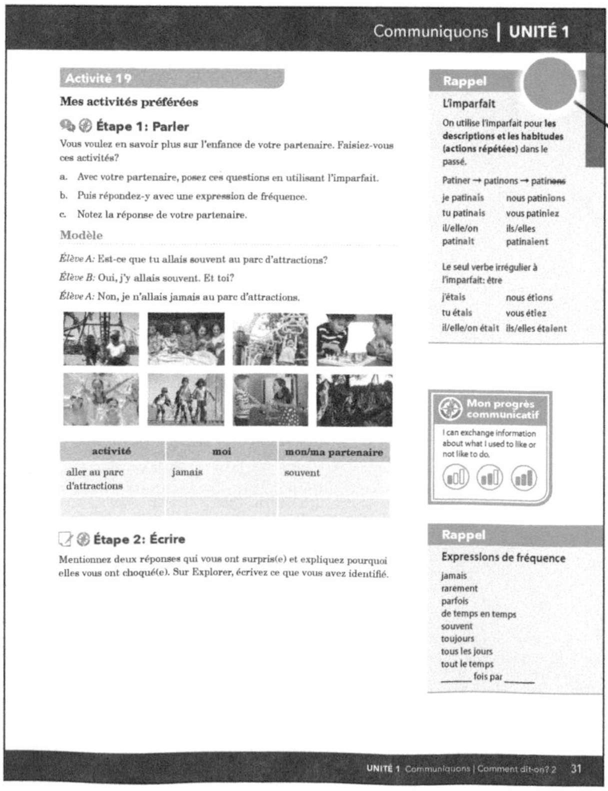

Communiquons | UNITÉ 1

Activité 19

Mes activités préférées

Étape 1: Parler

Vous voulez en savoir plus sur l'enfance de votre partenaire. Faisiez-vous ces activités?

a. Avec votre partenaire, posez ces questions en utilisant l'imparfait.

b. Puis répondez-y avec une expression de fréquence.

c. Notez la réponse de votre partenaire.

Modèle

Élève A: Est-ce que tu allais souvent au parc d'attractions?

Élève B: Oui, j'y allais souvent. Et toi?

Élève A: Non, je n'allais jamais au parc d'attractions.

activité	moi	mon/ma partenaire
aller au parc d'attractions	jamais	souvent

Étape 2: Écrire

Mentionnez deux réponses qui vous ont surpris(e) et expliquez pourquoi elles vous ont choqué(e). Sur Explorer, écrivez ce que vous avez identifié.

Rappel

L'imparfait

On utilise l'imparfait pour **les descriptions et les habitudes (actions répétées)** dans le passé.

Patiner → patinons → patin~~ons~~

je patinais	nous patinions
tu patinais	vous patiniez
il/elle/on patinait	ils/elles patinaient

Le seul verbe irrégulier à l'imparfait: être

j'étais	nous étions
tu étais	vous étiez
il/elle/on était	ils/elles étaient

Mon progrès communicatif

I can exchange information about what I used to like or not like to do.

Rappel

Expressions de fréquence

jamais
rarement
parfois
de temps en temps
souvent
toujours
tous les jours
tout le temps
_____ fois par _____

UNITÉ 1 Communiquons | Comment dit-on? 2 31

Rappel
Quick reminders about vocabulary or structures you have seen before.

Grammaire

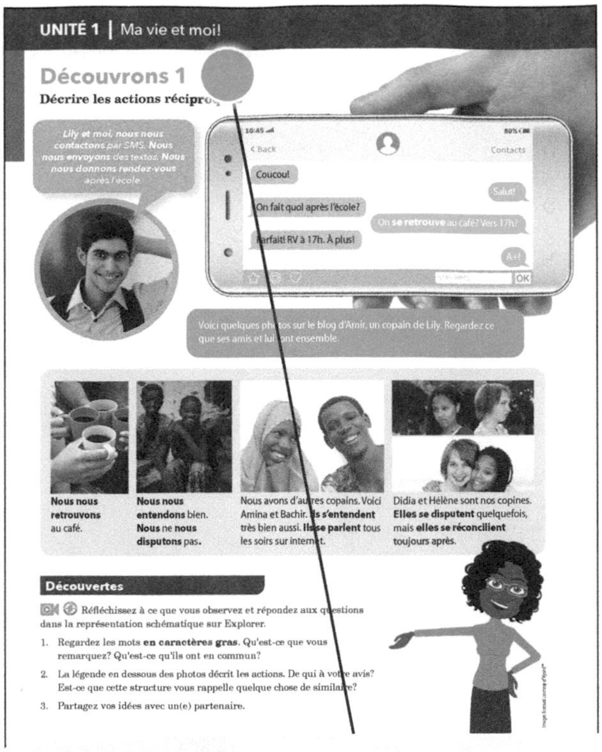
UNITÉ 1 | Ma vie et moi!

Découvrons 1

Décrire les actions récipro...

Voici quelques ph...tos sur le blog d'Amir, un copain de Lily. Regardez ce que ses amis et lui ...ont ensemble.

Nous nous retrouvons au café.

Nous nous entendons bien. **Nous** ne **nous disputons** pas.

Nous avons d'au...res copains. Voici Amina et Bachir. **...s s'entendent** très bien aussi. **Ils se parlent** tous les soirs sur intern...t.

Didia et Hélène sont nos copines. **Elles se disputent** quelquefois, mais **elles se réconcilient** toujours après.

Découvertes

Réfléchissez à ce que vous observez et répondez aux q...estions dans la représentation schématique sur Explorer.

1. Regardez les mots **en caractères gras**. Qu'est-ce que vous remarquez? Qu'est-ce qu'ils ont en commun?
2. La légende en dessous des photos décrit les actions. De qui à vo...e avis? Est-ce que cette structure vous rappelle quelque chose de simila...e?
3. Partagez vos idées avec un(e) partenaire.

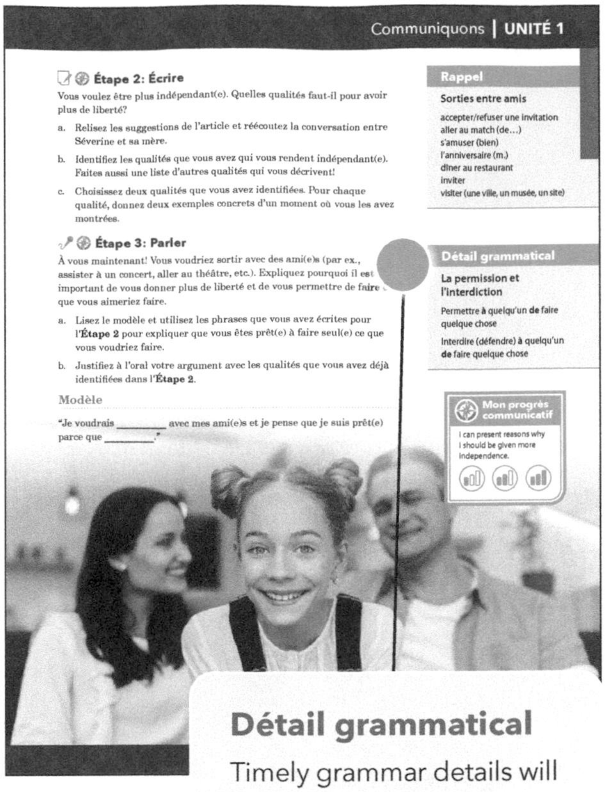
Communiquons | UNITÉ 1

Étape 2: Écrire

Vous voulez être plus indépendant(e). Quelles qualités faut-il pour avoir plus de liberté?

a. Relisez les suggestions de l'article et réécoutez la conversation entre Séverine et sa mère.
b. Identifiez les qualités que vous avez qui vous rendent indépendant(e). Faites aussi une liste d'autres qualités qui vous décrivent!
c. Choisissez deux qualités que vous avez identifiées. Pour chaque qualité, donnez deux exemples concrets d'un moment où vous les avez montrées.

Étape 3: Parler

À vous maintenant! Vous voudriez sortir avec des ami(e)s (par ex., assister à un concert, aller au théâtre, etc.). Expliquez pourquoi il est important de vous donner plus de liberté et de vous permettre de faire ... que vous aimeriez faire.

a. Lisez le modèle et utilisez les phrases que vous avez écrites pour l'**Étape 2** pour expliquer que vous êtes prêt(e) à faire seul(e) ce que vous voudriez faire.
b. Justifiez à l'oral votre argument avec les qualités que vous avez déjà identifiées dans l'**Étape 2**.

Modèle

"Je voudrais _________ avec mes ami(e)s et je pense que je suis prêt(e) parce que _________."

Rappel

Sorties entre amis

accepter/refuser une invitation
aller au match (de…)
s'amuser (bien)
l'anniversaire (m.)
dîner au restaurant
inviter
visiter (une ville, un musée, un site)

Détail grammatical

La permission et l'interdiction

Permettre à quelqu'un **de** faire quelque chose

Interdire (défendre) à quelqu'un **de** faire quelque chose

Mon progrès communicatif

I can present reasons why I should be given more independence.

Détail grammatical

Timely grammar details will help you communicate.

Découvrons

Examples of new structures in context encourage you to become "grammar detectives."

Learners will find helpful videos called ***Découvrons*** and ***Structure en avant*** in Explorer.

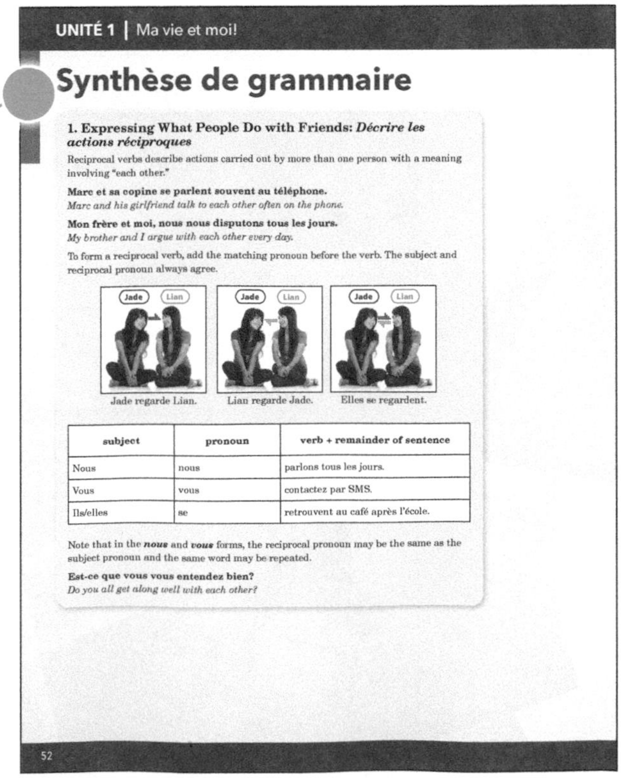
UNITÉ 1 | Ma vie et moi!

Synthèse de grammaire

1. Expressing What People Do with Friends: *Décrire les actions réciproques*

Reciprocal verbs describe actions carried out by more than one person with a meaning involving "each other."

Marc et sa copine se parlent souvent au téléphone.
Marc and his girlfriend talk to each other often on the phone.

Mon frère et moi, nous nous disputons tous les jours.
My brother and I argue with each other every day.

To form a reciprocal verb, add the matching pronoun before the verb. The subject and reciprocal pronoun always agree.

Jade regarde Lian. Lian regarde Jade. Elles se regardent.

subject	pronoun	verb + remainder of sentence
Nous	nous	parlons tous les jours.
Vous	vous	contactez par SMS.
Ils/elles	se	retrouvent au café après l'école.

Note that in the ***nous*** and ***vous*** forms, the reciprocal pronoun may be the same as the subject pronoun and the same word may be repeated.

Est-ce que vous vous entendez bien?
Do you all get along well with each other?

52

Synthèse de grammaire

This summary contains helpful explanations of grammatical structures.

You will find more practice in context in Explorer.

For every grammar section, there are ***activités supplémentaires*** in Explorer which provide extra practice, if needed or desired.

Évaluations

J'avance

Formative assessments measure student progress towards unit goals.

Find supporting materials in Explorer.

Mon progrès communicatif

You will provide evidence of growing proficiency in your online Portfolio in the Learning Site, which contains all Can-Do statements included throughout the unit.

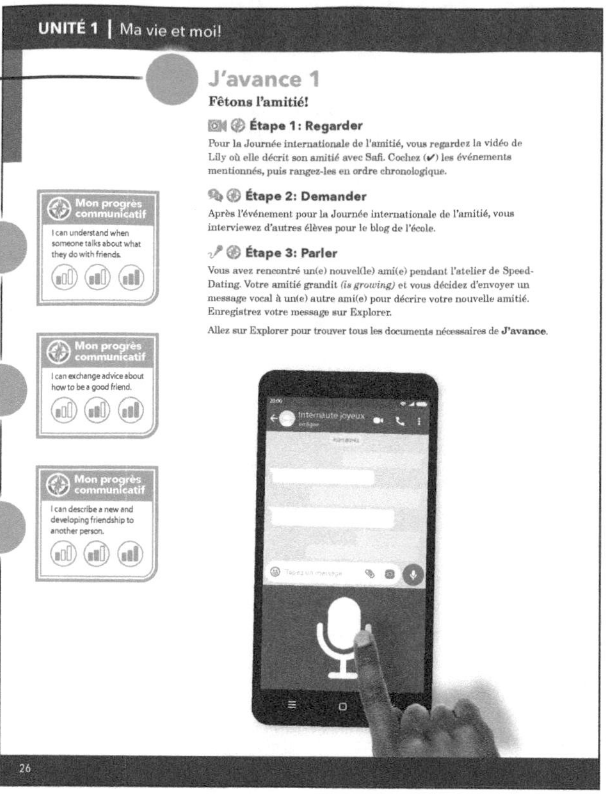
UNITÉ 1 | Ma vie et moi!

J'avance 1

Fêtons l'amitié!

Étape 1: Regarder

Pour la Journée internationale de l'amitié, vous regardez la vidéo de Lily où elle décrit son amitié avec Safi. Cochez (✔) les événements mentionnés, puis rangez-les en ordre chronologique.

Étape 2: Demander

Après l'événement pour la Journée internationale de l'amitié, vous interviewez d'autres élèves pour le blog de l'école.

Étape 3: Parler

Vous avez rencontré un(e) nouvel(le) ami(e) pendant l'atelier de Speed-Dating. Votre amitié grandit *(is growing)* et vous décidez d'envoyer un message vocal à un(e) autre ami(e) pour décrire votre nouvelle amitié. Enregistrez votre message sur Explorer.

Allez sur Explorer pour trouver tous les documents nécessaires de **J'avance**.

Mon progrès communicatif — I can understand when someone talks about what they do with friends.

Mon progrès communicatif — I can exchange advice about how to be a good friend.

Mon progrès communicatif — I can describe a new and developing friendship to another person.

26

J'y arrive

A final assessment set in an authentic intercultural context.

Find supporting materials in Explorer.

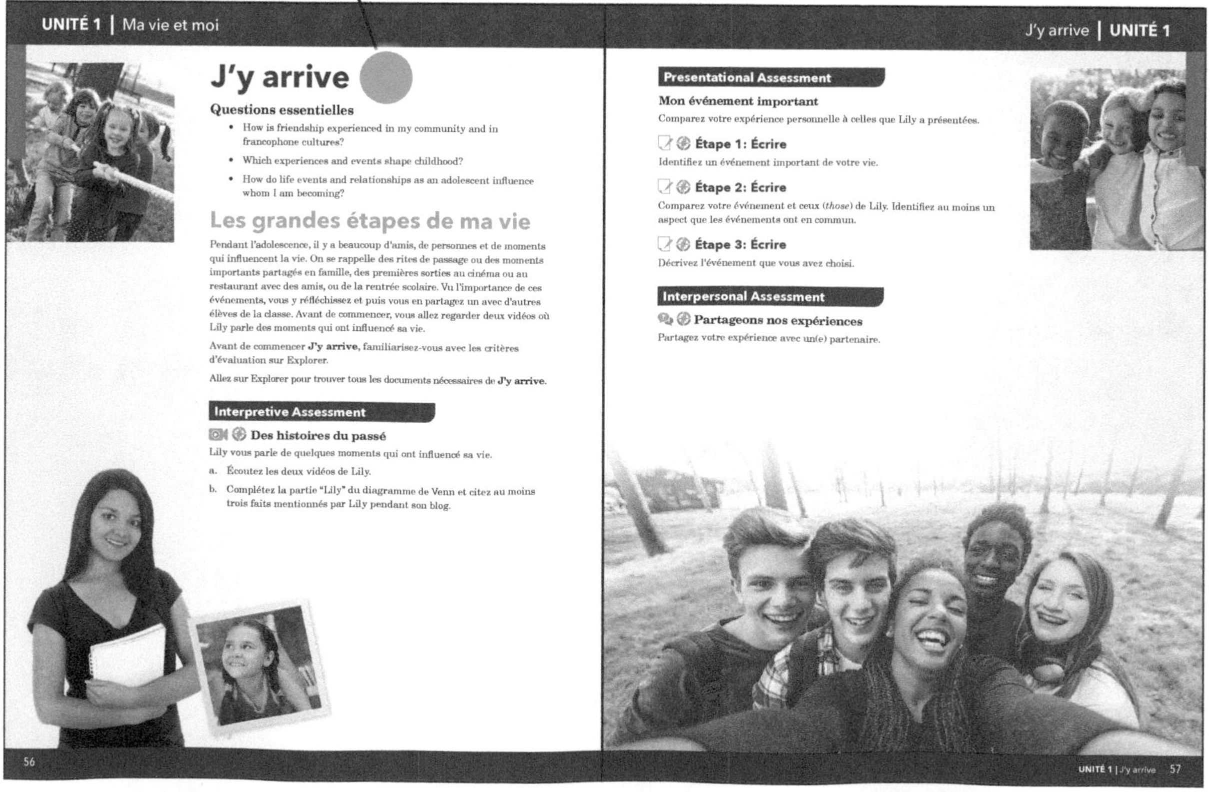
UNITÉ 1 | Ma vie et moi

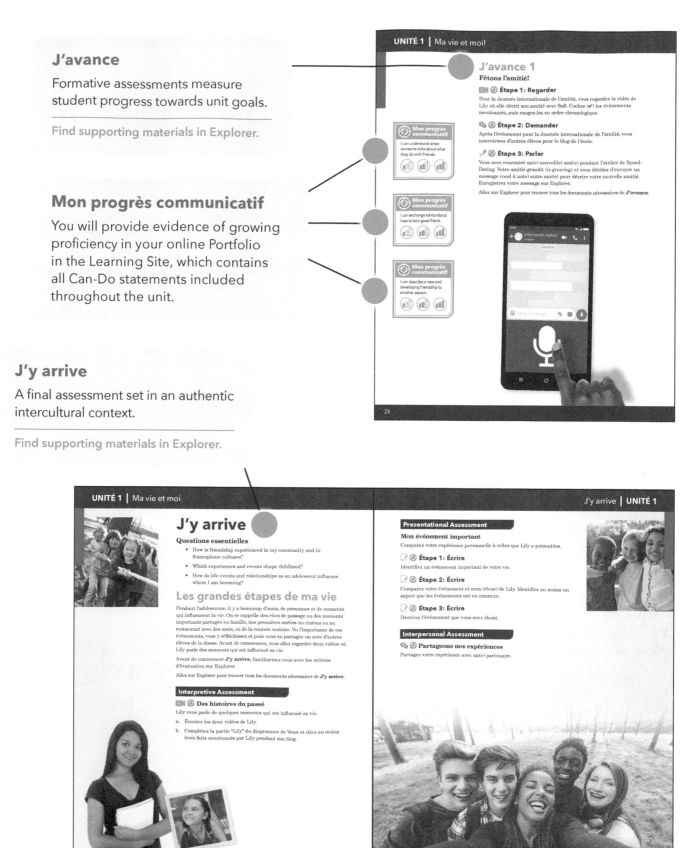

J'y arrive

Questions essentielles

- How is friendship experienced in my community and in francophone cultures?
- Which experiences and events shape childhood?
- How do life events and relationships as an adolescent influence whom I am becoming?

Les grandes étapes de ma vie

Pendant l'adolescence, il y a beaucoup d'amis, de personnes et de moments qui influencent la vie. On se rappelle des rites de passage ou des moments importants partagés en famille, des premières sorties au cinéma ou au restaurant avec des amis, ou de la rentrée scolaire. Vu l'importance de ces événements, vous y réfléchissez et puis vous en partagez un avec d'autres élèves de la classe. Avant de commencer, vous allez regarder deux vidéos où Lily parle des moments qui ont influencé sa vie.

Avant de commencer **J'y arrive**, familiarisez-vous avec les critères d'évaluation sur Explorer.

Allez sur Explorer pour trouver tous les documents nécessaires de **J'y arrive**.

Interpretive Assessment

Des histoires du passé

Lily vous parle de quelques moments qui ont influencé sa vie.

a. Écoutez les deux vidéos de Lily.
b. Complétez la partie "Lily" du diagramme de Venn et citez au moins trois faits mentionnés par Lily pendant son blog.

56

J'y arrive | UNITÉ 1

Presentational Assessment

Mon événement important

Comparez votre expérience personnelle à celles que Lily a présentées.

Étape 1: Écrire

Identifiez un événement important de votre vie.

Étape 2: Écrire

Comparez votre événement et ceux (*those*) de Lily. Identifiez au moins un aspect que les événements ont en commun.

Étape 3: Écrire

Décrivez l'événement que vous avez choisi.

Interpersonal Assessment

Partageons nos expériences

Partagez votre expérience avec un(e) partenaire.

UNITÉ 1 | J'y arrive 57

Explorer®

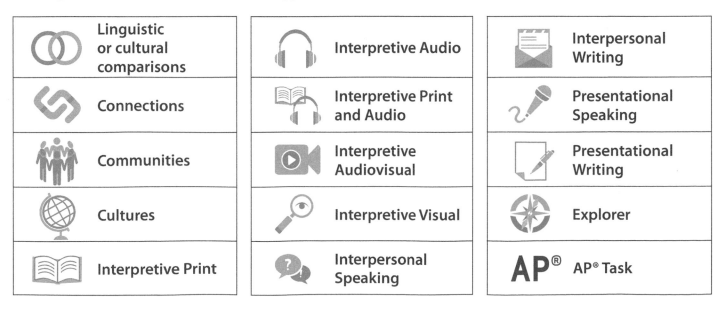

The online Explorer is the other half of the textbook, connecting students with language learning resources that inspire continued exploration.

Whether learning about Senegal through Lily's video blogs, studying grammar through flipped classroom videos, or updating learning portfolios with new achievements, students can practice all modes of communication at their own pace and within their own comfort zone.

FlexText®

FlexText® is Wayside's unique e-textbook platform. Built in HTML5, our digital textbook technology automatically adjusts the book pages to whatever screen you are using for optimal viewing.

Your FlexText® can be accessed across all of your devices and, page by page, just like the printed textbook, FlexText® allows students and teachers to use ***EntreCultures*** on the go.

Icons Legend

The icons in this program:

- Indicate the mode of communication;
- Reference the five goal areas as listed in the *World-Readiness Standards for Learning Languages*;
- Provide a signpost where Explorer offers more support; and,
- Prepare teachers and learners for the type of each task/activity.

Linguistic or cultural comparisons	Interpretive Audio	Interpersonal Writing
Connections	Interpretive Print and Audio	Presentational Speaking
Communities	Interpretive Audiovisual	Presentational Writing
Cultures	Interpretive Visual	Explorer
Interpretive Print	Interpersonal Speaking	AP® AP® Task

Scavenger Hunt

This scavenger hunt is designed to give you an opportunity to explore the different helpful and interesting features of your ***EntreCultures 3*** text and online Explorer.

What herb is featured on the cover? Investigate why it's important in francophone cultures.	Identify the focus of the first ***Zoom culture*** in Unit 5.	Find the first ***Rappel*** in Unit 1, ***Comment dit-on? 1***. Do you remember these words from your previous studies?	What country is the focus of the ***Rencontre interculturelle*** in Unit 2?
Using the table of contents, identify on which page you can find the ***Comment dit-on? 1*** section of Unit 3.	From what country is the video blogger from Unit 6?	What do the icons before ***Activité 23, Étape 1*** in Unit 3 indicate to you? Where did you find your answer?	Find three famous people from Quebec. Which one surprised you the most considering you've seen Quebec before?
In Explorer, find the forum for the ***Réflexion interculturelle*** in Unit 2 ***Comment dit-on? 1*** and post your thoughts on cell phone policies.	Identify a ***Mon progrès communicatif*** in Unit 5. To what activity does it correspond?	In which unit will you talk about your future plans?	How many ***Découvrons*** are there in each unit?
Find an image you like and research to learn something new about the person or location pictured.	Who is the video blogger for Unit 6? Find and watch the video in Explorer.	In Explorer, find the ***Découvrons 1*** video for Unit 4. What is the topic?	Find the ***Stratégies*** sidebar in Unit 3. What is the title? Head to Explorer to watch the video.

Unité 1: Ma vie et moi

Objectifs de l'unité

Exchange and present information about friendship and life events during childhood and adolescence.

Interpret authentic texts to gain insights into friendship and life events of childhood and adolescence in the francophone world.

Narrate past experiences that have affected your or another person's present life and growing independence.

Investigate how friendships and life events shape the lives of young people in francophone cultures.

Questions essentielles

How is friendship experienced in my community and in francophone cultures?

Which experiences and events shape childhood?

How do life events and relationships as an adolescent influence whom I am becoming?

Objectifs de l'unité

Exchange and present information about social networking, digital responsibilities, and safe use of technology.

Read, view, and listen to authentic texts about digital citizenship and social media.

Interact with authentic texts, such as data, infographics, or charts, to gain insights into patterns of technology used in the francophone world.

Investigate how access to and use of technology affect daily life in francophone cultures and in your community.

Questions essentielles

What effects do digital media have on my life and the lives of those in francophone cultures?

What are my rights and responsibilities as a digital citizen?

How can technology help me pursue my interests?

Unité 2: Citoyenneté numérique

SUMMATIVE ASSESSMENT

Unité 3: Je me prends en charge

SUMMATIVE ASSESSMENT

Objectifs de l'unité

Exchange information about competencies, interests, and future plans.

Interpret authentic texts, such as videos, infographics, or articles, to gain insights into the transition toward adulthood among young people in the francophone world.

Present advice about planning for the future and describe work-related competencies and goals.

Investigate how young people in francophone cultures prepare for their future.

Questions essentielles

What do young people need to consider when planning for their future?

How do young people balance their time between what they need to do and want to do in francophone cultures and in my community?

What impact will my generation have on society?

Objectifs de l'unité

Exchange information and advice about what it means to be eco-friendly.

Interpret authentic texts, such as videos, charts, infographics, brochures, and articles, to gain insights into patterns of sustainability in the francophone world.

Present and defend plans for protecting the environment and meeting global challenges related to sustainability.

Investigate how young people in francophone cultures face global challenges, such as the protection of the environment.

Questions essentielles

What is my role as an eco-friendly citizen?

Why does sustainability matter and how do my actions impact the future?

How are the beliefs of community members reflected in their actions regarding the environment in francophone communities and my own?

Unité 4: Génération responsable

SUMMATIVE ASSESSMENT

Unité 5: La quête de soi

Objectifs de l'unité

Exchange information about past experiences and other factors that affect personal identity.

Read, view, and listen to authentic texts, such as charts, infographics, videos, ads, and articles, to gain insights into different facets of personal identity.

Create a short biography that includes important facets of your identity and present advice about making positive decisions.

Investigate how people in francophone cultures express their individuality and compare to your community.

Questions essentielles

What makes me unique?

How do people express their individuality in my community and in francophone communities?

How do the choices we make define who we are?

Objectifs de l'unité

Exchange information and opinions about what constitutes art and the value of art.

Read, view, and listen to authentic texts, such as interviews, videos, ads, and articles, to gain insights into the role of art in our lives.

Express personal beliefs and opinions about art and works of art, explain why something should or should not be considered art, and present justifications for supporting the arts.

Investigate how people in francophone cultures view art and compare to your community.

Questions essentielles

What is art? How do we define it?

What is the value of art?

How is art expressed in my community and in francophone cultures?

Unité 6: L'art et la vie

SUMMATIVE ASSESSMENT

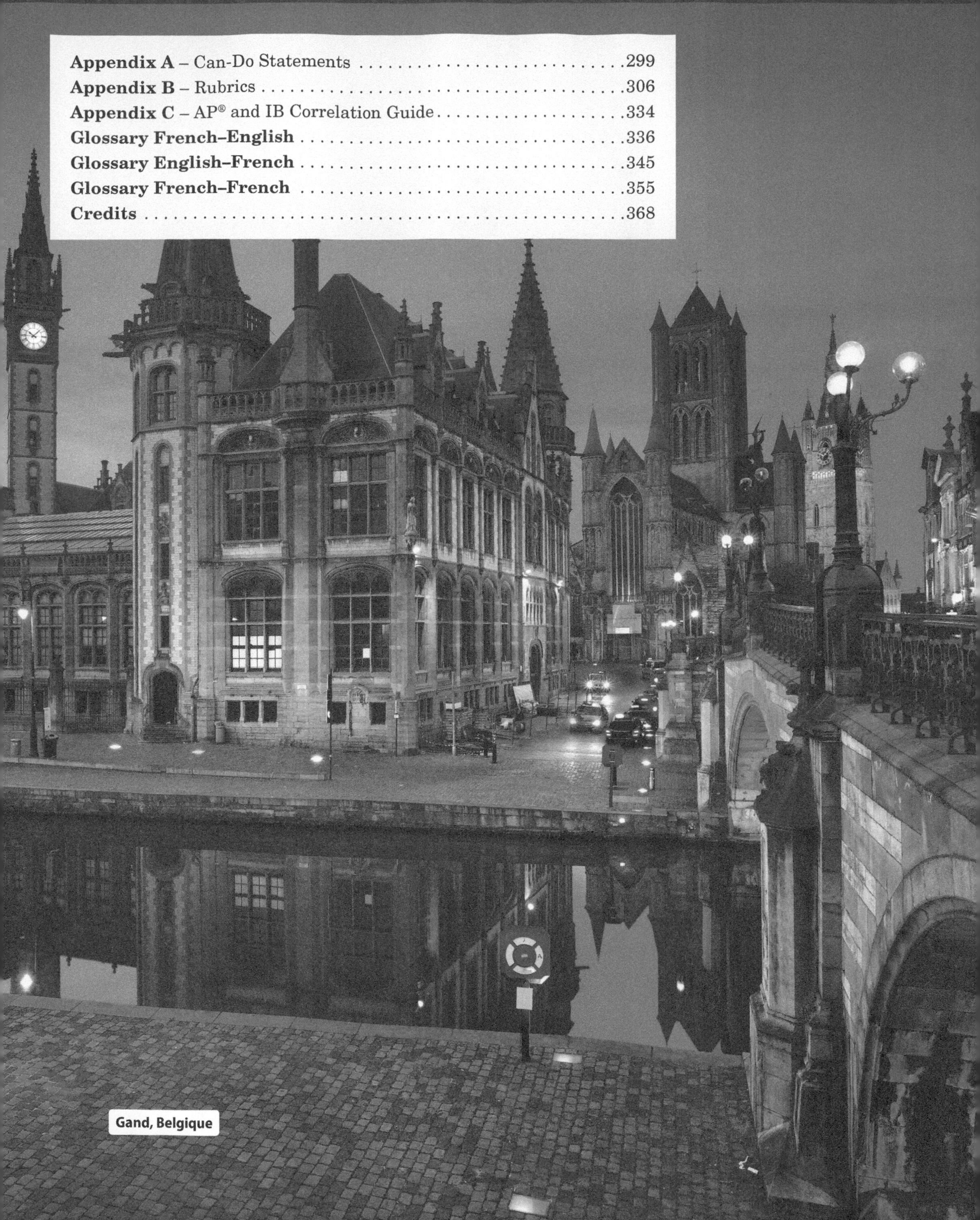

Gand, Belgique

Bienvenue!

Au cours des six unités de ce livre, vous allez rencontrer six blogueurs. Ces blogueurs vont partager des informations sur eux-mêmes et leurs origines à travers des blogs. Vous allez les rencontrer plusieurs fois au cours du programme.

Dakar, Sénégal

Vous allez rencontrer six jeunes gens du monde francophone. Ils vous invitent à vivre ***EntreCultures***.

UNITÉ 1

Ma vie et moi!

Objectifs de l'unité

Exchange and present information about friendship and life events during childhood and adolescence.

Interpret authentic texts to gain insights into friendship and life events of childhood and adolescence in the francophone world.

Narrate past experiences that have affected your or another person's present life and path toward independence.

Investigate how friendships and life events shape the lives of young people in francophone cultures.

Questions essentielles

How is friendship experienced in my community and in francophone cultures?

Which experiences and events shape childhood?

How do life events and relationships as an adolescent influence whom I am becoming?

Les amis que nous choisissons et certains rites de passage influencent notre enfance et notre adolescence. Dans cette unité, Lily va nous parler de ses amis et de ce qu'ils font ensemble. Elle va aussi décrire des événements importants de son enfance au Sénégal.

Nom: Lily

Langues parlées: français, anglais

Origine: Dakar, Sénégal

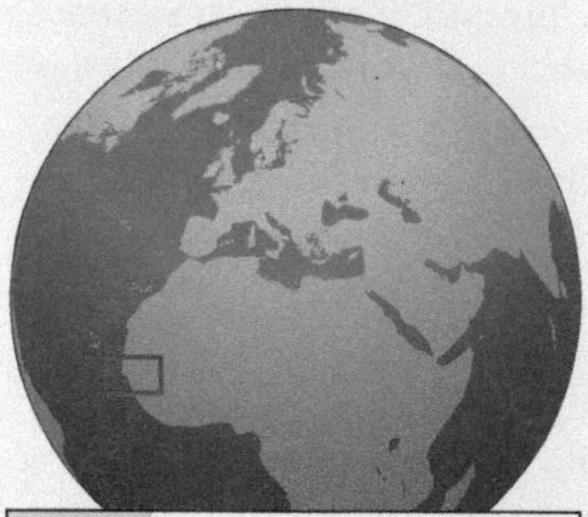

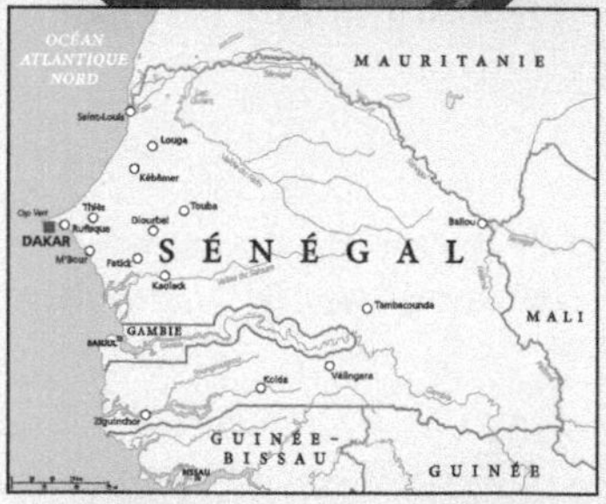

Le Sénégal est un pays de l'Afrique de l'ouest.

Le drapeau du Sénégal

Rencontre interculturelle

Dakar, Sénégal

Le Sénégal est un pays situé sur la côte ouest du continent africain. Le français est la langue officielle et il y a aussi six autres langues nationales. Le Sénégal est entouré par d'autres pays francophones: le Mali, la Mauritanie, la Guinée et la Guinée-Bissau. Le climat est désertique dans le nord du pays et tropical dans le sud.

Le Sénégal est connu pour le rallye Dakar, une grande course de voitures, de motos et de camions. À l'origine, la course commençait à Paris et se terminait à Dakar, la capitale sénégalaise. De nos jours, la course a lieu dans d'autres pays ou même sur d'autres continents. Le football, la lutte *(wrestling)* et la boxe sont d'autres sports très pratiqués au Sénégal.

L'un des personnages sénégalais les plus célèbres est Léopold Sédar Senghor (1906–2001). C'était le premier président du Sénégal et il était aussi très connu dans le domaine de la littérature. Il était poète, philosophe et professeur. Aujourd'hui il y a un pont piétonnier *(pedestrian)* à Paris qui porte son nom, la Passerelle Léopold-Sédar-Senghor.

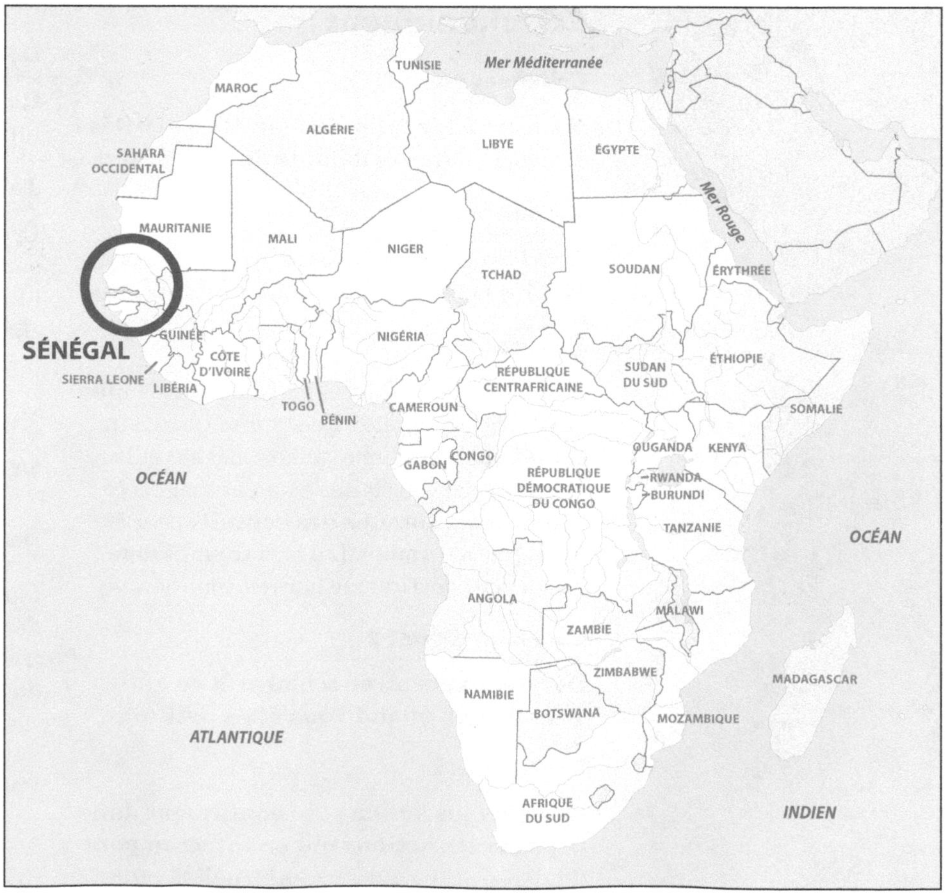

Baaba Maal est un musicien sénégalais. Son style de musique s'appelle le yela, un style qui ressemble au reggae. Il chante en plusieurs langues: en français, en peul (une langue nationale sénégalaise) et en anglais.

Si vous avez faim et que vous êtes au Sénégal, essayez le plat traditionnel qui s'appelle le Yassa. C'est un plat à base d'oignons frits et de riz avec de la viande marinée ou du poisson.

Une voiture de course au Maroc, en route pour le Sénégal

Baaba Maal, chanteur et guitariste sénégalais

Île de Gorée, l'un des 19 arrondissements de Dakar, au Sénégal

L'ancien *(former)* président du Sénégal, Léopold Sédar Senghor

Activité 1

Un tour au Sénégal

Vous avez envie de mieux connaître le pays de Lily. Avec un(e) partenaire, choisissez les quatre faits *(facts)* qui sont corrects d'après le texte et les images de la **Rencontre interculturelle**.

- Le Sénégal a plusieurs pays voisins où on parle français.
- L'océan est loin du Sénégal, alors on n'y mange pas de poisson.
- Le rallye Dakar est une course de cyclisme.
- Au Sénégal, le climat est variable.
- Senghor était un homme politique et un auteur célèbre.
- Comme beaucoup de sénégalais, le chanteur Baaba Maal est multilingue.

Yassa au poulet, un plat traditionnel du Sénégal

Louga, Sénégal

Je m'appelle Lily.
Je suis née au Sénégal.
J'aime voyager et découvrir le monde.
Je fais de l'athlétisme.
Je vais à la plage avec mes amis.

Lily est originaire du Sénégal et elle va au lycée aux États-Unis. En été, elle voyage au Sénégal et va souvent à la plage. Quand elle sort en ville avec ses amis, elle aime aller au café ou au restaurant et manger de bons plats sénégalais. Lily aime beaucoup la musique et écoute une variété de musiciens de différents pays.

Activité 2

Salut, Lily!

Étape 1: Lire et décider

Avec un(e) partenaire, regardez la photo de Lily, puis lisez son introduction et ce qu'elle dit dans les bulles. Les déclarations suivantes sont-elles vraies ou fausses?

1. Lily adore écouter de la musique.
2. Elle n'est pas retournée au Sénégal cet été.
3. Lily vit en Afrique pendant l'hiver.
4. Avec ses amies, elle fait des activités en ville.
5. Elle est originaire des États-Unis.

Étape 2: Regarder

Regardez la vidéo de Lily.

a. Cochez (✔) les aspects de sa vie dont elle parle dans la colonne **Lily**.

b. Cochez (✔) les aspects de la vie qui vous intéressent dans la colonne **moi**.

c. Puis cochez (✔) les aspects que vous avez en commun dans la colonne **nous deux**.

aspects de la vie	Lily	nous deux	moi
originaire d'un autre pays			
spectateur/spectatrice aux événements sportifs			
écouter de la musique			
découvertes culturelles			
sorties *(outings)* à la plage			
matchs de tennis			
cours de yoga			
sorties au café			

Étape 3: Parler

Comparez vos résultats de l'**Étape 2** à l'oral avec un(e) partenaire.

Mon progrès interculturel

I can describe similarities and differences between myself and a francophone teen.

Réflexion interculturelle

Quels aspects de la vie au Sénégal vous intéressent? Qu'est-ce que vous voulez apprendre de plus sur ce pays? En quoi la vie serait-elle *(would it be)* semblable à ou différente de la vie dans votre communauté? Répondez aux questions dans le forum de discussion sur Explorer.

Activité 3

AP® Lire et regarder

Répondez aux questions suivantes d'après les informations du texte de la **Rencontre interculturelle** et de la vidéo de Lily. Pour chaque question, choisissez la meilleure réponse et indiquez-la sur Explorer.

1. Quel est l'objectif de ce texte?

   a. présenter plusieurs pays francophones en Afrique centrale

   b. expliquer comment voyager au Sénégal

   c. présenter une jeune Francophone et son pays natal

2. Qu'est-ce que le rallye Dakar?

   a. une spécialité culinaire

   b. une compétition automobile

   c. une école technique

3. Selon la vidéo de Lily, elle a fait ses études dans un lycée:

   a. éthiopien.

   b. anglais.

   c. français.

Rappelle-toi

Activité 4

C'est la rentrée! À quoi pensez-vous?

Nous sommes prêts *(ready)* pour l'école.

Étape 1: Lire et parler

Lisez ce nuage de mots sur la rentrée. Quels sont les mots que vous associez avec la rentrée?

a. Avec un(e) partenaire, choisissez entre dix et quinze mots qui représentent la rentrée scolaire pour vous.

b. Partagez vos mots avec la classe et notez les mots des autres.

Étape 2: Discuter

a. Créez un nuage de mots avec les mots de toute la classe.

b. Discutez des mots que vous avez en commun avec votre partenaire, votre groupe ou toute la classe. Quels sont les thèmes importants de la rentrée pour le groupe?

C'est la rentrée des classes!

Activité 5

Un retour dans le passé

Étape 1: Lire et répondre

Félix et Océane discutent de leur enfance et se souviennent de certaines rentrées scolaires. Lisez leur conversation et utilisez la représentation schématique pour noter ce qu'ils disent.

personne	description	âge	émotions	activités
Félix				
Océane				

Étape 2: Écrire

Comme c'est la rentrée, la classe partage quelques souvenirs pour connaître les expériences des autres élèves.

a. Décrivez quelques aspects des années précédentes *(previous)* et de ce que vous faisiez à l'école ou après l'école. Utilisez les phrases de Félix et d'Océane comme modèle.

b. Écrivez vos réponses sur Explorer.

Activité 6

À quel âge?

Vous voulez mieux connaître un(e) élève de votre classe et cet élève veut aussi mieux vous connaître.

a. Demandez à votre partenaire à quel âge il ou elle a fait plusieurs des activités ci-dessous *(below)*.

b. Répondez à ses questions.

Modèle

Élève A: À quel âge est-ce que tu as commencé à aller à l'école?

Élève B: J'avais 5 ans quand j'ai commencé à aller à l'école.

Élève A: À quel âge est-ce que tu es allé(e) à un concert sans tes parents?

Élève B: Je ne suis jamais allé(e) à un concert sans mes parents.

À quel âge est-ce que tu:

- as appris à faire du vélo à deux roues?
- as passé la nuit chez un(e) ami(e) pour la première fois?
- as visité une grande ville?
- es resté(e) à la maison tout(e) seul(e)?
- es allé(e) à un spectacle/un concert?
- as eu ton premier portable?
- as raté un examen?

J'ai voyagé en Californie.

Activité 7

Qu'est-ce que vous avez fait cet été?

En groupes, vous tchattez à propos de ce que vous avez fait pendant l'été. Répondez dans le forum de discussion sur Explorer.

a. Posez trois ou quatre questions aux élèves de votre groupe et répondez à leurs questions.

b. Si vous voulez plus de détails, posez des questions spécifiques.

c. Téléchargez une ou deux photos pour montrer vos activités.

Modèle

Élève A: Qu'est-ce que tu as fait en été?

Élève B: Je suis allé(e)...

Élève A: Intéressant! Où est-ce que tu...? Quand est-ce que tu...? Pourquoi est-ce que tu...?

Nous avons vu un spectacle.

Rappelle-toi

La rentrée

À l'école

asseyez-vous
l'autobus (m.)
la cantine
la classe
commencer
connaître
le cours
le déjeuner
déjeuner
l'équipe (f.)
jouer

Expressions utiles

C'était...
J'avais...
J'étais...
Quand j'étais petit(e)...

J'ai fait...
J'ai participé à...
J'ai pris...
J'ai voyagé...
J'ai vu...
Je suis allé(e)...

chez moi
chez mon ami(e)

Les traits de caractère

actif/active
ambitieux/ambitieuse
courageux/courageuse
créatif/créative
dévoué(e)
dynamique
énergique
impatient(e)
intelligent(e)
patient(e)
positif/positive
sérieux/sérieuse
sportif/sportive
timide
travailleur/travailleuse
triste

Les traits physiques

grand(e)
gros/grosse
jeune
mignon/mignonne
mince
petit(e)

Rappel

L'amitié

ami(e)
copain/copine
meilleur(e) ami(e)

Communiquons

Comment dit-on? 1

Entre amis

L'amitié

Journée internationale de l'amitié

Rencontre **amicale**

le 30 juillet

Célébrez l'**amitié** autour du monde!

Venez avec vos **potes** et faites-vous de nouveaux copains!

Passez du temps **ensemble**!

Salle utopique, Dakar

Activités proposées:

9h00 Petit déjeuner et bienvenue
10h00 Atelier - Les qualités d'un bon ami
12h00 Déjeuner pique-nique et chansons
14h00 Atelier - Comment évoluent les **rapports amicaux**?
16h00 Rencontrez d'autres ados pendant un exercice du genre Speed-Dating
17h30 Apéro dinatoire
19h30 Soirée conviviale avec vos nouveaux amis

Activité 8

L'amitié autour du monde

Étape 1: Lire et écrire

Lily a participé aux ateliers de la Journée internationale de l'amitié à Dakar. Maintenant votre club de français veut inviter les membres d'autres clubs de français à une journée d'amitié similaire à votre école.

a. Avec un(e) partenaire, lisez l'affiche qui présente la journée internationale de l'amitié.

b. Trouvez des synonymes pour les mots qui apparaissent *(appear)* dans la représentation schématique.

c. Écrivez-les dans la colonne «synonyme(s)». Écrivez des mots que vous voyez sur l'affiche ou ajoutez des mots que vous connaissez déjà.

mot	synonyme(s)
ami(e)	
relation amicale	

Étape 2: Parler

Circulez dans la classe et parlez à deux autres élèves. Demandez-leur d'expliquer quelles activités de la Journée internationale de l'amitié sont les plus intéressantes et partagez votre opinion.

Modèle

À quelle activité veux-tu aller?

Je voudrais aller à ______________ *parce que* ______________.

Zoom culture

Pratique culturelle: Parler de ses amis en français

Connexions

À votre avis, qu'est-ce que c'est qu'un(e) ami(e)? Et un copain/une copine?

Les Francophones font la distinction entre les mots **ami(e)** et **copain/copine**. Le mot ami(e) fait partie de la famille de mots "aimer" et "amour" et décrit une personne qui a une place significative dans le cœur de quelqu'un. On peut aussi dire un(e) "grand(e)" ami(e) pour décrire une relation amicale qui est très importante. Un(e) ami(e), c'est un(e) confident(e) avec qui on peut tout partager. Un copain/une copine, c'est une personne que l'on apprécie, mais avec qui on a une relation moins proche *(close)*. On peut voir un copain/une copine tous les jours, sortir avec lui ou avec elle, passer du temps ensemble, mais de vrai(e)s ami(e)s se confient l'un(e) à l'autre.

Réflexion

À votre avis, où se fait-on des amis et où se fait-on des copains? À l'école? Avant ou après l'école? Pendant les vacances? Ailleurs *(elsewhere)*? Expliquez votre réponse.

Réflexion interculturelle

Quelles sont les différences entre votre relation avec vos ami(e)s et les autres élèves de la classe? Est-ce que vous utilisez le mot «ami(e)» pour décrire toutes les personnes que vous connaissez? Parmi (*among*) tous vos amis, lesquels (*which ones*) considérez-vous comme vos grands amis ou vos copains? Répondez aux questions dans le forum de discussion sur Explorer.

Détail linguistique

Les familles de mots

Regardez les mots *ami, amie, amitié, amical(e)* et *amicaux*, et même *aimer, aimable* et *amour*. Qu'est-ce qu'ils ont en commun?: La racine *ami*.

N'oubliez pas que l'on peut souvent deviner *(guess)* le sens de certains mots grâce aux familles de mots.

Pensez au mot travail. Pouvez-vous trouver un mot "cousin"? Utilisez les familles de mots pour enrichir votre vocabulaire en français!

Mon progrès interculturel

I can compare the words used to describe friendship in francophone countries and in my community.

On peut aussi dire

aimable
amusant(e)
charmant(e)
égoïste
extraverti(e)
généreux/généreuse
gentil/gentille
humble
introverti(e)
loyal(e)
sincère
tolérant(e)

Rappel

Parler des amis

compréhensif/compréhensive
faire la bise
fidèle
jamais
positif/positive
sérieux/sérieuse
toujours

Expressions utiles

Ne sois pas… !

Sois… !

Les qualités d'un(e) ami(e)

Regarde!
Comme c'est **drôle**!
Rigolo! Mon ami fidèle, Orion!

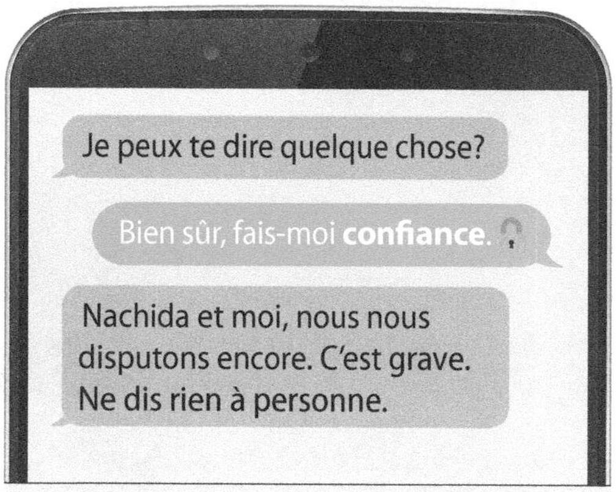

Je peux te dire quelque chose?
Bien sûr, fais-moi **confiance**.
Nachida et moi, nous nous disputons encore. C'est grave. Ne dis rien à personne.

Mon amie est **digne de confiance**. Elle est **ouverte d'esprit**: elle ne me juge jamais.

Coucou! J'ai gagné le concours d'anglais!
Ouah! Félicitations! Je suis **fier** de toi!

Salif est très intelligent. Quand il réussit, il est **fier**, mais pas à l'extrême. Il n'est pas **orgueilleux**.

Activité 9

Qualités et défauts

Quelles sont les qualités typiquement considérées positives ou négatives chez un(e) ami(e)?

a. Lisez les conversations.

b. Travaillez avec un(e) partenaire et écrivez vos réponses dans la représentation schématique sur Explorer.

En général...

+	–
Modèle: charmant(e)	

Activité 10

Les caractéristiques d'un(e) bon(ne) ami(e)

Étape 1: Lire

Vous participez à l'atelier de 10h00 sur les caractéristiques d'un(e) bon(ne) ami(e). Pendant l'atelier, vous explorez les qualités d'un(e) bon(ne) ami(e).

a. Lisez l'article.

Mon progrès communicatif

I can understand some information about the characteristics of a good friend.

https://blogues.csaffluents.qc.ca/lecomplement/2012/11/07/10-caracteristiques-dun-bon-ami/

10 caractéristiques d'un bon ami

Un ami, c'est quelqu'un d'important dans notre vie. C'est pourquoi il faut prendre le temps de bien choisir ses amis.

J'ai toujours dit à mes enfants qu'ils étaient responsables de leurs choix d'amis. Nous avons discuté ensemble plusieurs fois de ce sujet et nous avons établi une liste des caractéristiques d'un bon ami:

1. Il est respectueux dans ses paroles, ses gestes et ses attitudes, même quand vous n'êtes pas d'accord.
2. Il a des goûts et des intérêts en commun avec toi.
3. Il est là pour toi quand tu as besoin de lui. Il sait t'écouter et t'aider à trouver des solutions à tes problèmes.
4. Les activités que vous faites ensemble sont agréables.
5. Il t'aide à faire de bons choix qui amènent des conséquences positives.
6. Il respecte tes choix.
7. Il est heureux pour toi quand tu as d'autres bons amis. Il comprend et accepte que tu aies d'autres amis et que tu ne sois pas toujours avec lui.
8. Tu es à l'aise de le présenter à tes parents et aux gens qui sont importants pour toi et que tu aimes.
9. Tu peux lui faire confiance.
10. Il sait te dire les choses franchement, avec respect. Il te donne son opinion, même quand elle n'est pas la même que la tienne.

As-tu d'autres caractéristiques d'un bon ami à me suggérer?

Et toi, es-tu un bon ami?

b. Faites correspondre les expressions à une des dix caractéristiques de l'article.

_____ Un(e) ami(e) te soutient pendant les moments difficiles.

_____ Un(e) ami(e) apprécie tes autres ami(e)s.

_____ Un(e) ami(e) est franc/franche.

_____ Tu veux que ton ami(e) rencontre ta famille.

_____ Tu peux dire tous tes secrets à ton ami(e).

_____ Un(e) ami(e) respecte les autres.

_____ Vous partagez les mêmes intérêts.

_____ Le temps passé ensemble est positif.

_____ Un(e) ami(e) respecte tes choix.

_____ Un(e) ami(e) t'aide à faire de bons choix.

Étape 2: Regarder

Regardez la vidéo de Lily où elle parle des qualités d'un(e) bon(ne) ami(e). Cochez (✔) les qualités dont elle parle.

___ sincère	___ gentil/gentille	___ le respect
___ introverti(e)	___ sociable	___ l'humour
___ digne de confiance	___ extraverti(e)	___ la tolérance
___ charmant(e)	___ généreux/généreuse	___ la disponibilité

Étape 3: Écrire

Décrivez un(e) bon(ne) ami(e) en utilisant les caractéristiques mentionnées dans les **Étapes 1** et **2**.

Modèle

Mon ami(e) est …

Étape 4: Parler

Et vous, êtes-vous un(e) bon(ne) ami(e)? Expliquez à un(e) partenaire pourquoi vous êtes un(e) bon(ne) ami(e) ou pas.

Modèle

Je suis un(e) bon(ne) ami(e) parce que je ______ .

Mon progrès communicatif

I can describe the characteristics of a good friend.

Activité 11

À la recherche d'un(e) ami(e)

Étape 1: Répondre et demander

Lisez les trois petites annonces publiées sur le blog du club de français.

a. Choisissez l'annonce avec les qualités qui correspondent le plus aux vôtres *(yours)*.

b. Expliquez pourquoi vous avez choisi cette annonce.

c. Posez une question à votre ami(e) potentiel(le) au sujet de l'école ou de ses activités préférées.

Salut! Veux-tu être ami(e) avec moi? Je suis aimable et courageuse et recherche un(e) ami(e) qui aime participer aux activités avec moi! J'aime être active et essayer de nouvelles activités. Je pense qu'il faut être dispo pour apprendre. Ne sois pas égoïste!

Bonjour! J'adore rigoler et recherche un(e) ami(e) amusant(e) qui veut aller au cinéma avec moi. J'aime aussi sortir au café avec mes potes et raconter des histoires. Est-ce que tu aimes rigoler aussi? Je ne suis pas toujours sérieux et je suis un ami fidèle. Ne sois pas trop sérieux/sérieuse!

Salut! Aimes-tu écouter de la musique? Je suis toujours dispo pour aller aux concerts et recherche des ami(e)s aimables et gentils/gentilles qui aiment aussi la musique. J'aime aussi aller au café après et discuter des musiciens. Est-ce que la musique t'intéresse? Si oui, réponds vite!

Modèle

Bonjour! Je suis l'ami(e) que tu recherches parce que...

Étape 2: Écrire

Pour fêter la Journée internationale de l'amitié, tous les élèves écrivent et affichent une petite annonce pour trouver de nouveaux amis.

a. Écrivez plusieurs phrases qui expliquent les qualités que vous recherchez.

b. Donnez une ou deux suggestions à votre futur(e) ami(e) sur Explorer.

Modèle

Je recherche un(e) ami(e)... + une qualité

Un(e) bon(ne) ami(e), c'est quelqu'un qui...

Il faut être...

Sois...!

Ne sois pas...!

Les activités entre ami(e)s

Des élèves postent leurs photos sur un blog. Ils écrivent une petite description.

www.collegelyceeleopold.sn

J'aime jouer au foot, mais je ne peux pas jouer sans mes amis. Je **fais partie d**'une équipe, et nous jouons au foot ensemble.

Ce n'est pas gentil, mais quelquefois mes amis et moi, nous **parlons derrière le dos de quelqu'un.**

Je dois **avoir confiance** en mes amis! Ils sont là pour moi!

Ils s'aiment. Ma petite sœur compte sur notre grand-père et ils passent du temps ensemble.

Mes amis et moi, nous bavardons ensemble parce que nous **avons des intérêts en commun**.

Ce qui est le plus important, c'est de rire et **rigoler** ensemble!! Héhéhé!

Rappel

Les activités avec *faire*

faire des projets
faire du sport
faire la fête
faire un pique-nique
faire une promenade

Activité 12

Classer les mots par thèmes

a. Regardez les images et les phrases et considérez le sens *(meaning)* des mots en caractères gras.

b. Créez des catégories et classez des mots dans l'organisateur en forme d'Y.

c. Expliquez à la classe comment vous avez organisé les mots.

Activité 13

Les rapports amicaux

Étape 1: Réfléchir et écrire

Vous participez à l'atelier de 14h00. Réfléchissez aux rapports amicaux et aux qualités de deux ou trois de vos ami(e)s. Indiquez si votre ami(e) vous a influencé(e) ou pas.

Modèle

nom de votre ami(e)	Depuis combien de temps êtes-vous ami(e)? Quelles activités faites-vous ensemble?	Quelles sont les qualités qui ont le plus d'importance pour vous?	Est-ce que votre ami(e) vous a influencé(e)?
Alexandre	5 ans jouer au foot aller au cinéma	sincère sociable généreux	☑ oui ☐ non
			☐ oui ☐ non
			☐ oui ☐ non

Étape 2: Écrire

Écrivez quelques phrases qui expliquent pourquoi vous appréciez ces personnes.

Modèle

J'aime beaucoup Alexandre. Il aime jouer au foot comme moi et nous aimons aller au cinéma le week-end.

Rappel

Les activités

bavarder
jouer au/à la/à l'/aux (+ sport)
jouer du/de la/de l'/des (+ instrument)
participer (à)
passer du temps (ensemble)
rencontrer
sortir (ensemble)

les loisirs (m. pl.)
les passe-temps (m. pl.)

Découvrons 1

Décrire les actions réciproques

***Lily et moi, nous nous contactons** par SMS. **Nous nous envoyons** des textos. **Nous nous donnons rendez-vous** après l'école.*

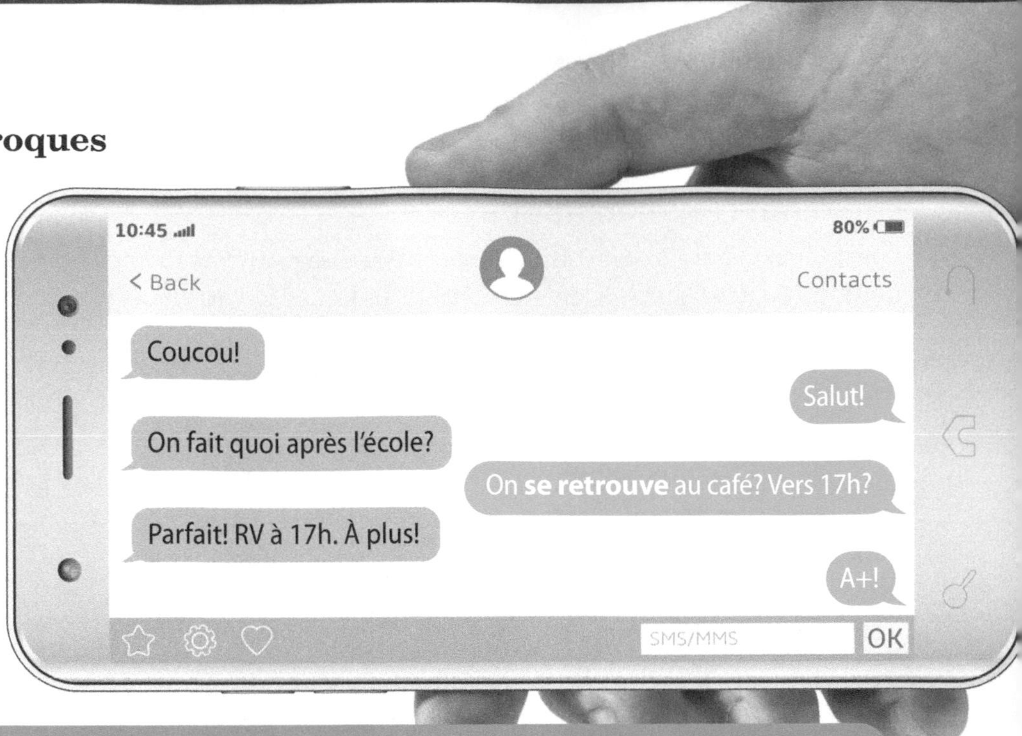

Voici quelques photos sur le blog d'Amir, un copain de Lily. Regardez ce que ses amis et lui font ensemble.

Nous nous retrouvons au café.

Nous nous entendons bien. **Nous** ne **nous disputons** pas.

Nous avons d'autres copains. Voici Amina et Bachir. **Ils s'entendent** très bien aussi. **Ils se parlent** tous les soirs sur internet.

Didia et Hélène sont nos copines. **Elles se disputent** quelquefois, mais **elles se réconcilient** toujours après.

Découvertes

Réfléchissez à ce que vous observez et répondez aux questions dans la représentation schématique sur Explorer.

1. Regardez les mots **en caractères gras**. Qu'est-ce que vous remarquez? Qu'est-ce qu'ils ont en commun?
2. La légende en dessous des photos décrit les actions. De qui à votre avis? Est-ce que cette structure vous rappelle quelque chose de similaire?
3. Partagez vos idées avec un(e) partenaire.

Activité 14

Ce que nous faisons l'une pour l'autre

Regardez la vidéo de Lily qui décrit le développement de son amitié avec Safi. Écrivez les mots-clés dans la représentation schématique sur Explorer.

étape de son amitié avec Safi	ce qu'elles font
première étape	
deuxième étape	
troisième étape	

Mon progrès communicatif

I can understand when someone talks about what they do with friends.

Activité 15

Quel jour sommes-nous?

Étape 1: Écouter, lire et répondre

Jacques Prévert est un poète français né en 1900. Écoutez et lisez son poème intitulé *Chanson* qui parle du rapport entre deux personnes.

Chanson

Quel jour sommes-nous?
Nous sommes tous les jours
Mon amie
Nous sommes toute la vie
Mon amour
Nous nous aimons et nous vivons
Nous vivons et nous nous aimons
Et nous ne savons pas ce que c'est que la vie
Et nous ne savons pas ce que c'est que le jour
Et nous ne savons pas ce que c'est que l'amour.

1. Identifiez les familles de mots qui sont présentes dans le poème. Quels sont les mots qui vont ensemble?
2. Quel est le thème du poème? Justifiez votre réponse.

Détail linguistique

Encore des verbes réciproques

Si vous ajoutez ***se*** devant le verbe, le verbe parle d'une action que deux personnes font ensemble ou l'une pour l'autre.

Ils parlent à leurs potes.
They talk to their buddies.

Ils **se** parlent.
*They talk **to each other**.*

s'aimer (bien)
s'amuser
se disputer
s'écouter
s'inviter
se parler
se regarder
se téléphoner

Étape 2: Observer et répondre

Relisez le poème, puis répondez aux questions suivantes avec un(e) partenaire. Écrivez vos idées sur Explorer.

1. Quels verbes Prévert emploie-t-il?
2. Regardez ces deux phrases:

Chanson

Quel jour sommes-nous?
Nous sommes tous les jours
Mon amie
Nous sommes toute la vie
Mon amour
Nous nous aimons et nous vivons
Nous vivons et **nous nous aimons**
Et nous ne savons pas ce que c'est que la vie
Et nous ne savons pas ce que c'est que le jour
Et nous ne savons pas ce que c'est que l'amour.

Nous nous aimons et nous vivons
Nous vivons et **nous nous aimons**

Y a-t-il quelque chose de différent? Qu'est-ce que vous observez?

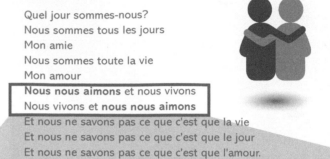

Activité 16

Notre amitié se développe

Vous vous êtes fait de nouveaux/nouvelles ami(e)s grâce à l'événement de la Journée internationale de l'amitié.

a. Écrivez un e-mail à un membre de votre famille pour lui décrire comment votre amitié se développe.

b. Utilisez les actions réciproques mentionnées dans **Découvrons 1** pour vous inspirer.

Modèle

Bonjour, Tante Julie! Je me suis fait une nouvelle amie dans un atelier pour la Journée internationale de l'amitié. Elle s'appelle Veerle. Elle est très sympa et amusante. Nous nous envoyons des textos tous les jours et nous nous retrouvons après l'école pour faire nos devoirs ensemble.

Mon progrès communicatif

I can describe a new and developing friendship to another person.

Touba, Sénégal

J'avance 1

Fêtons l'amitié!

Étape 1: Regarder

Pour la Journée internationale de l'amitié, vous regardez la vidéo de Lily où elle décrit son amitié avec Safi. Cochez (✔) les événements mentionnés, puis rangez-les en ordre chronologique.

Étape 2: Demander

Après l'événement pour la Journée internationale de l'amitié, vous interviewez d'autres élèves pour le blog de l'école.

Étape 3: Parler

Vous avez rencontré un(e) nouvel(le) ami(e) pendant l'atelier de Speed-Dating. Votre amitié grandit *(is growing)* et vous décidez d'envoyer un message vocal à un(e) autre ami(e) pour décrire votre nouvelle amitié. Enregistrez votre message sur Explorer.

Allez sur Explorer pour trouver tous les documents nécessaires de **J'avance**.

Mon progrès communicatif

I can understand when someone talks about what they do with friends.

Mon progrès communicatif

I can exchange advice about how to be a good friend.

Mon progrès communicatif

I can describe a new and developing friendship to another person.

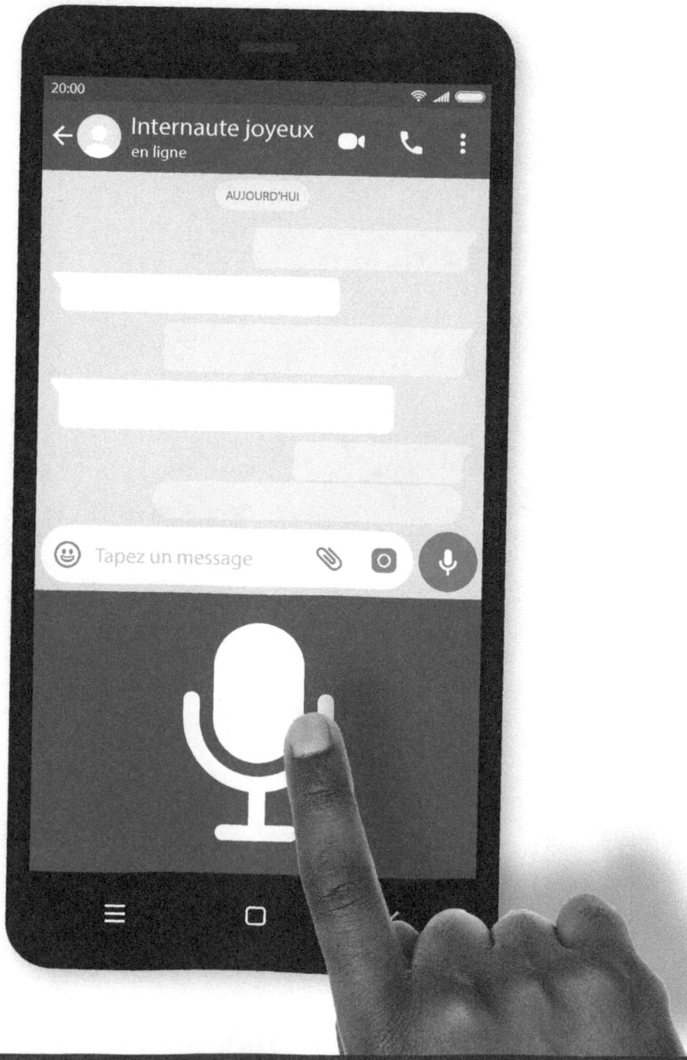

Comment dit-on? 2

L'enfance et la rentrée scolaire

La rentrée scolaire

C'est la fin du mois d'août et la rentrée scolaire approche. Pauline décide de contacter son ami Clément via SMS pour lui demander comment il va.

Pauline

Clément

Pauline — Clément

Pauline: SLT Clément! C'est la **veille** de la rentrée… T'es prêt?

Clément: J'**ai** un peu **la trouille**… 😱

Pauline: Pourquoi es-tu si anxieux? On va **retrouver toute la bande de copains** à la cantine! 😄

Clément: Oui, tu as raison. Mais mon meilleur ami Arnaud a changé d'école et je suis triste. Mais, tu sais, j'**ai** quand même **hâte de** recevoir mon emploi du temps et de savoir qui suit les mêmes cours que moi, et toi?

Pauline: Moi aussi. Et puis on connaît déjà tous les **enseignants**!

Clément: Oui, c'est vrai, je connais les profs. Je suis impatient.

Pauline: 🙄🕒

Clément: Est-ce que tu sais si on va nous **permettre** ou nous **refuser** 😢 de sortir de l'école pendant le déjeuner? Est-ce que tu sais si c'est encore **interdit** comme l'année dernière? 🚫

Pauline: Je ne sais pas! Il est tard donc je te dis au revoir. On se voit dans l'autobus demain matin? J'ai hâte 😲 de te revoir!!!

Détail linguistique

Parler des examens

En français, passer un examen et réussir un examen ne sont pas des synonymes.

passer un examen: un(e) élève répond à des questions écrites ou orales.

réussir (à) un examen: un(e) élève donne de bonnes réponses et cet élève obtient *(receives)* une bonne note.

rater un examen: un(e) élève donne beaucoup de mauvaises réponses et cet élève obtient une très mauvaise note.

Activité 17

On pense à l'école

Étape 1: Lire et faire correspondre

Avez-vous compris la conversation? Qui a dit quoi? Associez ces questions à Pauline ou à Clément selon le dialogue de la page précédente.

	Clément	Pauline
Qui a la trouille?		
Qui parle des profs?		
Qui se réjouit de retrouver la bande de copains?		
Qui dit d'abord au revoir?		
Qui parle de quelque chose qui est interdit?		

Étape 2: Parler

Dans leur conversation, Pauline et Clément parlent de leurs sentiments avant la rentrée. Avec un(e) partenaire, parlez de vos sentiments la veille ou le jour de la rentrée.

Modèle

Élève A: Tu te réjouis de retrouver la bande de copains/copines?

Élève B: Oui, je me réjouis de revoir mes ami(e)s parce que... OU Non, je ne me réjouis pas de revoir mes ami(e)s parce que...

Élève A: Moi aussi parce que... OU Moi non plus parce que...

Étape 3: Écrire

D'après la conversation entre Pauline et Clément, à qui ressemblez-vous le plus? À Pauline ou à Clément? Écrivez deux ou trois phrases qui expliquent votre choix. Suivez le modèle.

Modèle

Je ressemble le plus à ___________ parce que je suis ___________ et ___________.

Activité 18

Tu te sentais comment?

Le jour de la rentrée, on ressent de nombreux sentiments différents. Écrivez les sentiments que vous avez ressentis.

Étape 1: Écrire

Commencez par écrire les sentiments que vous ressentez dans la colonne "moi." Utilisez les expressions de la colonne de gauche. Suivez le modèle.

les expressions	moi	mon/ma partenaire
se réjouir de...	Je me réjouis de retourner à l'école.	Il/Elle se réjouit de revoir sa bande de copains/copines.
avoir hâte de...		
permettre de...		
être impatient de...		
hésiter à...		
refuser de...		

Étape 2: Parler

Avec un(e) partenaire, comparez vos émotions pendant les premiers jours de cours. Utilisez la représentation schématique de l'**Étape 1**.

Mon progrès communicatif

I can exchange information about how I feel at the beginning of a new school year.

Expressions utiles

Je gère.
I'm on top of it.

Je ressemble le plus à...
I look the most like...

Une fois...
One time...

Étape 3: Écrire

Selon vos réponses, faites un résumé de votre discussion en utilisant les expressions de la première colonne. Reliez les deux réponses avec "et" ou "mais."

Modèle

Moi, je me réjouis de retourner à l'école **et** mon/ma partenaire se réjouit de revoir sa bande de copains/copines.

Quand j'étais petite...

Léa a rendu visite à sa grand-mère et elle l'a interviewée pour un projet scolaire de la rentrée. Ensuite, elle a comparé leurs loisirs préférés quand elles étaient petites.

Moi

Moi, quand j'étais petite, j'aimais mieux rester à la maison.

Il y a des années, je jouais souvent aux jeux vidéo avec mon petit frère. Nous nous disputions beaucoup parce que je **gagnais** plus souvent que lui. Il détestait **perdre**.

J'avais aussi **une peluche** qui s'appelait Stéphanie. Je la prenais avec moi partout, au parc, **au terrain de jeux** et au zoo. J'adorais cette peluche mais un jour, je l'ai **perdue** quand on faisait **une sortie** au centre commercial! J'étais très triste!

Avec mes copines, on faisait souvent **des soirées pyjama**. **Nous patinions** au jardin public, nous regardions nos **émissions** préférées à la télé et nous bavardions de tout.

Ma grand-mère, Agathe

Quand elle était petite, ma grand-mère préférait jouer **à l'extérieur.** Elle aimait jouer avec son frère et ses deux sœurs. Mais quand il pleuvait, ils jouaient aux **jeux de société** à l'intérieur.

Sa famille habitait à la campagne et elle faisait souvent du vélo pour s'amuser. Elle **se souvient d'une fois** où elle faisait du vélo pour aller à l'école quand elle est **tombée** et elle **s'est fait mal.** Elle s'est cassé le bras!

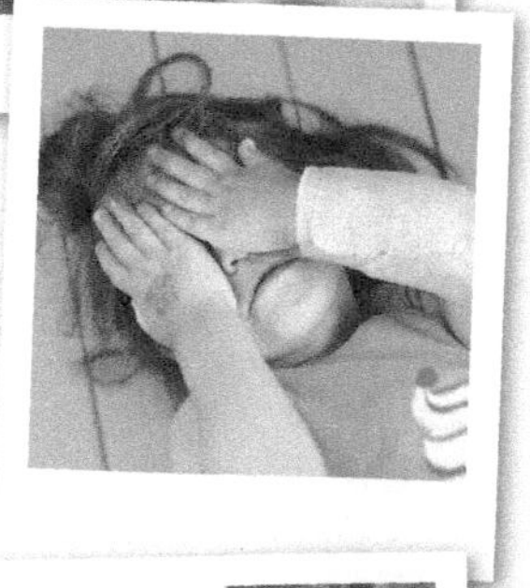

Quand elle était petite, on ne restait pas chez ses copines. Mais elle allait tous les étés en **colonie de vacances** avec ses sœurs. Elles pouvaient y faire du sport avec d'autres enfants, nager dans un lac et faire beaucoup d'autres activités ensemble.

Activité 19

Mes activités préférées

Étape 1: Parler

Vous voulez en savoir plus sur l'enfance de votre partenaire. Faisiez-vous ces activités?

a. Avec votre partenaire, posez ces questions en utilisant l'imparfait.

b. Puis répondez-y avec une expression de fréquence.

c. Notez la réponse de votre partenaire.

Modèle

Élève A: Est-ce que tu allais souvent au parc d'attractions?

Élève B: Oui, j'y allais souvent. Et toi?

Élève A: Non, je n'allais jamais au parc d'attractions.

activité	moi	mon/ma partenaire
aller au parc d'attractions	jamais	souvent

Étape 2: Écrire

Mentionnez deux réponses qui vous ont surpris(e) et expliquez pourquoi elles vous ont choqué(e). Sur Explorer, écrivez ce que vous avez identifié.

Rappel

L'imparfait

On utilise l'imparfait pour **les descriptions et les habitudes (actions répétées)** dans le passé.

Patiner → patinons → patin~~ons~~

je patin**ais**	nous patin**ions**
tu patin**ais**	vous patin**iez**
il/elle/on patin**ait**	ils/elles patin**aient**

Le seul verbe irrégulier à l'imparfait: être

j'ét**ais**	nous ét**ions**
tu ét**ais**	vous ét**iez**
il/elle/on ét**ait**	ils/elles ét**aient**

Mon progrès communicatif

I can exchange information about what I used to like or not like to do.

Rappel

Expressions de fréquence

jamais
rarement
parfois
de temps en temps
souvent
toujours
tous les jours
tout le temps
_______ fois par _______

Activité 20

Les différences du genre?

Vous étudiez les habitudes des enfants en France pour comparer les différences et les similarités entre ce que font les filles et les garçons.

activités	filles %	garçons %	une différence significative (>5%)
aller à des rencontres sportives	57,8%	68,3%	✔
aller au concert	57,6%	56,1%	-
aller au musée	69,3%	67,6%	-
écouter de la musique	91%	84,6%	✔
faire du sport	83,8%	85,7%	-
faire les devoirs	90,9%	86,2%	✔
jouer à des jeux électroniques	87,3%	90,1%	-
jouer avec des ami(e)s	89,5%	84,4%	✔
ne "rien faire"	63,1%	61,4%	-
pratiquer une activité scientifique ou technique	50,6%	60,1%	✔
surfer sur internet	83,2%	83,1%	-

Mon progrès communicatif

I can understand information about preferred leisure activities in an infographic.

Étape 1: Lire et écrire

Lisez ces données *(data)* avec un(e) partenaire puis complétez le diagramme de Venn. Notez: Une différence d'au moins 5% est significative.

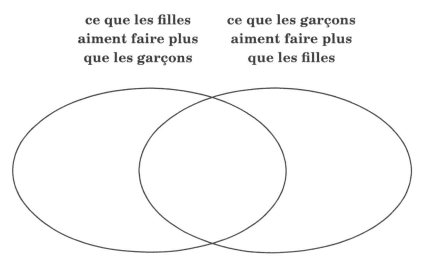

ce que les filles aiment faire plus que les garçons | **ce que les garçons aiment faire plus que les filles**

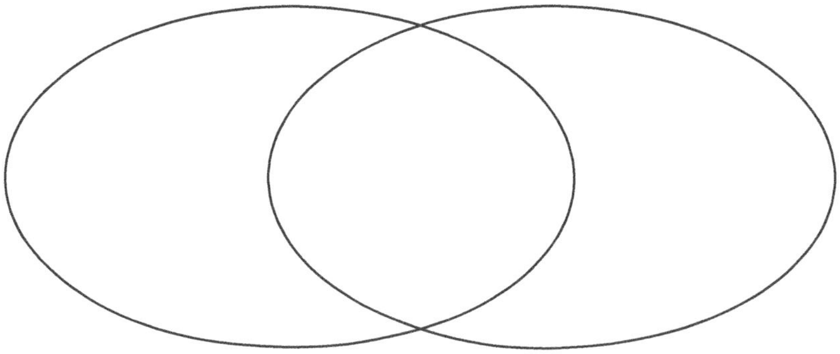

Étape 2: Parler

Après avoir étudié les données, choisissez une activité que les filles aiment faire plus que les garçons et une activité que les garçons aiment faire plus que les filles. Donnez des explications possibles: Pourquoi les filles ou les garçons préfèrent l'activité que vous avez choisie?

Étape 3: Écrire

Regardez de nouveau le diagramme de Venn et les données. Écrivez au moins trois phrases complètes qui répondent à cette question:

Y a-t-il vraiment une grande différence entre les genres *(genders)* parmi les activités des enfants en France? Justifiez votre réponse en utilisant les données du diagramme.

Expressions utiles

Il est évident que…
Il me semble que…
J'ai l'impression que…
Je crois que…
Je pense que…
Les données montrent que…

Activité 21

Mon enfance et l'enfance au Sénégal

Écoutez Lily parler de son enfance au Sénégal. Puis utilisez la représentation schématique pour comparer ce qu'elle faisait quand elle était petite avec ce que vous faisiez quand vous étiez petit(e).

ce que Lily faisait et ce que je faisais aussi	ce que Lily faisait mais que je ne faisais pas	ce que Lily ne faisait pas mais que je faisais
Modèle: Nous allions souvent au parc.	Elle faisait du sport mais moi je n'en faisais pas.	Elle ne nageait pas mais je nageais souvent.

Mon progrès communicatif

I can understand when someone talks about activities they used to do.

Île de Gorée, Dakar, Sénégal

Zoom culture

Produit culturel: Le cartable

Connexions

Comment transportez-vous votre matériel scolaire? Est-ce que vous apportez tout votre matériel pour chaque cours ou est-ce que vous laissez certaines choses dans un casier, aux vestiaires ou ailleurs?

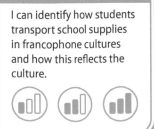

En France, de nombreux élèves transportent leur matériel scolaire dans un cartable. Le cartable, c'est une sorte de bagage, de forme rectangulaire, avec une poignée et parfois des bretelles ou une bandoulière s'il est porté sur le dos ou sur une épaule. C'est à partir du 19ᵉ siècle que les élèves, en France, ont commencé à utiliser des cartables pour transporter leurs objets personnels ou leur matériel scolaire. À l'époque, les cartables étaient faits maison à partir de toile, de cuir et même parfois de bois et étaient utilisés pendant de nombreuses années.

De nos jours, il existe une grande sélection de cartables, souvent de styles ou de couleurs différents. Il y a même une mode en ce qui concerne les modèles, les couleurs ou les marques des cartables. Certains élèves, à cause du poids du matériel scolaire, optent pour un cartable à roulettes. Certains collégiens et lycéens préfèrent transporter leur matériel scolaire dans un sac à dos plutôt que dans un cartable.

Réflexion

Est-ce que c'est facile de transporter tout son matériel scolaire tous les jours? Pourquoi? Pourquoi pas? Qu'est-ce que vous préférez utiliser: Un cartable? Un cartable à roulettes? Un sac à dos? Un sac en bandoulière? Pourquoi? Lequel vous préfériez utiliser quand vous étiez petit(e)?

Mon progrès interculturel

I can identify how students transport school supplies in francophone cultures and how this reflects the culture.

Réflexion interculturelle

Comment transportez-vous votre matériel scolaire? Pourquoi avez-vous choisi ce genre de cartable? Qu'est-ce qui a influencé votre choix: la facilité, l'apparence, le prix? Ou d'autres facteurs comme le poids *(weight)* du matériel scolaire, la distance entre les classes, votre identité, vos activités avant et après l'école?

À votre avis, est-ce que les élèves dans des pays francophones prennent les mêmes décisions? Pourquoi? Pourquoi pas? Répondez aux questions dans le forum de discussion sur Explorer.

Découvrons 2

Décrire les actions du passé

Océane et Félix ont trouvé un album-souvenir *(yearbook)* dans une salle de classe. Ils le regardent et décrivent ce que les enfants font sur les photos.

*Le garçon **apprenait** à faire du vélo quand **il est tombé**.*

*Les filles **allaient** souvent au parc d'attractions. Un jour, elles **ont décidé** d'essayer (try) les montagnes russes. Elles **étaient** un peu nerveuses au début mais elles **ont fini** par s'amuser.*

*Il **a commencé** à pleuvoir quand l'enfant **nageait** dans le lac à la colonie de vacances.*

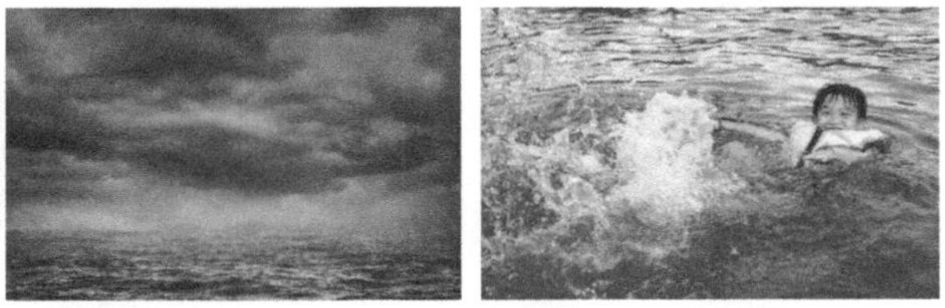

*Les enfants **étaient** enthousiastes le jour de la rentrée parce qu'ils **ont retrouvé** leur bande de copains.*

*Quand il **était** petit, Jean-Paul **allait** tous les étés en colonie de vacances; mais un été, il **a fait un voyage** à la plage avec sa famille.*

Images licensed courtesy of Vyond™

Découvertes

Réfléchissez à ce que vous observez et répondez aux questions dans la représentation schématique sur Explorer.

1. Regardez les images et les mots en caractères gras. Qu'est-ce que vous remarquez?
2. Quelle est la différence dans les structures qui décrivent les deux actions?
3. Quelle est la différence entre les actions dans la première et la deuxième image?

Partagez vos idées avec un(e) partenaire, puis regardez les ressources **Découvrons 2** pour l'**Unité 1** sur Explorer et la **Synthèse de grammaire** à la fin de l'unité.

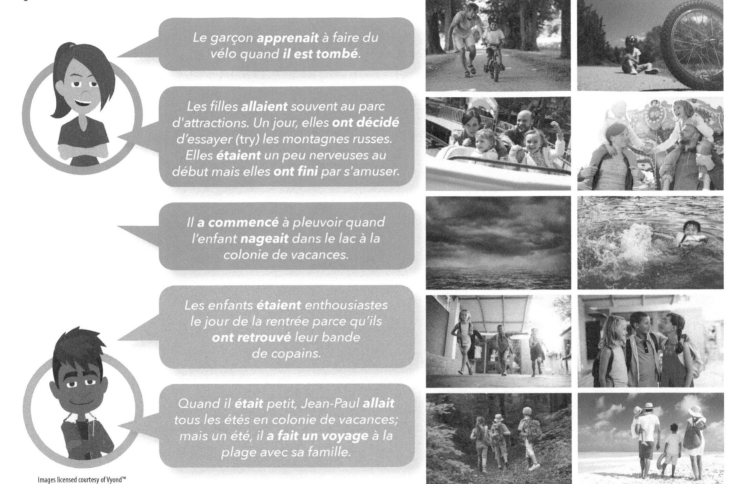

Activité 22

Qu'est-ce qui s'est passé?

Observez les commentaires d'Océane et de Félix sur l'album-souvenir et comparez les structures qui décrivent des actions dans le passé.

Étape 1: Classer

Avec votre partenaire, classez les usages dans **Découvrons 2** en utilisant la représentation schématique ci-dessous.

un exemple d'une action...			
...qui continue dans le passé	...qui interrompt une autre action	...habituelle ...répétée ...qui décrit une émotion	...spécifique ...terminée

Étape 2: Écrire

Vous corrigez de nouveaux commentaires dans l'album-souvenir de Félix et d'Océane. Choisissez les bons commentaires.

Marc **jouait/a joué** dans le terrain de jeux quand il **tombait/est tombé**.

Le week-end, mon père et moi **sommes allés/allions** au parc, mais **j'avais peur/ai eu peur** parce que l'attraction **était/a été** terrifiante.

Un jour, mes amis **jouaient/ont joué** aux jeux vidéo quand un ami **perdait/a perdu** le match et il **se fâchait/s'est fâché**.

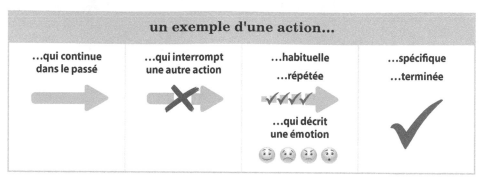

Quand j'étais petit, je **prenais/ai pris** toujours ma peluche avec moi, mais avant de commencer l'école cette année, je **commençais/j'ai commencé** à sortir sans elle.

Activité 23

Une bonne fin ou pas?

Étape 1: Écouter

Vos amis vous racontent leurs vacances.

a. Dessinez ce qu'ils faisaient.

b. Indiquez si l'action avait une fin positive ou négative.

Modèle

Vous entendez Léa: Je patinais dans le parc quand je suis tombée et je me suis fait mal à la jambe.

Ami(e)	Dessin	Fin positive ou négative?
1. Léa		négative
2. Marc		
3. Amadou		
4. Gisèle		
5. Christine		

Étape 2: Écrire

Partagez maintenant un souvenir de votre enfance avec le reste de la classe. Choisissez un moment important et décrivez-le en deux ou trois phrases sur Explorer.

Mon progrès communicatif

I can understand when someone talks about activities they used to do.

Mon progrès communicatif

I can exchange information about what I used to like or not like to do.

Mon progrès communicatif

I can describe how I felt about the first days of school and some events that took place.

J'avance 2

C'était comment, la rentrée?

Étape 1: Écouter

Votre grand-mère vous a laissé un message téléphonique. Elle vous demande de décrire vos activités d'été et les premiers jours de cours. Elle vous explique aussi comment les choses se passaient quand elle était petite. Écrivez ce qu'elle dit selon la catégorie qui correspond dans la représentation schématique sur Explorer.

AP® Étape 2: Parler

Suite à son message téléphonique, vous rappelez votre grand-mère pour répondre à ses questions. Enregistrez votre message sur Explorer.

Étape 3: Écrire

Vous envoyez un e-mail à votre grand-mère au sujet de votre été et de la rentrée.

Allez sur Explorer pour trouver tous les documents nécessaires de **J'avance**.

Désert du Ferlo, Sénégal

Comment dit-on? 3

Les événements marquants de l'adolescence

Je deviens indépendant(e)

C'est le début de l'année scolaire et Séverine aimerait plus d'indépendance. Elle trouve un article en ligne sur ce sujet qu'elle partage avec sa mère.

www.adoindependant.fr

Comment rendre votre ado indépendant(e) en 5 étapes.

Quand un(e) enfant devient adolescent(e), cet enfant se découvre et essaye de faire partie du monde des adultes. **Devenir indépendant(e)** est un moment-clé. C'est un passage dont il faut parler avec l'ado pour s'assurer qu'il ou elle soit bien prêt(e) pour cette nouvelle étape.

Voici cinq étapes pour faciliter la transition vers l'adolescence.

1. Laissez-le/la organiser son travail scolaire. Un(e) ado a besoin d'avoir plus de liberté et de pouvoir **prendre en main** des choses comme son travail scolaire ou même ses petits problèmes.

2. Donnez-lui de **l'argent de poche** et permettez-lui de gérer un petit budget et même un compte en banque.
3. Encouragez-le/la à devenir de plus en plus **autonome** et n'oubliez pas de promouvoir **une bonne estime de soi**. Aidez-le/la à être plus confiant(e).
4. Pouvoir retrouver ses ami(e)s et sortir avec eux/elles est très important pour un(e) ado; donnez-lui donc plus de liberté. Un(e) adolescent(e) peut très bien gérer son travail scolaire et certains aspects de sa vie.

5. Il est aussi important que les parents aident les ados à reconnaître leurs erreurs et à **se valoriser**. L'humour aide beaucoup dans de telles situations. Les ados veulent **se sentir écoutés**.

Grâce à ces cinq étapes, l'ado deviendra plus autonome, plus valorisé(e) et plus confiant(e).

Rappel

Pour parler de l'indépendance

gérer (son temps)
passer du temps
rencontrer/une rencontre
rigoler/rigolo
sortir/une sortie

Activité 24

Comment devenir un(e) ado indépendant(e)?

a. Avec un(e) partenaire, lisez l'article que Séverine a trouvé en ligne.

b. Dans la colonne de droite, écrivez les mots-clés de chaque catégorie qui indiquent l'indépendance.

c. Quels mots avez-vous en commun avec vos amis? Partagez votre liste avec la classe.

	mots-clés qui indiquent l'indépendance
argent de poche/compte bancaire	**Modèle** • "s'organiser seul(e)" • "plus de liberté"
travailler/faire du bénévolat	
sortir	
prendre en main ses affaires/ ses problèmes à l'école	
se sentir écouté(e)/valorisé(e)	
refuser de...	

Activité 25

Plus de liberté!

Séverine lit avec sa mère l'article *Comment rendre votre ado indépendant(e) en 5 étapes* parce qu'elle désire plus d'indépendance.

Étape 1: Écouter et écrire

Écoutez le dialogue entre Séverine et sa mère. Ensuite, faites une liste des raisons pour lesquelles Séverine pense qu'elle est assez responsable pour sortir seule avec ses amis.

raisons:

Étape 2: Écrire

Vous voulez être plus indépendant(e). Quelles qualités faut-il pour avoir plus de liberté?

a. Relisez les suggestions de l'article et réécoutez la conversation entre Séverine et sa mère.

b. Identifiez les qualités que vous avez qui vous rendent indépendant(e). Faites aussi une liste d'autres qualités qui vous décrivent!

c. Choisissez deux qualités que vous avez identifiées. Pour chaque qualité, donnez deux exemples concrets d'un moment où vous les avez montrées.

Étape 3: Parler

À vous maintenant! Vous voudriez sortir avec des ami(e)s (par ex., assister à un concert, aller au théâtre, etc.). Expliquez pourquoi il est important de vous donner plus de liberté et de vous permettre de faire ce que vous aimeriez faire.

a. Lisez le modèle et utilisez les phrases que vous avez écrites pour l'**Étape 2** pour expliquer que vous êtes prêt(e) à faire seul(e) ce que vous voudriez faire.

b. Justifiez à l'oral votre argument avec les qualités que vous avez déjà identifiées dans l'**Étape 2**.

Modèle

"Je voudrais __________ avec mes ami(e)s et je pense que je suis prêt(e) parce que __________."

Rappel

Sorties entre amis

accepter/refuser une invitation
aller au match (de...)
s'amuser (bien)
l'anniversaire (m.)
dîner au restaurant
inviter
visiter (une ville, un musée, un site)

Détail grammatical

La permission et l'interdiction

Permettre **à** quelqu'un **de** faire quelque chose

Interdire (défendre) **à** quelqu'un **de** faire quelque chose

Mon progrès communicatif

I can present reasons why I should be given more independence.

On peut aussi dire

Ce que je fais au boulot

aider les gens à trouver ce qu'ils cherchent
cultiver
faire du baby-sitting
jardiner, faire du jardinage
nager
sauver
servir un repas
soutenir
vendre

Je travaille

Vous cherchez un job d'étudiant pour **gagner** un peu d'argent de poche? Trouvez le job qui correspond à vos aptitudes.

un baby-sitter/
une baby-sitter

**un caissier/
une caissière**

un serveur/
une serveuse

**un maître-nageur/
une maître-nageuse**

un vendeur/
une vendeuse

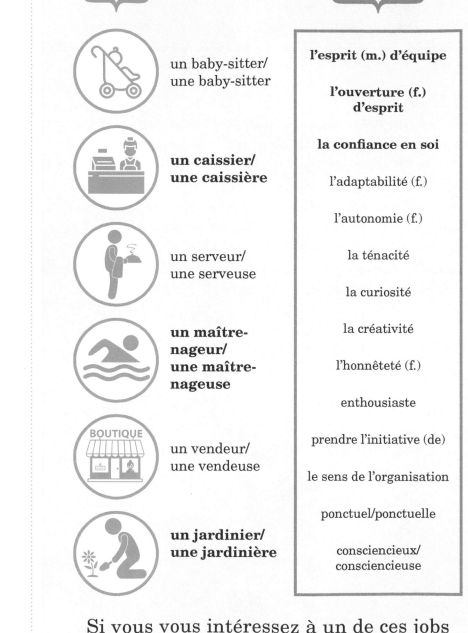

**un jardinier/
une jardinière**

l'esprit (m.) d'équipe

l'ouverture (f.) d'esprit

la confiance en soi

l'adaptabilité (f.)

l'autonomie (f.)

la ténacité

la curiosité

la créativité

l'honnêteté (f.)

enthousiaste

prendre l'initiative (de)

le sens de l'organisation

ponctuel/ponctuelle

consciencieux/
consciencieuse

Si vous vous intéressez à un de ces jobs d'étudiant, n'hésitez pas à nous contacter pour prendre rendez-vous au: 834 9132 ou sur www.jobétudiant.sn

Activité 26

Trouver un job d'étudiant

Étape 1: Lire

Vous et votre ami(e) êtes au lycée et remarquez l'affiche «Je travaille» qui montre les jobs d'étudiant et les qualités qu'il faut.

a. Lisez l'affiche avec un(e) partenaire.

b. Faites une liste dans la colonne de gauche de quatre petits boulots qui vous intéressent.

c. Dans la colonne de droite, écrivez les qualités qu'il faut avoir pour réussir dans ce petit boulot.

petit boulot	qualités
Modèle: vendeur/vendeuse	ponctuel/ponctuelle, être à l'heure, enthousiaste, esprit d'équipe...

Étape 2: Parler

Circulez dans la classe et parlez à deux autres élèves.

a. Demandez-leur deux jobs qu'ils désirent et les qualités qu'ils associent avec ce job.

b. Écrivez leurs opinions dans la représentation schématique sur Explorer.

c. Partagez votre opinion.

Modèle

Je voudrais être vendeur/vendeuse parce que je suis ponctuel/ponctuelle. J'ai un bon sens de l'organisation. J'aime aussi parler avec des gens.

élève	job qu'il/elle désire	qualités qu'il faut avoir
1		
2		

Détail linguistique

Les familles de mots

postuler, le poste
le stage, le/la stagiaire
travailler, le travail

Images licensed courtesy of Vyond™

Stratégies

Les familles de mots

Voici quelques astuces pour développer votre français. Enrichissez votre vocabulaire!

1. Cherchez des similarités dans les mots.
2. Considérez la fin des mots.
3. Transformez un mot en un autre.
4. Vérifiez si le mot est correct.

Activité 27

Océane et Félix cherchent un petit boulot

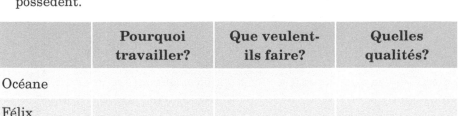

Océane et Félix voudraient trouver un boulot. Ils regardent l'affiche et parlent des possibilités.

a. Écoutez la conversation entre Océane et Félix.

b. Écrivez dans la représentation schématique les raisons pour lesquelles ils veulent travailler, le type de travail que les deux amis cherchent et les qualités qu'ils possèdent.

	Pourquoi travailler?	Que veulent-ils faire?	Quelles qualités?
Océane			
Félix			

Activité 28

Chercher un petit boulot

Étape 1: Lire et écrire

Vous voulez chercher un petit boulot. D'abord, il faut organiser vos expériences. Même si vous n'avez jamais travaillé, vous avez des qualités que les employeurs recherchent.

a. Considérez ces questions: Avez-vous déjà préparé un CV *(résumé)*, fait du volontariat, travaillé comme stagiaire? Qu'est-ce que vous avez fait à l'école ou à la maison qui montrent vos qualités personnelles?

b. Faites une liste de vos expériences et de vos qualités dans la représentation schématique.

vos expériences	qualités personnelles
Modèle: J'ai fait du baby-sitting./ J'étais baby-sitter.	

Étape 2: Parler

a. Circulez dans la salle de classe et parlez de vos expériences personnelles avec d'autres élèves.

b. Puis demandez aux autres élèves ce qu'ils ont fait et pourquoi.

Mon progrès communicatif

I can exchange information about work or volunteer experiences and describe my qualifications.

Je me déplace

*Salut Marc! C'est le grand jour et j'ai la trouille! Après 35 heures d'**auto-école**, je vais **passer mon permis** cet aprèm. Je connais bien **le code de la route**, mais si je fais une erreur?!*

T'inquiète (don't worry), *tout va bien se passer Valérie. Tu sais **conduire**. Tu ne roules pas vite et tu es à l'aise* (comfortable) *dans la voiture de tes parents.*

*Oui, je sais, je **roule lentement** et pas **vite**, je suis une bonne **conductrice**, mais imagine...si j'ai un accident avec mon prof de conduite! Oh là là!*

*Calme-toi. Tu vas réussir et tu vas avoir ton **permis de conduire**. Les gens qui **conduisent** sans permis paient une grosse **amende**: 15 000€! Bon courage! Appelle-moi après!*

Un jeune homme avec son permis européen.

Activité 29

Elle passe son permis!

Marc ne comprend pas pourquoi Valérie est nerveuse. Il décide d'envoyer un texto à Valérie pour l'encourager. Aidez Marc à organiser ses pensées avant d'envoyer un texto.

Valérie a peur de quoi?	
Pourquoi il ne faut pas avoir peur.	

On peut aussi dire

bon courage
calme-toi
être à l'aise
t'inquiète

Détail linguistique

Les automobiles

Il y a certains termes québécois qui sont synonymes aux termes français. Par exemple, en France on dit «*Je conduis ma voiture*». Au Québec, on dit «*Je chauffe mon char*». Pensez au mot *chauffeur* et c'est logique! Connais-tu d'autres expressions pour le mot «voiture»?

Rappel

Les transports

Je me déplace…

…en bus
…en métro
…à moto
…à vélo

La plupart des voitures en France sont à transmission manuelle.

Activité 30

Expérience sur la route

Vous voulez partager *(share)* vos expériences de conduite *(driving)* et de transport avec Valérie. Vous lui laissez un message vocal pour l'encourager.

a. Enregistrez votre message sur Explorer.

b. Mentionnez deux ou trois choses importantes:

- rouler vite ou lentement;
- conduire avec ou sans parents;
- suivre un cours de conduite;
- observer de bons conducteurs; et
- aller de la maison à l'école en voiture ou à vélo.

Zoom culture

Pratique culturelle: Avoir son permis de conduire

Connexions

À partir de quel âge peut-on conduire dans votre communauté? Combien ça coûte pour suivre des cours et passer les examens nécessaires?

Regardons ce qu'il faut faire pour avoir le permis de conduire au Sénégal et en France.

Au Sénégal, il faut assister aux cours dans une auto-école, puis réussir à l'examen écrit et à l'examen de conduite. Le prix pour obtenir son permis de conduire sénégalais est d'environ 150€ à 200€. Il faut avoir 18 ans pour passer son permis.

En France, passer son permis coûte plus cher qu'au Sénégal. Le tarif pour 20 heures de conduite (le minimum obligatoire avant de passer l'examen) coûte environ 1 200€. Beaucoup de candidats ne réussissent pas la première fois. Si c'est le cas, il faut faire des heures supplémentaires avant de repasser l'examen. Comme au Sénégal, l'âge minimum pour conduire est de 18 ans.

Réflexion

Comment obtient-on son permis de conduire dans un pays francophone? Quelles sont les similarités et les différences pour obtenir son permis de conduire dans ces deux pays?

Mon progrès interculturel

I can identify similarities and differences in obtaining a driver's license in francophone countries and in my community and how the differences affect daily life.

Réflexion interculturelle

Est-ce plus facile d'obtenir son permis de conduire chez vous qu'en France ou au Sénégal? Qu'est-ce que vous pouvez déduire des similarités et différences? Répondez aux questions dans le forum de discussion sur Explorer.

Découvrons 3

La narration au passé

Sur les réseaux sociaux, on fête souvent les anniversaires d'amitié, appelés "amiversaires." Lisez le post d'Anaïs en l'honneur de son amitié avec Marc.

www.histoiredenfance.sn

Quand j'**étais** petite, je **jouais** souvent aux jeux vidéo avec Marc. Il **était** très sympa (même quand il **perdait**!) et nous **étions** toujours dans la même classe à l'école. Nous **passions** beaucoup de temps ensemble parce qu'il n'**habitait** pas très loin de chez moi. J'**adorais** parler avec lui.

Quand nous **avons commencé** le collège, nous **avons arrêté** de nous parler.

Il **a décidé** de faire du sport et il **s'est fait** de nouveaux amis. J'**étais** triste mais moi aussi je **me suis fait** de nouvelles amies.

Au lycée, tout a changé. J'**avais** beaucoup plus de responsabilités et les cours **étaient** plus difficiles. À la rentrée, j'**ai remarqué** que Marc **était** dans mon cours de maths. Un jour, il **est venu** me parler. Il m'**a demandé** si je **voulais** aller avec lui au cinéma. J'**étais** complètement surprise!

(à suivre)

Découvertes

Réfléchissez à ce que vous avez observé et répondez aux questions dans le diagramme sur Explorer.

1. Regardez les mots en caractères gras. Qu'est-ce que vous remarquez? Avez-vous vu quelque chose de similaire dans **Découvrons 2**?
2. Quelle est la différence entre les actions dans les structures soulignées *(underlined)* et les structures en caractères gras?
3. Formez des hypothèses et partagez-les avec un(e) partenaire.

Regardez les ressources **Découvrons 3** pour l'**Unité 1** sur Explorer et la **Synthèse de grammaire** à la fin de l'unité.

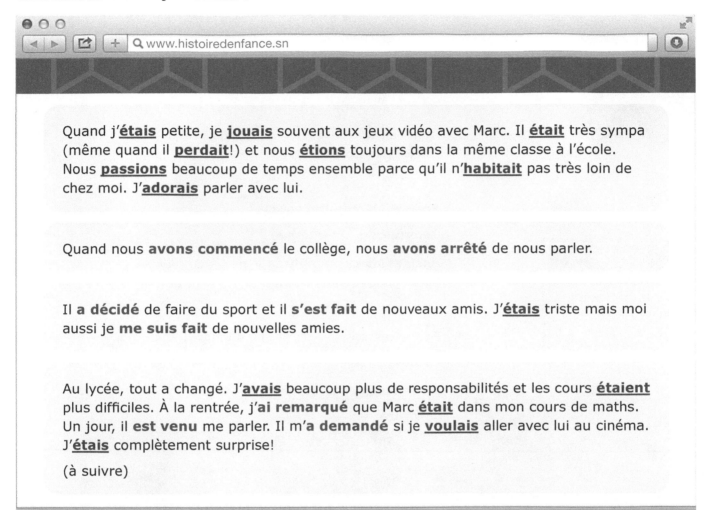

Activité 31

Non, ça s'est passé comme ça...

Vous essayez d'expliquer l'histoire dans **Découvrons 3** à votre ami Antoni qui a mal compris le texte. Relisez le texte, puis indiquez si les réponses d'Antoni sont vraies ou fausses et corrigez ses fautes.

Modèle

Avant le lycée, Anaïs et Marc ne se connaissaient pas. vrai **faux**

Vous écrivez: Avant le lycée, Anaïs et Marc se connaissaient bien.

1.	L'une des activités préférées d'Anaïs était de jouer aux jeux de société. Je corrige:	vrai	faux
2.	Anaïs et Marc étaient voisins. Je corrige:	vrai	faux
3.	Anaïs et Marc ont arrêté de se parler au collège parce qu'ils se sont disputés. Je corrige:	vrai	faux
4.	Anaïs était contente d'avoir perdu Marc comme ami. Je corrige:	vrai	faux
5.	Anaïs a proposé un rendez-vous à Marc. Je corrige:	vrai	faux

Mon progrès communicatif

I can understand someone telling about life events.

Activité 32

Et puis qu'est-ce qui s'est passé?

Vous avez lu le post d'Anaïs en l'honneur de son amitié avec Marc. Vous connaissez donc le début de leur histoire. Anaïs a écrit un deuxième post pour célébrer son amitié avec lui où elle parle de ce qui s'est passé après. Devinez ce qui est arrivé (*happened*) ensuite!

Étape 1: Écrire

Imaginez ce qui est arrivé après le premier post.

a. Décidez si Anaïs accepte ou refuse l'invitation.

b. Prédisez (*predict*) ce qui s'est passé ensuite dans la deuxième colonne de la représentation schématique sur Explorer.

Étape 1: Décidez ✓	Étape 1: Prédisez ce qui s'est passé ensuite.	Étape 2: Évaluez. J'avais raison?
❑ Anaïs a accepté l'invitation de Marc. ❑ Anaïs a refusé l'invitation de Marc.		oui/non

Mon progrès communicatif

I can write about events that took place in the course of a friendship.

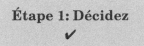

Étape 2: Lire

Maintenant lisez le deuxième post d'Anaïs pour découvrir ce qui s'est vraiment passé. Comparez vos prédictions avec le post d'Anaïs. Évaluez vos prédictions et indiquez si vous aviez raison ou pas dans la colonne de droite.

www.histoiredenfance.sn

J'**ai souri** et j'**ai répondu**... oui!

Je l'**ai retrouvé** au cinéma. Il **portait** de nouvelles chaussures et une chemise chic. Ce n'**était** pas du tout le même Marc que je **connaissais** quand j'**étais** petite. Nous **sommes entrés** voir le film. On **s'est** bien **amusés**. À la fin, juste avant de partir, je lui **ai demandé** s'il **voulait** de nouveau jouer aux jeux vidéo avec moi. Il m'**a dit** «Bien sûr et tu vas probablement encore gagner.»

Activité 33

Notre amitié 2.0

Avez-vous déjà eu une expérience similaire à celle d'Anaïs et de Marc? Si oui, partagez cette expérience avec un(e) autre élève de la classe. Si non, créez une histoire imaginaire.

Étape 1: Écrire

Commencez par choisir et noter sur une fiche les mots que vous allez utiliser pour décrire votre expérience.

Étape 2: Parler

Partagez votre expérience avec un(e) ou deux autres élèves de la classe.

Modèle

Mon ami(e) et moi, nous aimions aller au parc. Un jour, mon ami(e) a déménagé. J'étais très triste.

Étape 3: Parler

À présent, imaginez que vous avez récemment retrouvé cet/cette ami(e) d'enfance. Comment avez-vous réagi? Qu'est-ce que vous avez fait? Qu'avez-vous ressenti? Décrivez votre réaction sur Explorer.

Modèle

Quand j'ai revu mon ami(e), j'étais très content(e). Je lui ai demandé s'il ou si elle voulait aller faire du shopping avec moi.

Mon progrès communicatif

I can ask and answer questions about life events.

J'avance 3

Mon adolescence

Étape 1: Lire

Vous avez reçu un e-mail d'une ancienne élève de votre lycée, Lisa, qui a déménagé du Sénégal au Canada. Elle vous décrit des changements dans sa vie. Lisez l'e-mail puis complétez le tableau qui suit.

Mon progrès communicatif

I can understand someone telling about life events.

Étape 2: Écrire

Vous répondez à l'e-mail que vous avez reçu de Lisa. N'oubliez pas de répondre à toutes les questions qu'elle vous a posées et posez-lui aussi au moins deux questions.

Mon progrès communicatif

I can ask and answer questions about life events.

Étape 3: Parler

Choisissez un événement important de votre vie. Qu'est-ce qui s'est passé? Comment cet événement a-t-il changé votre vie? Parlez de cette expérience sur Explorer.

Allez sur Explorer pour trouver tous les documents nécessaires de **J'avance**.

Mon progrès communicatif

I can tell about an important event in my life.

Synthèse de grammaire

1. Expressing What People Do with Friends: *Décrire les actions réciproques*

Reciprocal verbs describe actions carried out by more than one person with a meaning involving "each other."

Marc et sa copine se parlent souvent au téléphone.
Marc and his girlfriend talk to each other often on the phone.

Mon frère et moi, nous nous disputons tous les jours.
My brother and I argue with each other every day.

To form a reciprocal verb, add the matching pronoun before the verb. The subject and reciprocal pronoun always agree.

Jade regarde Lian.

Lian regarde Jade.

Elles se regardent.

subject	pronoun	verb + remainder of sentence
Nous	nous	parlons tous les jours.
Vous	vous	contactez par SMS.
Ils/elles	se	retrouvent au café après l'école.

Note that in the ***nous*** and ***vous*** forms, the reciprocal pronoun may be the same as the subject pronoun and the same word may be repeated.

Est-ce que vous vous entendez bien?
Do you all get along well with each other?

2. Talking About the Past: *Décrire les actions du passé*

The ***imparfait*** is often used to describe ongoing past actions. It can be used with the ***passé composé*** to talk about something that was happening ***(imparfait)*** when something interrupted it ***(passé composé)***.

J'étudiais les maths quand le téléphone a sonné.
I was studying math when the telephone rang.

Il a commencé à pleuvoir quand nous jouions au parc.
It started to rain while we were playing at the park.

The ***imparfait*** is also used frequently to describe habitual or repeated past actions. These are usually actions that happened an uncountable number of times.

Quand j'étais petit, je jouais avec mes potes.
When I was little, I used to play with my buddies.

Tous les étés, notre famille allait au parc d'attractions.
Every summer, our family would go to the amusement park.

In contrast, the ***passé composé*** is used to talk about completed past actions with an identifiable starting point and ending point that happened a countable number of times.

Un été, nous sommes allés en Grèce.
One summer, we went to Greece.

J'ai passé cet examen trois fois.
I took that test three times.

3. Narrating in the Past: *La narration au passé*

When you're telling a story about the past, you will need to use both the ***passé composé*** and the ***imparfait***.

Imparfait	***Passé composé***
Description and repeated/habitual actions	Specific completed actions
Setting (e.g., weather, time, date)	Beginning and end of actions
Characteristics of people and places	Moving of plot forward
What was happening/ongoing actions	Interrupters

Quand j'<u>avais</u> huit ans, je **suis allée** sur les montagnes russes pour la première fois. J'<u>avais</u> peur. Mon frère <u>était</u> avec moi et il **a acheté** les billets. Nous **avons attendu** pendant trente minutes avant de monter sur l'attraction. Nous **avons donné** nos billets à l'employé. Nous **sommes montés** dans le manège puis l'attraction **a commencé**. Mon frère **a pris** ma main et il **m'a dit:** "Tu peux le faire!" **J'ai arrêté** d'avoir peur. Les montagnes russes <u>allaient</u> très vite mais je **me suis amusée**! À la fin de l'attraction, je **me suis tournée** vers mon frère…il <u>était</u> malade!

Vocabulaire

Expressions utiles

(Ne) sois (pas)...!	*(Don't) be...!*
Je gère.	*I'm on top of it.*
Je ressemble le plus à...	*I look the most like...*
Je travaille de 8h00 à 13h00.	*I work from 8:00 a.m. to 1:00 p.m.*
une fois...	*one time...*

Comment dit-on? 1: Entre amis

L'amitié	*Friendship*
amical(e)	*friendly*
l'amitié (f.)	*friendship*
le pote	*friend, pal*
le rapport	*relationship, connection*

Les qualités d'un(e) ami(e)	*Personality traits of friends*
digne de confiance	*trustworthy*
drôle	*funny, comical*
fier/fière	*proud*
orgueilleux/orgueilleuse	*pretentious, arrogant*
ouvert/ouverte d'esprit	*open-minded*

Les activités entre ami(e)s	*Group activities*
avoir confiance en	*to trust in*
avoir un intérêt en commun	*to have a common interest*
compter sur quelqu'un	*to count on someone*
parler derrière le dos de quelqu'un	*to gossip*
rigoler	*to laugh and have fun*

Ce que nous faisons ensemble	*What we do together*
s'aimer (bien)	*to like each other (well)*
s'amuser	*to have fun (together)*
se disputer	*to argue with each other*
s'écouter	*to listen to each other*
s'entendre (bien/mal)	*to get along (well/badly) with one another*
s'inviter	*to invite each other*
se réconcilier	*to reconcile with one another*
se retrouver	*to meet up with each other*

Comment dit-on? 2: L'enfance et la rentrée scolaire

La rentrée scolaire	*Back-to-school*
avoir hâte (de/d')	*to be excited (to), to look forward (to)*
avoir la trouille	*to be afraid*
l'enseignant(e)	*teacher*
interdit(e)	*forbidden*
permettre de/d'	*to permit, to allow*
refuser (de/d')	*to refuse*
retrouver toute la bande de copains	*to meet up with friends*
la veille	*the day/evening before*

Quand j'étais petite...	*When I was young*
la colonie de vacances	*summer camp*
l'émission (f.)	*TV show*
se faire mal	*to hurt oneself*
la fois	*the time*
gagner	*to win*
il y a (deux semaines)	*(two weeks) ago*
patiner	*to skate*
la peluche	*stuffed animal*
perdre	*to lose*
la soirée pyjama	*sleepover*
la sortie	*outing*
se souvenir de/d'	*to remember*
le terrain de jeux	*playground*
tomber	*to fall down*

Comment dit-on? 3: Les événements marquants de l'adolescence

Je deviens indépendant(e)	*I am becoming independent*
l'argent (m.) de poche	*spending money*
autonome	*autonomous*
la bonne estime de soi	*high self-esteem*
la confiance en soi	*self-confidence*
confiant(e)	*confident*
prendre en main	*to take charge*
se sentir écouté(e)(s)	*to feel listened to*
se valoriser	*to value oneself*

Je travaille	*I work*
le caissier/la caissière	*cashier*
l'esprit (m.) d'équipe	*team spirit*
le jardinier/la jardinière	*gardener*
le maître-nageur/la maître-nageuse	*lifeguard*
l'ouverture (f.) d'esprit	*open-mindedness*

Je me déplace	*I move around*
l'amende (m.)	*monetary fine*
l'auto-école (f.)	*driving school*
le code de la route	*driving manual, rules of the road*
conducteur/conductrice	*driver*
conduire	*to drive*
passer son permis (de conduire)	*to take one's driver's test*
rouler (vite/lentement)	*to drive (quickly/slowly)*

J'y arrive

Questions essentielles

- How is friendship experienced in my community and in francophone cultures?
- Which experiences and events shape childhood?
- How do life events and relationships as an adolescent influence whom I am becoming?

Les grandes étapes de ma vie

Pendant l'adolescence, il y a beaucoup d'amis, de personnes et de moments qui influencent la vie. On se rappelle des rites de passage ou des moments importants partagés en famille, des premières sorties au cinéma ou au restaurant avec des amis, ou de la rentrée scolaire. Vu l'importance de ces événements, vous y réfléchissez et puis vous en partagez un avec d'autres élèves de la classe. Avant de commencer, vous allez regarder deux vidéos où Lily parle des moments qui ont influencé sa vie.

Avant de commencer **J'y arrive**, familiarisez-vous avec les critères d'évaluation sur Explorer.

Allez sur Explorer pour trouver tous les documents nécessaires de **J'y arrive**.

Interpretive Assessment

Des histoires du passé

Lily vous parle de quelques moments qui ont influencé sa vie.

a. Écoutez les deux vidéos de Lily.

b. Complétez la partie "Lily" du diagramme de Venn et citez au moins trois faits mentionnés par Lily pendant son blog.

Presentational Assessment

Mon événement important

Comparez votre expérience personnelle à celles que Lily a présentées.

Étape 1: Écrire

Identifiez un événement important de votre vie.

Étape 2: Écrire

Comparez votre événement et ceux (*those*) de Lily. Identifiez au moins un aspect que les événements ont en commun.

Étape 3: Écrire

Décrivez l'événement que vous avez choisi.

Interpersonal Assessment

Partageons nos expériences

Partagez votre expérience avec un(e) partenaire.

UNITÉ 2

Citoyenneté numérique

Objectifs de l'unité

Exchange and present information about social networking, digital responsibilities, and safe use of technology.

Read, view, and listen to authentic texts about digital citizenship and social media.

Interact with authentic texts such as data, infographics, or charts to gain insights into patterns of technology used in the francophone world.

Investigate how access to and use of technology affect daily life in francophone cultures and in your community.

Questions essentielles

What effects do digital media have on my life and the lives of those in francophone cultures?

What are my rights and responsibilities as a digital citizen?

How can technology help me pursue my interests?

Le rôle et l'impact de la technologie dans nos vies quotidiennes ont évolué avec le temps. Êtes-vous un citoyen numérique responsable? Dans cette unité, Sylvette partagera ses opinions sur les usages positifs et négatifs d'internet.

Nom: Sylvette

Langues parlées: français, anglais, créole

Origine: Le François, Martinique

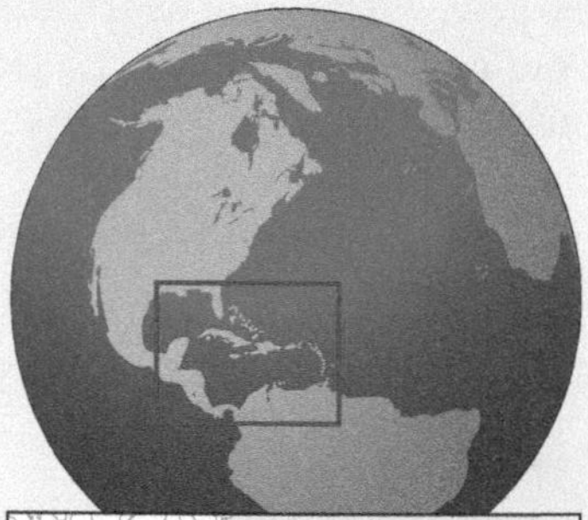

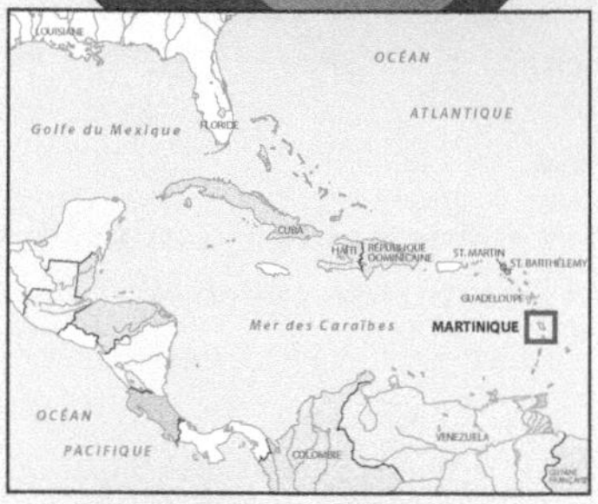

La Martinique est une île qui se trouve dans les Antilles.

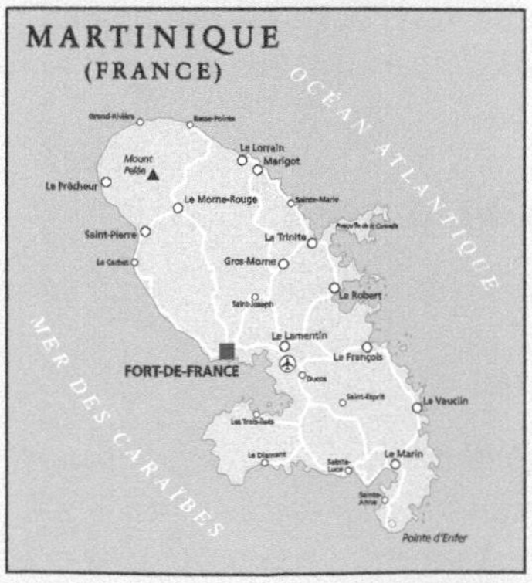

La capitale de la Martinique est Fort-de-France.

Rencontre interculturelle

Le François, Martinique

La Martinique est un département et région d'outre-mer (DROM) de la France. Ses habitants sont de nationalité française et sa monnaie est l'euro. Christophe Colomb est arrivé en Martinique en 1502. L'île est devenue une colonie de la France en 1635.

Les habitants de la Martinique parlent le français et le créole martiniquais. Dans les médias et dans le domaine de la politique, on parle les deux langues. Il y a un mouvement pour maintenir le créole comme langue culturelle.

La Martinique est une île volcanique, c'est-à-dire qu'elle s'est développée au cours des vingt derniers millions d'années suite à des éruptions volcaniques. Le mont Pelé est un volcan qui est encore actif. L'île de la Martinique est surnommée «l'île aux fleurs». L'île est connue pour les couleurs de sa faune et de sa flore. La Martinique a une cuisine variée avec des influences indiennes, africaines, françaises et indiennes des caraïbes.

Même si la Martinique se trouve loin de la France, elle est de plus en plus connectée aux autres pays autour du monde grâce à la technologie et au tourisme. Fort-de-France est un port important au niveau des importations et exportations ainsi que (*as well as*) des croisières touristiques. Du point de vue technologique, depuis 2018 la Martinique a créé son premier réseau internet qui est indépendant de ceux (*of those*) venant de la France.

La Martinique est une île volcanique dont le point culminant est le mont Pelé.

Une chenille typique en Amérique du Nord qui fait 4 centimètres de long.

La chenille gloutonne (énorme!) rampant sur sa feuille. Elle fait 15 centimètres de long! Elle peut dévorer jusqu'à 2 fois son poids en feuilles par 24h.

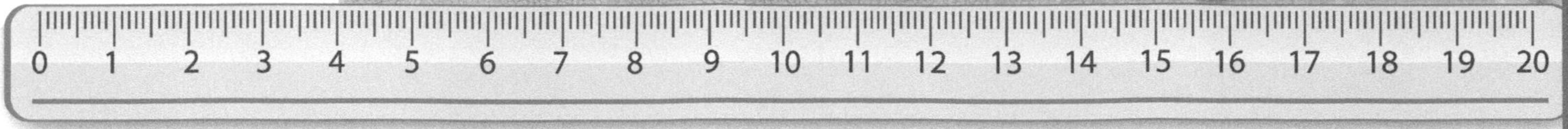

Le drapeau non-officiel de la Martinique a une croix blanche et quatre serpents qui sifflent.

Un marché de fruits et légumes en Martinique.

Activité 1

La région de Sylvette

Sylvette vous parle du département de ses origines, la Martinique. À l'aide des informations dans la ***Rencontre interculturelle***, notez les informations importantes dans les catégories de la représentation schématique sur Explorer.

La Martinique

relation avec la métropole ______________________

langues ______________________

géographie ______________________

flore et faune ______________________

capitale ______________________

influences culturelles ______________________

technologie et médias ______________________

Keystone Pictures USA / Alamy Stock Photo

Césaire a eu une énorme influence sur les intellectuels africains et noirs américains qui ont ensemble lutté contre l'idée du colonialisme.

Le poète **Aimé Fernand David Césaire** est un personnage très important pour l'île de la Martinique. Il est né à Basse-Pointe en Martinique en juin 1913. Il a reçu une bourse *(scholarship)* pour étudier au seul lycée en Martinique, le lycée Victor Schœlcher à Fort-de-France, la capitale de la Martinique. Il a continué ses études à Paris où il a initié l'idée de la négritude et a fondé *L'Étudiant noir,* avec Léopold Senghor (le premier président du Sénégal) et Léon Damas. En 1936, il est retourné en Martinique où il a écrit le *Cahier d'un retour au pays natal.* Ce cahier de poèmes décrit la vie contradictoire entre la vie aux Caraïbes et celle en Europe.

Soleil et eau
Mon eau n'écoute pas
mon eau chante comme un secret
Mon eau ne chante pas
mon eau exulte comme un secret
Mon eau travaille
et à travers tout roseau exulte
jusqu'au lait du rire
Mon eau est un petit enfant
mon eau est un sourd
mon eau est un géant qui te tient sur la poitrine un lion
ô vin
vaste immense
par le basilic de ton regard complice et somptueux

Mon progrès interculturel

I can identify a poet or other artist that has influenced my country as much as Aimé Césaire influenced Martinique.

Activité 2

Un poème martiniquais

Comment Aimé Césaire décrit-il l'eau dans *Soleil et eau*? Quelles qualités lui donne-t-il? Quel effet la personnification de l'eau a-t-elle sur le poème?

Réflexion interculturelle

Y a-t-il un(e) artiste qui a influencé la culture de votre pays autant que *(as much as)* Aimé Césaire; une personne qui a lutté (*fought*) pour son pays comme Césaire a lutté pour montrer les effets de la colonisation? Répondez aux questions dans le forum de discussion sur Explorer.

Je m'appelle Sylvette.

Je suis lycéenne et je suis en seconde.

J'ai beaucoup de matières et je les aime toutes!

Je suis originaire de la Martinique.

Sylvette est martiniquaise. Sa famille vient de la Caraïbe. Elle habite avec sa mère qui est professeur à l'université. Sylvette aime beaucoup l'école, toutes les matières et même les devoirs, alors elle aime lire et écrire. Il y a beaucoup d'autres activités qu'elle aime, comme la danse, le chant et le piano.

Activité 3

Bonjour, Sylvette!

Étape 1: Lire et écrire

Regardez la photo de Sylvette, ce qu'elle dit dans les bulles et sa description. Notez ce qu'elle dit dans les catégories qui correspondent dans la représentation schématique sur Explorer.

catégorie	ce que dit Sylvette
En quelle classe est-elle?	
Quelle est l'origine de sa famille?	
Quelles sont ses activités préférées?	
Quels commentaires fait-elle sur l'école?	

Anse Noire, Martinique

Mon progrès interculturel

I can compare my daily life to that of a teen from Martinique.

Étape 2: Parler

Avec un(e) partenaire, parlez de:

a. ce que vous avez en commun avec Sylvette;

b. ce que vous trouvez d'intéressant sur la Martinique; et

c. votre vie si vous n'aviez pas accès à internet.

Activité 4

AP® Lire et écouter

Répondez aux questions suivantes d'après les informations dans le texte de la **Rencontre interculturelle** et de la vidéo de Sylvette. Pour chaque question, choisissez la meilleure réponse et indiquez-la sur Explorer.

1. Les habitants de la Martinique ont un passeport:
   a. martiniquais
   b. européen
   c. des Caraïbes
2. Quelles sont les langues principales dans les médias en Martinique?
   a. créole et français
   b. français et anglais
   c. anglais et créole
3. Le *Cahier d'un retour au pays natal* est fondé sur quel thème?
   a. les différentes manières de vivre
   b. la flore martiniquaise
   c. les études à l'école
4. Dans sa vidéo, Sylvette nous parle de ses activités. D'après ses préférences, comment peut-on la décrire?
   a. sportive
   b. bénévole
   c. artistique

Anse Mitan, Martinique

Rappelle-toi

Activité 5

À quoi ressembleront les smartphones du futur?

La famille d'Océane achètera ce week-end de nouveaux smartphones pour toute la famille. Océane et son frère se réjouissent, et discutent de ce que les smartphones du futur leur offriront.

Étape 1: Écouter

Écoutez la conversation entre Océane et son frère. Dessinez ce qu'on fait et fera avec les smartphones maintenant et à l'avenir.

Étape 2: Écrire

Vous avez un(e) bon(ne) ami(e) qui adore parler de la technologie. Écrivez-lui un e-mail pour expliquer les idées technologiques d'Océane et de son frère. Et vous? Partagez ce que vous en pensez aussi dans cet e-mail. À quoi ressembleront les smartphones du futur?

Étape 3: Parler

a. Comparez à l'oral vos idées avec un(e) partenaire. Quelles sont les similarités et les différences entre vos idées?

b. Choisissez les meilleurs aspects et dessinez le smartphone du futur. Qu'est-ce qu'il pourra faire?

c. Partagez avec la classe vos idées du smartphone du futur. Choisissez un(e) élève pour le dessiner sur votre tableau blanc/noir devant la classe. Décrivez à l'élève ce que votre smartphone pourra faire.

Activité 6

On le fait avec l'ordi

Le lycée de votre ami à Montréal a sorti *(rolled out)* un programme d'appareils numériques en mode 1:1, un appareil par élève. Vous et vos amis êtes curieux et vous voudriez en savoir plus. Il vous montre le site de l'école où il y a une liste de questions fréquemment posées à ce sujet.

Rappel

Le futur

Pour parler de l'avenir, utilisez l'infinitif + les terminaisons.

Je parler**ai** tous les jours au smartphone.
Tu utiliser**as** des applications.
Elle finir**a** son message avant le cours.
Nous écrir**ons** des e-mails.
Vous partager**ez** des documents.
Ils sortir**ont** de nouvelles applis.

N'oubliez pas qu'il y a des exceptions avec des racines irrégulières.

Je **pourr**ai aller sur internet.
Ce **ser**a très utile.
Nous **fer**ons tout plus rapidement.
Tout le monde **aur**a un smartphone.

Étape 1: Lire

Lisez les questions fréquemment posées sur le programme 1:1 et puis

a. Ajoutez les pronoms qui conviennent; et

b. Faites un diagramme pour montrer que vous comprenez le programme.

www.lyceedumont.ca

LE LYCÉE | LA VIE DU LYCÉE | LES QUESTIONS FRÉQUENTES | SE CONNECTER | LES CONTACTS

Après quelques mois de recherches, nous avons pris la décision de déployer un programme 1:1 dans notre lycée. Nous avons eu une subvention (*grant*) pour acheter deux types d'appareils: des ordinateurs et des tablettes. Voici les réponses aux questions fréquemment posées (FAQ, foire aux questions) concernant les programmes 1:1.

Q: Qui aura les ordinateurs, les étudiants ou les professeurs?

R: Les professeurs ____ auront. Les étudiants ne ____ auront pas parce qu'ils auront les tablettes.

Q: Que feront les professeurs avec les ordinateurs?

R: Ils ____ utiliseront pour leurs cours. Chaque professeur aura un ordinateur pour la classe et tous les élèves pourront ____ voir parce qu'il y aura aussi un grand écran dans chaque classe.

Q: Chaque salle de classe aura un projecteur?

R: Oui, chaque salle de classe ____ aura un.

Q: Chaque élève pourra transporter sa tablette jusqu'à la maison dans son sac à dos?

R: Oui, chaque élève pourra ____ transporter facilement. Il ou elle pourra _____ mettre directement dans son sac à dos.

Q: L'école a-t-elle le wifi?

R: Oui, elle ___'a. C'est une connexion sans fil.

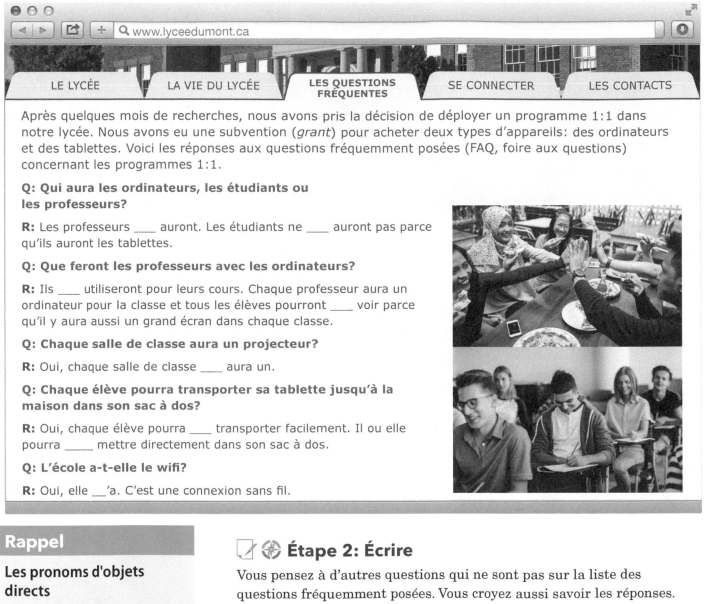

Rappel

Les pronoms d'objets directs

me te le la

nous vous les

Rappel

Le pronom *en* pour les quantités

J'en ai.

Le prof en a quinze dans sa classe.

Étape 2: Écrire

Vous pensez à d'autres questions qui ne sont pas sur la liste des questions fréquemment posées. Vous croyez aussi savoir les réponses. Avec un groupe d'élèves, écrivez-les et envoyez-les au proviseur du lycée pour qu'il les ajoute à sa liste.

Rappelle-toi

La vie en ligne

La vie en ligne

accéder à la plate-forme de la classe
l'appli(cation) (f.)
l'écran (m.)
partager des ressources (f. pl.)
poster
le réseau social
télécharger

Donner des conseils

Il est important de/d'...
Il faut...
Je te conseille de/d'...
Le plus important, c'est de/d'...
On devrait...

essayer de/d'
éviter de/d'

Les responsabilités sociales

accueillir
aider
améliorer
conseiller
contribuer
créer
faire du bénévolat
réconforter (quelqu'un)
soutenir

Expressions utiles

Ce sera...
Il y aura...
Je ferai...
Je verrai...
Nous irons...

Je voudrais...

donner un coup de main

Communiquons

Comment dit-on? 1

Les avantages et les inconvénients d'internet

Les avantages

Avantages des médias sociaux

1

*Avez-vous de la famille ou des amis qui habitent **ailleurs**?*

Grâce à internet on peut facilement communiquer et garder le contact avec ses amis partout dans le monde. **Grâce aux** réseaux sociaux, l'utilisateur peut partager à n'importe quel moment ce qui se passe dans sa vie avec ses proches.

2

Vous intéressez-vous à la vie politique, aux équipes sportives, à la musique, aux cultures différentes des vôtres?

En un seul clic, on peut accéder aux informations sur les goûts et les intérêts plus facilement et plus rapidement qu'avant. Les **moteurs de recherche** permettent de faire des recherches sur les intérêts comme les films, les livres ou les sports.

3

Avez-vous des recherches à faire pour un cours à l'école?

On peut **se servir de** cet **outil** éducatif pour en apprendre plus sur les matières au lycée. Internet facilite l'accès aux informations liées aux cours et aux études. On peut aussi y **stocker des fichiers**.

4

Qu'est-ce que vous faites quand vous avez du temps libre?

Un ordinateur peut nous aider à nous amuser en téléchargeant des jeux vidéos, de la musique et des films qui nous intéressent. Les applications (applis) nous offrent un moyen de **nous divertir** avec des amis et de trouver des **divertissements** quand on a besoin de **se détendre**. C'est un outil pour s'amuser aussi!

Détail linguistique

Les familles de mots

- le divertissement
- divertir
- se divertir
- facile
- facilement
- rapide
- rapidement
- l'utilisateur (m.)/l'utilisatrice (f.)
- utiliser

Rappel

Les activités en ligne

- accéder
- s'amuser
- les applications (applis) (f. pl.)
- les goûts (m. pl.) et les intérêts (m. pl.)
- partager

On peut aussi dire

- faire des recherches
- s'intéresser à
- se passer
- télécharger

Activité 7

Comment les jeunes bénéficient-ils des médias sociaux?

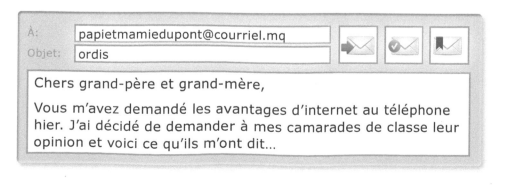

Étape 1: Lire et comprendre

Votre petit frère et vous, vous présentez les avantages des réseaux sociaux à vos grands-parents qui ne comprennent pas bien cet outil. Vous avez trouvé cette infographie en ligne pour vous inspirer.

a. Avec un(e) partenaire, lisez l'infographie.

b. Dans la représentation schématique sur Explorer, dressez une liste des mots positifs pour décrire l'usage d'internet.

Modèle

faciliter

les mots dans l'infographie qui expriment les avantages d'internet

______________________ ______________________

______________________ ______________________

Étape 2: Parler et partager

Circulez dans la classe et parlez à deux autres élèves.

a. Demandez-leur quel usage d'internet, selon l'infographie, est le plus important. Notez leur choix sur une feuille de papier.

b. Partagez à l'oral votre opinion avec les deux autres élèves.

c. Comparez à l'oral avec la classe les réponses de vos camarades. Décidez quel usage d'internet est le plus avantageux, selon vos camarades de classe.

Étape 3: Écrire

Présentez les avantages d'internet à vos grands-parents dans un e-mail.

Modèle

À: papietmamiedupont@courriel.mq
Objet: ordis

Chers grand-père et grand-mère,

Vous m'avez demandé les avantages d'internet au téléphone hier. J'ai décidé de demander à mes camarades de classe leur opinion et voici ce qu'ils m'ont dit...

Mon progrès communicatif

I can describe some advantages of technology.

Activité 8

Des critiques et des solutions

Étape 1: Lire

Vous cherchez en ligne des moyens amusants d'apprendre à votre famille à utiliser d'une manière responsable les réseaux sociaux et internet. Vous tombez sur ces bandes dessinées qui vous aident à faciliter votre discussion.

a. Lisez les trois bandes dessinées avec un(e) partenaire.

1

2

3

b. Quels sont les mots liés aux réseaux sociaux et à internet?

c. Faites correspondre les situations avec la bande dessinée.

Situation	Quelle bande dessinée?
Quelqu'un n'est pas content de ce que quelqu'un d'autre a choisi.	
Quelqu'un envoie un e-mail au lieu de communiquer en personne.	
Quelqu'un pense qu'il a gagné une grosse somme d'argent.	

Étape 2: Écrire

Avec un(e) partenaire, suggérez à l'utilisateur un usage d'internet plus responsable pour chaque situation de l'**Étape 1**.

Étape 3: Parler

Parlez d'un moment où vous avez utilisé d'une façon responsable les réseaux sociaux. Enregistrez votre réponse sur Explorer.

Zoom culture

Pratique culturelle: Accès aux portables à l'école

Connexions

À votre avis, le portable, devrait-on l'éteindre *(to turn off)* pendant la journée scolaire?

Le 7 juin 2018, l'Assemblée nationale française a voté l'interdiction du portable dans les écoles maternelles, les écoles élémentaires et les collèges pendant le temps scolaire. Cependant, un(e) élève qui a un handicap ou un trouble de santé peut l'utiliser. Des recherches scientifiques montrent que les portables distraient (*distract*) les élèves à l'école. Jean-Michel Blanquer, le ministre de l'Éducation nationale, a dit: "Une cour sans téléphone portable, c'est une cour où les enfants jouent, discutent, chahutent, où ils vivent leur vie d'enfant." On peut imaginer les réactions variées à cette loi. Comment les professeurs vont-ils appliquer cette loi? Et s'il y a un cas d'urgence? Comment faire les recherches pour un cours à l'école?

Réflexion

Que pensez-vous de cette interdiction des téléphones jusqu'au lycée? C'est normal de l'éteindre pendant le temps scolaire? Si vous en avez un, l'avez-vous toujours à l'école? Le portable, c'est vital pendant le temps scolaire? Comment est-ce que vous l'utilisez à l'école?

© Elizabeth Pineau (2018), "Les «smartphones» interdits à l'école à la rentrée en France". Citation récupérée de https://fr.reuters.com/article/technologyNews/idFRKCN1J31X1-OFRIN.

Mon progrès communicatif

I can describe some advantages of technology and how to use it responsibly.

Réflexion interculturelle

Quelles sont les différences entre l'usage des portables dans votre école, dans les écoles en France et dans les écoles des DROM (départements et régions d'outre mer)? Répondez aux questions dans le forum de discussion sur Explorer.

Mon progrès interculturel

I can compare attitudes about the use of mobile communication devices in schools in France and in my community.

Mon progrès communicatif

I can identify some positive or negative uses of the Internet.

Activité 9

Et Sylvette? Qu'en pense-t-elle?

Comment utilise-t-on la technologie à la Martinique? Écoutez et regardez Sylvette parler des usages de la technologie dans son pays puis comparez-les avec ceux dans votre communauté.

Étape 1: Regardez

a. Regardez la vidéo de Sylvette.

b. Cochez (✔) ce que vous entendez dans la deuxième colonne.

c. Cochez (✔) les avantages présents dans votre communauté.

Qu'est-ce que Sylvette dit?	Cochez (✔) ce que dit Sylvette.	Cochez (✔) les avantages présents dans votre communauté.	Classez-les en ordre d'importance pour vous.
On peut se cultiver et approfondir le savoir sur un sujet.			
On peut faire des achats en ligne.			
On peut rester en contact avec la famille et les amis.			
Internet, c'est un moteur de recherche.			
On peut visionner des vidéos et des films en ligne.			
On peut aussi parler directement aux amis.			
On peut découvrir les autres cultures du monde.			
On peut regarder des matchs sportifs.			
On peut s'informer et prendre des nouvelles du monde.			

Étape 2: Parler et classer

a. Comparez vos résultats de l'**Étape 1** avec un(e) partenaire. Parlez aussi des avantages que Sylvette n'a pas mentionnés.

b. Classez tous les avantages par ordre d'importance dans la colonne à droite.

Étape 3: Présenter

Enregistrez quelques phrases qui expliquent votre classement des avantages.

Modèle

Je suis d'accord avec Sylvette qu'on peut s'informer en ligne. Je pense aussi qu'il est important de regarder des matchs sportifs en ligne parce que…

Activité 10

Écrire un courriel

Sylvette vous écrit un e-mail pour vous parler de la manière positive dont elle s'est servie des réseaux sociaux.

a. Lisez le courriel de Sylvette.

b. Répondez-y. Expliquez-lui aussi de quelle façon positive vous vous servez des réseaux sociaux.

À:

Objet: Des réseaux sociaux

Cher/Chère ami(e),

Bonjour! J'espère que tu vas bien. Puisqu'on parle des réseaux sociaux et des façons dont on s'en sert et qui enrichissent la vie, je voudrais partager avec toi le jour où j'ai découvert la chanteuse Angèle sur internet. J'aime beaucoup la musique belge donc j'ai décidé de chercher des chansons de Belgique. Et voilà! Grâce à internet, j'ai découvert ses très belles chansons.

Bisous,

Sylvette

Modèle

Chère Sylvette,

Merci pour ton e-mail. J'ai aussi une expérience positive que j'aimerais partager avec toi.

Mon progrès communicatif

I can exchange information about some advantages and/or disadvantages of technology.

Images licensed courtesy of Vyond™

Stratégies

La communication interculturelle

Pendant une conversation:

1. Observez le langage corporel.
2. Soyez tolérant.
3. Préparez-vous à parler.
4. Prenez des risques.

Détail linguistique

Quel mot utiliser?

Selon l'Académie française, le mot «courriel» est un mot québécois composé de «courrier» + «électronique». Officiellement, il faudrait utiliser courrier ou message électronique.

Cependant, les mots suivants sont aussi utilisés:

email	e-mail
emèl	mél
mèl	mail

C'est à vous de choisir!

Les inconvénients

Les inconvénients d'internet

Grâce aux réseaux sociaux, on peut rester en contact avec sa famille et ses amis. Cependant, il faut toujours rester **prudent**. Si vous ne connaissez pas personnellement quelqu'un, ne communiquez pas avec lui ou elle!

Faites aussi attention à ne pas vous isoler de la famille et des amis qui vivent près de vous!

Le **cyberharcèlement**, ça existe!

Qu'est-ce que c'est? C'est le fait d'envoyer des agressions verbales, des insultes, des **menaces** sur internet, par mail ou sur les réseaux sociaux et de cibler certaines personnes.

Si vous en êtes victime, parlez-en directement à vos parents!

Peut-on vraiment devenir accro ou être **cyberdépendant** aux réseaux sociaux?

Nous multiplions quotidiennement nos connexions, nous essayons sans cesse d'être **hyperconnectés**, nous créons de nouveaux **comptes** avec de nouvelles applis. Nous achetons en ligne, nous visionnons des films en ligne. Nous appartenons en moyenne à trois réseaux.

Ne soyez pas connecté constamment!

La protection de votre mot de passe est primordiale! Vos informations en ligne seront sécurisées si vous utilisez des mots de passe différents.

Ne partagez pas vos mots de passe!

N'oubliez pas non plus que ce que vous publiez sur la toile n'est pas toujours **privé**.

Protégez votre vie privée!

Nous utilisons tous les réseaux sociaux! La toile est remplie de fausses informations pour créer «un buzz.» Des photos, des fausses nouvelles se répandent (*spread*) à une vitesse très rapide. N'oubliez pas de vérifier et de citer les sources.

Vous ne pouvez pas simplement copier et coller un texte. C'est du **plagiat**!

Activité 11

Les inconvénients et les risques des médias sociaux

Étape 1: Choisir

D'après le texte et les images, les phrases sont-elles vraies ou fausses?

Les réseaux sociaux nous permettent de rester en contact.	vrai	faux
Sur les réseaux sociaux, on ne rencontre que des personnes qu'on connaît déjà.	vrai	faux
Le cyberharcèlement, ça n'existe pas.	vrai	faux
En général, les internautes ont au moins trois comptes.	vrai	faux
Partager son mot de passe avec ses amis, ce n'est pas un problème.	vrai	faux
Il est important de protéger sa vie privée sur les réseaux sociaux.	vrai	faux
Ne pas citer ses sources pour un travail, c'est du plagiat.	vrai	faux
Tout ce qui est sur les réseaux sociaux, c'est vrai.	vrai	faux

Mon progrès communicatif

I can identify some positive or negative uses of the Internet.

Étape 2: Lire

Les images précédentes représentent des inconvénients importants et des risques des réseaux sociaux.

a. Parmi la liste suivante, quels risques vos ami(e)s ont-ils/elles déjà rencontrés? Indiquez la réponse en cochant oui ou non dans la représentation schématique sur Explorer.

b. Ajoutez un ou deux autres risques que vous avez rencontré(s) personnellement.

Les risques	oui	non
Mes ami(e)s ont/sont...	✔	
rencontré/communiqué avec des personnes inconnues.		
été harcelé(e)(s) en ligne.		
devenu(e)s accro aux réseaux sociaux.		
donné trop d'informations sur les réseaux sociaux.		
partagé son mot de passe.		
plagié des textes.		
...		

Détail linguistique

Sortir

Au passé composé, le verbe sortir peut se conjuguer avec avoir ou avec être. Considérez ces deux phrases:

Elle **a** sorti sa clé USB.
L'artiste **a** sorti un nouvel album.
Elle **est** sortie hier soir.

À votre avis, quelle est la règle?

Si vous pensez aux phrases équivalentes en anglais, il y a aussi une différence dans la traduction.

Il y a d'autres verbes qui illustrent ce phénomène: descendre, monter, passer, rentrer, retourner.

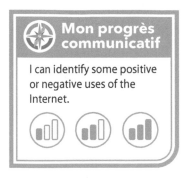

Étape 3: Comparer

Comparez vos réponses à celles de plusieurs autres élèves de classe. Notez les risques cités par les autres élèves de classe. Vos résultats sont-ils les mêmes ou radicalement différents?

Étape 4: Choisir

Choisissez les cinq risques mentionnés par vous ou les autres élèves de classe.

a. Classez-les par ordre d'importance.

b. Choisissez-en un et expliquez pourquoi ce risque est dangereux.

Modèle

Partager son mot de passe est dangereux parce qu'il protège vos informations.

On peut aussi dire

cibler

copier et coller

le mot de passe

sans cesse

sécurisé

la toile

visionner

Activité 12

Une petite enquête

Comment allez-vous réagir? Terminez les phrases suivantes avec des conseils.

Modèle

Si quelqu'un que je ne connais pas essaye de me contacter, j'ignore ses messages.

1. Si un(e) ami(e) me demande mon mot de passe, je...
2. Si un(e) de mes ami(e)s est victime de cyberharcèlement, je...
3. Si un(e) ami(e) ne vérifie pas ses sources, je...
4. Si un(e) ami(e) passe trop de temps sur un réseau social, je...
5. À toi maintenant! Si...

Activité 13

Ma présence sur la toile

Étape 1: Répondre

Vous vous préparez pour un débat en classe à propos de votre présence sur la toile. Répondez aux questions ci-dessous individuellement sur Explorer.

1. Êtes-vous membre d'un réseau social? Si oui, lequel/lesquels? Depuis quand?
2. Quelles informations partagez-vous sur votre profil?
3. À quelle fréquence et comment utilisez-vous les réseaux sociaux?
4. Comment vous sentez-vous quand vous n'avez pas accès aux réseaux sociaux?
5. Donnez une définition de l'amitié en ligne.
   a. Les amis de votre réseau correspondent-ils à votre définition générale de l'amitié?
   b. Votre utilisation des réseaux sociaux remplace-t-elle d'autres activités que vous faisiez avant avec votre famille ou des ami(e)s?

Mon progrès communicatif

I can answer questions to describe my use of social media.

Étape 2: Parler

Utilisez vos réponses aux questions pour faire un débat en petits groupes sur l'importance de la technologie (y compris les avantages et les inconvénients) dans la vie des adolescents.

Étape 3: Comparer

Comparez vos réponses aux réponses d'un(e) autre étudiant(e) et complétez le diagramme de Venn. Faites ensuite un résumé de ce que vous avez observé.

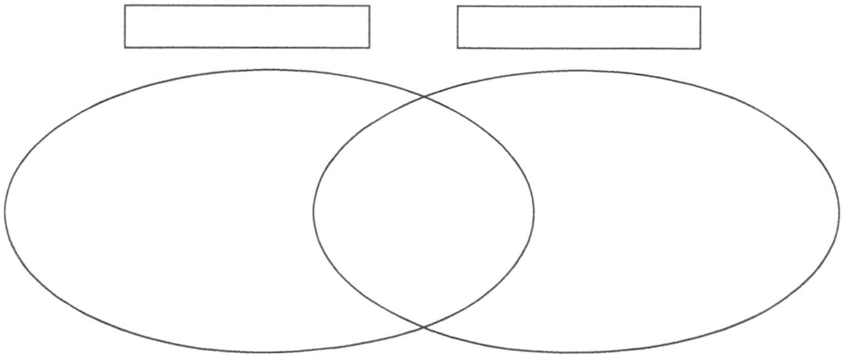

Images licensed courtesy of Vyond™

Découvrons 1

Éviter la répétition en employant me, te, nous, vous, lui et leur

On aime bien tchatter non seulement des vacances, mais aussi des fêtes! Lisez la conversation en ligne entre Océane et Félix où ils discutent de la visite de la cousine de Félix et de la fête que Félix organise pour célébrer son arrivée.

Océane — **Félix**

Salut Félix. Aujourd'hui en cours, on a parlé de la Martinique et je me rappelle que tu as de la famille là-bas. Tu parles toujours à tes cousins martiniquais? Tu **m'**as dit que tu voulais **leur** rendre visite cet été. Tu y vas?

Non! J'ai envoyé un message à ma cousine Nicole hier et je **lui** ai parlé des vacances. Elle a décidé de venir **me** voir cet été. Je ne l'ai pas vue depuis trois ans.

Grâce aux réseaux sociaux, je parle souvent à mes amies de vacances, même si elles habitent ailleurs. Je **leur** écris de temps en temps des textos.

Oui, je communique aussi via textos avec ma famille. Je **t'**ai envoyé une invitation pour fêter l'arrivée de Nicole. Ça **t'**intéresse? J'ai aussi invité Julie et Nicolas quand je les ai vus au centre commercial hier. Je **vous** l'ai envoyée hier après l'école.

Oui, je l'ai reçue et je veux bien rencontrer Nicole et **lui** parler de la vie à la Martinique. Merci de **nous** avoir invités! J'ai besoin de me détendre ce week-end!

De rien! Je **vous** en parlerai demain. Je **vous** enverrai un e-mail demain avec les détails.

Images licensed courtesy of Vyond™

Découvertes

Réfléchissez à ce que vous observez et répondez aux questions dans la représentation schématique sur Explorer.

1. Lisez la conversation. Dressez une liste de tous les mots en caractères gras et des verbes qui les accompagnent.
2. Où, dans chaque phrase, voyez-vous les mots en caractères gras?
3. À quoi se réfère chaque mot en caractères gras? Expliquez comment ces mots changent en fonction de ce qui est décrit.
4. Partagez vos observations avec un(e) partenaire. Que remarquez-vous d'autre dans ces phrases et que pouvez-vous ajouter aux observations?

Activité 14

Comment allez-vous les persuader?

Vous voulez sortir ce week-end avec votre ami, mais il faut d'abord persuader vos parents. Pour chaque message, trouvez la réponse logique de vos parents.

Bonjour Maman, Papa! Je voudrais vous parler de mes projets ce week-end.

Mon ami Michel vient de m'inviter au match de foot entre le Paris Saint-Germain et Bordeaux. J'ai déjà acheté les billets.

Oui, je lui ai dit que je peux y aller et je les ai achetés.

Oui, je les ai faits aujourd'hui à l'école. Vous savez que je suis un bon élève!

Non, je ne lui ai pas encore téléphoné. Je vais envoyer un texto à mémé et pépé aujourd'hui.

D'accord, je n'ai pas le temps de leur téléphoner maintenant! Je dois me dépêcher!

D'accord. As-tu téléphoné à ta grand-mère pour lui souhaiter un bon anniversaire ?

Tu les as déjà achetés?

Écoute-nous, Pierre. Fais ce que l'on te demande avant de partir!

D'accord. On t'écoute!

Pierre! Tu dois leur parler au téléphone, pas par texto!

D'accord. Mais, avant d'aller au match, il faut nous parler de tes devoirs. Les as-tu faits?

Rappel

Pour parler de la routine

Tu **t'**endors en cours?
Non, je ne **m'**endors jamais en cours.

Tu **te** couches à quelle heure?
Je **me** couche vers 22h.

Activité 15

AP® Tu peux m'aider à faire des recherches?

Votre amie Claire fait des recherches pour sa classe de psychologie sur les moyens de communication des adolescents. Elle vous téléphone pour en savoir plus.

a. Écoutez les questions que Claire vous pose.

b. Enregistrez vos réponses sur Explorer.

Activité 16

Écrire un e-mail

Relisez la conversation entre Océane et Félix de **Découvrons 1**. Vous êtes aussi invité(e) à la fête pour célébrer l'arrivée de Nicole. Félix vous demande d'écrire un court e-mail à Nicole pour lui poser des questions sur la vie en Martinique et pour lui parler également de votre vie.

Modèle

Chère Nicole,

Félix m'a donné ton adresse e-mail, donc je t'envoie un message.

Activité 17

Et toi, tu l'as fait?

Vous voulez savoir comment votre partenaire utilise la technologie.

a. Choisissez un(e) élève de jouer le rôle d'élève A et l'autre le rôle d'élève B. Il y aura deux feuilles avec des questions différentes.

b. Posez les questions de votre feuille et répondez aux questions de votre partenaire dans une phrase complète en utilisant les données de votre feuille et une structure qui raccourcit (*shortens*) la phrase (par ex., me, te, lui, etc.).

c. Comparez vos réponses. Votre partenaire vous aidera à corriger votre phrase si nécessaire.

Modèle

Élève A: Est-ce que tu utilises souvent ton portable?

Élève B lit sur sa feuille: Oui, très souvent.

Élève B: Oui, je l'utilise très souvent.

Élève A: Ta phrase est correcte! Bon travail!

J'avance 1

Mon premier portable

Votre petit frère voudrait que vos parents lui achètent son premier portable. Vos parents lui demandent donc de se renseigner sur les usages positifs d'un smartphone. Il vous demande de l'aider à faire des recherches sur l'emploi responsable du portable.

Étape 1: Lire

Vous avez trouvé ensemble une infographie qui va l'aider à convaincre vos parents qu'il est assez responsable pour avoir un portable.

Étape 2: Parler

Vous téléphonez à votre amie qui a un petit frère du même âge que votre petit frère. Les parents de votre amie n'ont pas acheté de portable à leur fils. Pour chaque inconvénient mentionné par votre amie au téléphone, vous répondez par un argument positif.

Étape 3: Écrire

Maintenant que vous avez parlé à votre amie et fait des recherches sur l'emploi responsable d'un portable, écrivez un e-mail à votre frère pour lui expliquer comment convaincre vos parents de lui acheter un portable.

Allez sur Explorer pour trouver tous les documents nécessaires de **J'avance**.

Mon progrès communicatif

I can identify some positive or negative uses of the Internet.

Mon progrès communicatif

I can exchange information about some advantages and/or disadvantages of technology.

Mon progrès communicatif

I can describe some advantages of technology and how to use it responsibly.

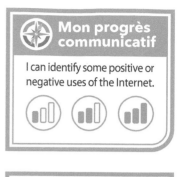

Comment dit-on? 2

Les droits et les responsabilités

Rappel

Par rapports aux droits

être d'accord

une amende

un médecin

un permis de conduire

Les droits

Tu as toujours voulu savoir ce que tu pouvais faire ou ne pas faire à ton âge? Découvre-le grâce à cette infographie qui t'expliquera **les droits** (et responsabilités) au Québec en fonction du nombre de chandelles sur ton dernier gâteau d'anniversaire!

Pas d'âge minimum requis par la loi
- donner ton opinion sur les sujets qui te concernent
- louer ton propre appartement
- se faire tatouer ou avoir un piercing
- garder des enfants

À (7) ans
- Tu pourrais avoir à payer pour certaines de tes **gaffes**.

À (12) ans
- Tu peux être responsable pour tes gestes criminels.

À (13) ans
- Tu peux être directement **visé par** une publicité.

À (14) ans
- Tu peux consulter un médecin sans l'autorisation de tes parents.
- Tu peux travailler sans l'autorisation de tes parents.
- Tu peux recevoir un «ticket» et payer une amende.
- Tu peux avoir un permis pour conduire un scooter.
- Tu pourrais être **puni** comme un adulte.

À (16) ans
- Tu peux avoir ton permis de conduire.
- Tu peux te marier si tes parents sont d'accord.

À (18) ans
- Tu es un adulte aux yeux de **la loi**.
- Tu peux être appelé à **faire partie** d'un jury.
- Tu peux fréquenter les salons de bronzage.

Extrait de l'article, AS-TU L'ÂGE? (https://www.educaloi.qc.ca/jeunesse/as-tu-l-age), publié dans le site Éducaloi (educaloi.qc.ca), qui offre de l'information juridique en langage clair aux citoyens du Québec. JUIN 2019.

Activité 18

Et dans votre communauté?

Étape 1: Lire et écrire

Vous voulez comparer les droits des citoyens du Québec avec ceux que vous avez dans votre communauté. Utilisez ce que vous avec lu pour remplir la première colonne de ce tableau avec l'âge auquel on obtient le droit de faire l'activité.

Le droit	âge minimum au Québec	âge minimum dans votre communauté	Y a-t-il une différence? Si oui, combien d'années?
avoir son permis pour conduire une voiture			
louer un appartement			
obtenir son permis scooter			
se faire tatouer			
consulter un médecin sans la permission de ses parents			
être membre d'un jury			
se marier			
être ciblé(e) par une publicité			
fréquenter un salon de bronzage			

Étape 2: Parler

Quelles sont les différences entre les droits des citoyens dans votre communauté et ceux des citoyens du Québec? Avec votre partenaire, remplissez les deuxième et troisième colonnes selon ce que vous savez. Si vous ne savez pas, recherchez la bonne réponse sur internet.

Modèle

Au Québec, la loi permet de fréquenter un salon de bronzage à 18 ans. Ici, j'ai le droit de fréquenter le salon de bronzage à 16 ans.

Donc il y a une différence de 2 ans!

Expressions utiles

J'ai le droit de/d'...

Je choisis (de/d')...

La loi empêche (de/d')...

La loi interdit (de/d')...

La loi permet (de/d')...

Réflexion interculturelle

Préférez-vous les droits au Canada ou ceux dans votre communauté? Lesquels? Pourquoi? Répondez aux questions dans le forum de discussion sur Explorer.

Mon progrès interculturel

I can compare the rights of young people in Canada to those in my community.

Zoom culture

Produit culturel: Les devises et les droits

Connexions

Quelles devises connaissez-vous? Quels principes ou croyances sont mentionnés dans ces devises?

Depuis 1848, la devise de la France est «Liberté, Égalité, Fraternité.» Qu'est-ce que cela veut dire pour les citoyens?

Liberté: Qu'est-ce que les Français sont libres de faire? Ils peuvent exprimer leur opinion.

Égalité: Tous les Français sont égaux en droit aux yeux de la loi.

Fraternité: Tous les citoyens français sont frères et sœurs.

Les hommes naissent et demeurent libres et égaux en droits (la Déclaration des droits de l'homme et du citoyen).

Voici d'autres devises de pays francophones. Pouvez-vous expliquer en quelques phrases l'essentiel de ces devises et les principes importants qu'ils démontrent?

Algérie: Par le peuple et pour le peuple

Bénin: Fraternité, Justice, Travail

Haïti: L'union fait la force

Madagascar: Amour, Patrie, Progrès

Suisse: Un pour tous, tous pour un

Réflexion

Quelle(s) devise(s) francophones préférez-vous et pourquoi? Quelle est la devise de votre pays? Quelles sont les similarités et les différences entre les devises des différents pays? À votre avis, pourquoi ces pays ont-ils des croyances et des principes similaires?

Mon progrès interculturel

I can compare national mottos to gain insight into cultural perspectives.

Détail linguistique

Les familles de mots

Regardez les mots dans la devise de la France et considérez d'autres mots «cousins» que vous connaissez.

Liberté, libre

Égalité, égal, égaux

Fraternité, fraternel, frère

Continuez à utiliser les familles de mots pour enrichir votre vocabulaire en français!

Activité 19

Il faut changer!

Vous faites des études au Québec et vous n'êtes pas content(e) de l'âge auquel on obtient certains droits. Écrivez un petit message électronique à l'Assemblée nationale du Québec pour expliquer ce que vous voudriez changer et pourquoi. Dans votre réponse, identifiez:

- La loi que vous voudriez changer; et
- Trois raisons qui expliquent pourquoi il faut changer cette loi.

Modèle

Je voudrais changer la loi concernant les tickets parce que...

Il faut/il ne faut pas:

1. donner de tickets aux ados;
2. donner des permis avant 16 ans; et
3. donner une deuxième chance aux ados.

Mon progrès communicatif

I can suggest a change to the rights of citizens and give some reasons why I made the suggestion.

Les responsabilités

https://www.bee-yoo.com

COMMENT ÊTRE UN CITOYEN NUMÉRIQUE RESPONSABLE?

Il faut:

- Se respecter et respecter aussi les autres en ligne
  - **se comporter** selon les règles du numérique en ligne
  - échanger les informations correctement
  - suivre la loi
- Plaider et sensibiliser à la citoyenneté numérique
  - promouvoir l'utilisation des nouvelles technologies
  - assurer un accès numérique
  - reconnaître vos propres droits et responsabilités
- **Se protéger** en ligne
  - maintenir la sécurité en ligne
  - faire attention à votre santé
  - s'engager dans le commerce numérique de manière responsable

*Nous avons des droits mais aussi des responsabilités sur internet! Il faut considérer **la vie privée** des autres quand on écrit un post. J'**évite de** poster des photos personnelles, par exemple.*

*Bonne idée! Moi, **je signale les commentaires négatifs** sur les réseaux sociaux. Parfois, les réseaux **suppriment** ces commentaires.*

*Je **sécurise** mon profil pour me protéger.*

*Il faut **être respectueux** des autres et de soi-même en ligne!*

Activité 20

Le comportement sur internet

Lisez le texte du blog sur le comportement sur internet. Quels commentaires parlent de la protection de soi *(self)* et quels commentaires parlent du respect des autres? Écrivez quelques exemples dans chaque catégorie.

protection de soi	respect des autres

Mon progrès communicatif

I can identify the main ideas and some details in posts about online behaviors.

Activité 21

Être responsable: s'exprimer ou non dans les médias sociaux

Étape 1: Écrire

Il y a beaucoup de débats sur ce qu'on peut dire et écrire sur internet et les lois sont différentes dans chaque pays. À votre avis, peut-on dire et écrire ce qu'on veut sur internet? Notez vos idées sur une feuille de papier.

Modèle

On (ne) peut (pas) exprimer (*express*) son opinion sur internet parce que…

Étape 2: Regarder

Regardez maintenant les entretiens dans la vidéo et remplissez le tableau pour comparer le droit d'expression au Québec et les opinions des Québécois.

Personne	Réponse à la question: Vrai ou faux – Tu peux dire et écrire ce que tu veux sur les médias sociaux?	Justification
jeune homme n°1		
jeune homme n°2		
jeune femme		
Dominique, avocate		

On peut aussi dire

la diffamation

(s')exprimer

le harcèlement

la liberté d'expression

menacer

les propos (m. pl.) haineux

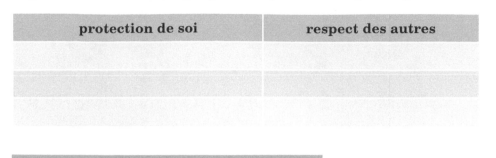

Image tirée de la vidéo VRAI ou FAUX (Tu peux dire et écrire ce que tu veux sur les médias sociaux?), produite par Éducaloi (hyperlien : educaloi.qc.ca), qui offre de l'information juridique en langage clair aux citoyens du Québec. June, 2019.

Activité 22

Le portable à l'école

Étape 1: Lire et écrire

Il faut être responsable si on a un téléphone portable. Lisez les données (d'une étude auprès de 573 parents d'enfants de 3 à 14 ans) qui apparaissent dans le tableau sur l'usage du portable à l'école, puis répondez aux questions.

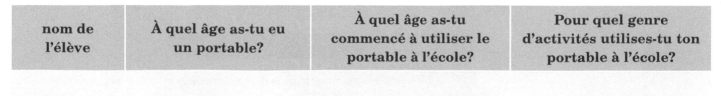

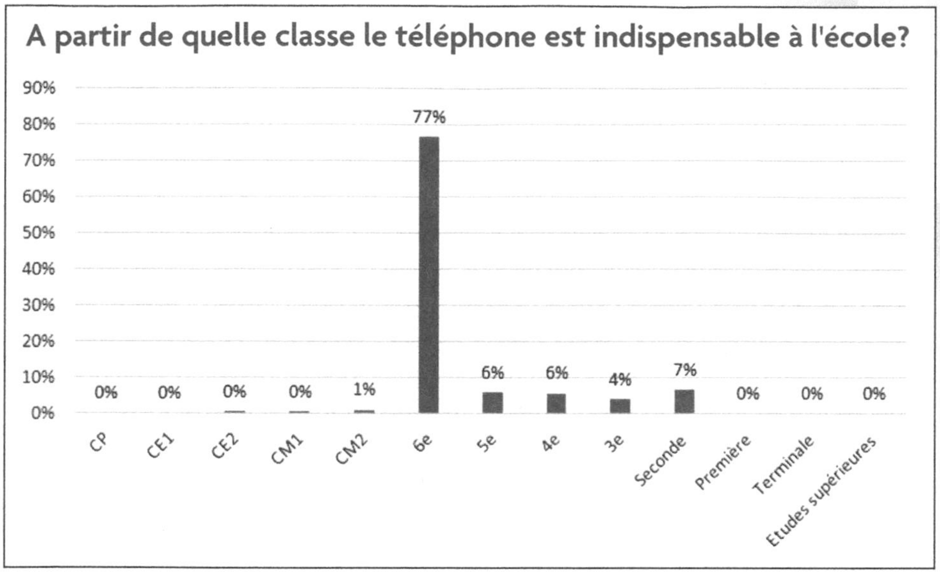

© Family Insight (2018), "Les tendances de la rentrée scolaire 2018", Graphique adapté de https://www.family-insight.fr/les-tendances-de-la-rentree-scolaire-2018/.

1. À partir de quel niveau scolaire les portables sont-ils utiles à l'école?
2. Ce niveau scolaire correspond à quel âge?
3. Avez-vous un portable? Si oui, à quel âge avez-vous commencé à utiliser le portable en cours?

Mon progrès communicatif

I can exchange information about how I and others use cell phones in school.

Étape 2: Parler

Faites un sondage en posant ces questions à plusieurs élèves. Notez leurs réponses dans la représentation schématique sur Explorer. Puis partagez les résultats à l'oral avec la classe.

nom de l'élève	À quel âge as-tu eu un portable?	À quel âge as-tu commencé à utiliser le portable à l'école?	Pour quel genre d'activités utilises-tu ton portable à l'école?

Découvrons 2

Décrire les actions hypothétiques

https://citoyennetenumerique.blog.fr

Angélique
Bonjour à tous, j'ai un gros problème qui m'inquiète bcp. Quand j'étais au café hier soir pour faire mes devoirs, je me suis levée pour aller récupérer mon cappuccino. Quand je suis retournée à ma table, j'ai vu que mon portable n'était plus là. Je crois que quelqu'un me l'a volé! À ma place, que **feriez**-vous?

Félix
Oh là là c'est grave! Je suis désolé pour toi. Moi, je **commencerais** tout de suite à sécuriser mes profils sur internet. Je **changerais** tous les mots de passe pour les comptes d'e-mail, de photos et de shopping.

Marc
C'est une vraie catastrophe, n'est-ce pas? Bon, j'**irais** immédiatement au commissariat de police et j'y **ferais** une déclaration de vol. Je crois que les policiers **pourraient** t'aider à trouver le portable, surtout si tu as la fonction de pistage activée. Bon courage!

Océane
Tu **devrais** parler avec le propriétaire du café. Il a probablement une caméra de surveillance qui **pourrait** t'aider avec l'enquête! Bonne chance!

Découvertes

Répondez aux questions dans la représentation schématique sur Explorer.

1. Regardez les mots en caractères gras. Les reconnaissez-vous? À quelles autres structures ressemblent-ils?
2. Pour quelles raisons Félix, Océane et leurs amis utilisent-ils ces formes?
3. Partagez vos observations avec un(e) partenaire, puis écrivez vos réponses.

Activité 23

À ma place...

Étape 1: Lire et écrire

Vous essayez d'aider Angélique à organiser un plan d'action pour réduire les conséquences de la perte de son portable. Réfléchissez aux suggestions que Félix, Marc et Océane ont proposées, puis mettez-les dans un ordre logique.

Plan d'action
1. (Ce qu'il faut faire d'abord)
2.
3.
4.
5. (Ce qu'il faut après les autres)

Étape 2: Parler

Êtes-vous d'accord avec votre partenaire? Savez-vous sécuriser vos données si vous perdez un appareil électronique? Posez ces questions à votre partenaire pour comparer vos réponses.

1. Quelle suggestion est la plus importante pour vous? Pourquoi?
2. Quel conseil est le moins important pour vous? Pourquoi?
3. Êtes-vous d'accord avec votre partenaire?
4. Que rajouteriez-vous au plan d'action? Décrivez au moins une chose supplémentaire qu'Angélique devrait faire pour se protéger.

Mon progrès communicatif

I can exchange opinions about how to be a good digital citizen.

Mon progrès communicatif

I can give advice about Internet responsibility.

Expressions utiles

À ta/votre place,...
Si je faisais...
Si je voyais...

Activité 24

À ta place

Vos amis vous demandent des conseils, dans un forum pour ados, concernant la technologie, la vie privée et les droits des adolescents. Répondez à chaque ami et dites ce que vous feriez à sa place.

Laëtitia — 17 octobre

Mon copain a partagé une partie de notre conversation privée avec ses amis. Tu ferais quoi à ma place?

21 15 8

Chloé — 19 octobre

Mes parents partent en vacances ce week-end et je vais être seule chez moi pour la première fois. Mes amis veulent venir faire la fête. Qu'est-ce que tu ferais à ma place?

7 18 8

Youssef — 20 octobre

J'ai une amie qui a été victime de cyberharcèlement mais elle ne veut le dire à personne. Qu'est-ce que je devrais faire?

20 32 11

Maxime — 22 octobre

J'ai laissé mon portable dans une salle de classe et il n'y est plus! À ma place, qu'est-ce que tu ferais?

9 17 4

Modèle: À ta place, je parlerais au professeur et au secrétaire du bureau principal.

J'avance 2

Citoyenneté numérique: ce que je devrais faire

Vous êtes sur un réseau social et vous lisez quelques commentaires négatifs. Vous connaissez les personnes qui les ont écrits.

Étape 1: Lire

Vous êtes sur un réseau social et vous lisez les posts suivants. Identifiez de quel genre de problème il s'agit, puis expliquez pourquoi chaque post pose un problème en vous servant des mots-clés. Utilisez la représentation schématique sur Explorer.

Je ne comprends pas exactement ce qu'elle dit, mais je vais simplement copier et coller. Ça va aller.

Mon progrès communicatif

I can identify the main ideas and some details in posts about online behaviors.

Étape 2: Écrire

Les posts que vous lisez vous gênent (*bother*) parce que ce comportement n'est pas autorisé et vous connaissez les personnes qui les ont écrits. Vous décidez de tchatter avec votre amie, Manon.

Que faites-vous? Quels sont les droits des personnes mentionnées dans le post? Que ferait un bon citoyen numérique?

Mon progrès communicatif

I can exchange opinions about how to be a good digital citizen.

Étape 3: Parler

Vous recevez un e-mail d'un organisme qui sollicite des élèves pour faire un message d'intérêt public de moins de quarante secondes pour leur site web. L'organisme donne deux scénarios possibles et vous demande de choisir un des deux scénarios pour votre vidéo. Enregistrez votre vidéo sur Explorer.

Allez sur Explorer pour trouver tous les documents nécessaires de **J'avance**.

Mon progrès communicatif

I can give advice about Internet responsibility.

Comment dit-on? 3

Nouvelles technologies, nouveaux intérêts

À la recherche de nouveaux intérêts

Dis Félix, tu as fini ton analyse du tableau sur internet?

Des usages d'internet de plus en plus diversifiés

Opérations effectuées au cours des 30 derniers jours - en % internautes

Opération	%
Recherche d'infos pratiques (météo, trafic...)	7
Recherche d'infos liés à l'actualité	7
Opérations ou consultations bancaires	6
Messagerie instantanée	5
Réaliser des démarches administratives	4
Écoute de la radio en ligne	4
Consultation de vidéo en ligne	4
Consulter un blog	3
Échange de photos avec d'autres internautes	3
Visualisation de bandes annonces de cinéma	3
Téléchargement de logiciels	3
Partage de fichiers avec d'autres internautes	2
Participation à un forum	2
Téléchargement de musique MP3	2
Suivi d'un événement en direct	2
Commentaires/blogs	2
Télé en ligne	1
Téléphoner en ligne	1
Jeu en direct en réseau	1
Téléchargement vidéo, film	1
Téléchargement de jeux	1
Participation à un tchat	1
Réalisation de transactions boursières	0,6
Apporter une contribution à la réalisation d'articles	0,4

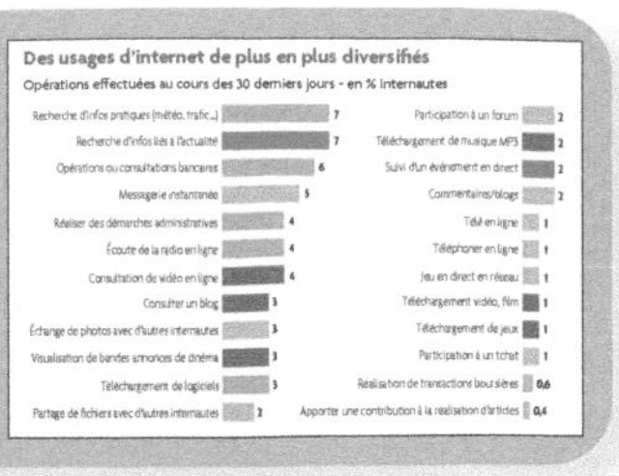

*Non, pas encore. Par contre, j'ai trouvé une appli absolument formidable et je suis **en train d'apprendre** une autre langue. Et toi, tu as fini?*

*Non, je n'ai pas fini non plus. Apprendre une autre langue? Quelle bonne idée! Cela va te permettre de **communiquer plus facilement** avec plus de gens!*

*Oui, cela pourrait même me permettre de **créer** un nouveau **réseau** d'amis.*

*Moi, je fais un peu de recherche sur les études que j'aimerais **poursuivre**; internet, ça facilite vraiment tout ça. Tu imagines si on n'avait pas cet outil? Mais qu'est-ce qu'on ferait???*

L'angoisse! Plus de musique ou de jeux vidéo...

Activité 25

La conversation de Félix et d'Océane

Étape 1: Lire

Lisez la conversation et cochez (✔) la personne qui fait les actions suivantes.

	Félix	Océane	tous les deux	aucun des deux
1. Parler d'un devoir				
2. Utiliser souvent internet				
3. Apprendre une langue				
4. Finir son devoir				
5. Faire des recherches				

Étape 2: Écrire

Ajoutez trois ou quatre activités qu'Océane et Félix n'ont pas mentionnées.

a. ______________________________

b. ______________________________

c. ______________________________

Étape 3: Parler

Utilisez trois actions de l'**Étape 1** ou **2** pour poser des questions à plusieurs partenaires, en petits groupes.

Modèle

Utiliser souvent internet → Qui utilise souvent internet?

Étape 4: Parler

Présentez oralement ce que vous avez discuté lors de l'étape précédente.

Modèle

Tout le monde utilise internet. OU Personne ne finit son devoir. OU Trois personnes ont fini leurs devoirs.

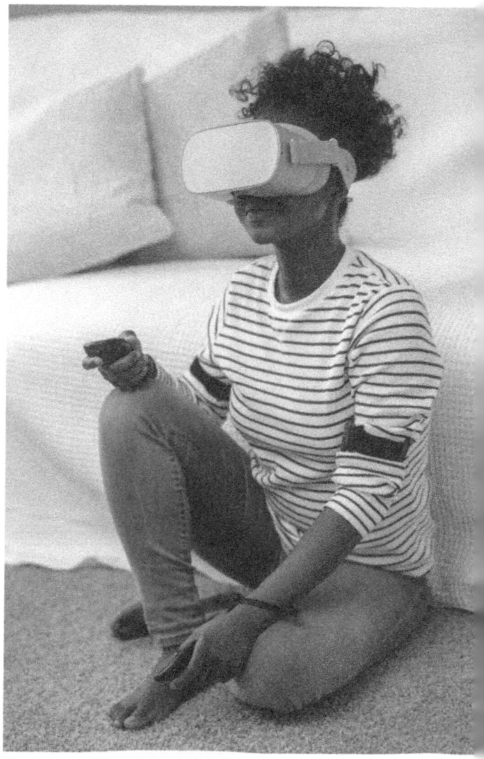

Activité 26

L'usage d'internet

Pendant leur conversation, Félix et Océane n'ont pas vraiment parlé de leurs devoirs sur ce tableau. Analysons son contenu.

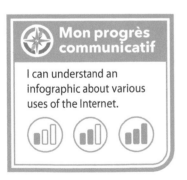

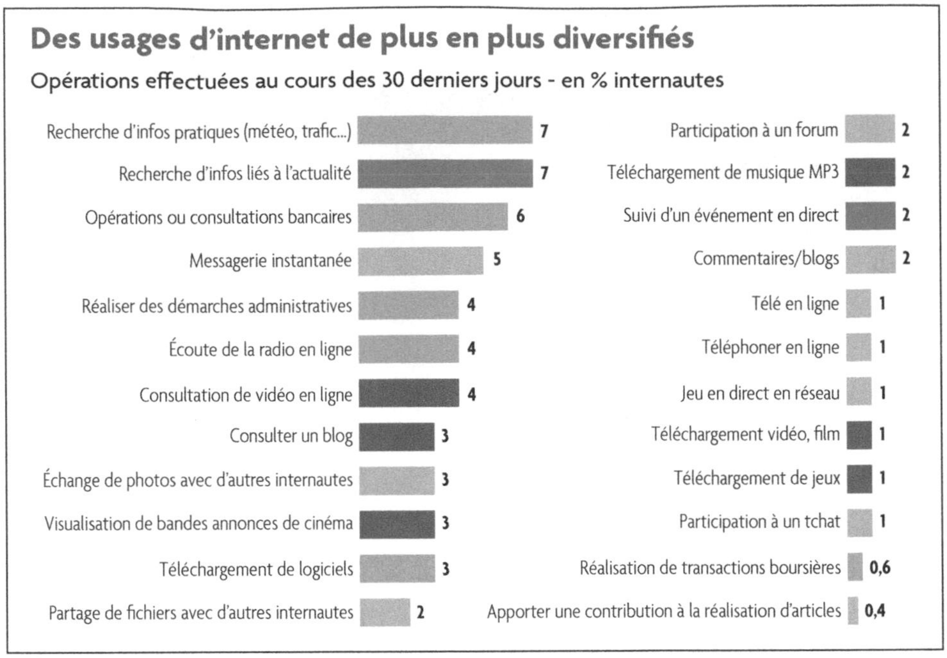

Best Efforts Made © IPSOS (2008), "Des usages d'internet de plus en plus diversifiés," Graphique récupéré de http://www.blog-crm.fr/exposes-etudiants/les-communautes-sur-internet/.

Étape 1: Faire correspondre et analyser

Qu'est-ce que vous observez?

a. Associez chaque couleur du tableau à un des termes dans la banque de mots.

BANQUE DE MOTS

Actualités — Communication — Loisirs — Services

b. Observez le tableau attentivement et discutez ces questions avec un(e) partenaire.

1. Quelle est la catégorie avec le plus d'opérations?
2. Quelle est la catégorie avec le moins d'opérations?
3. Quelle est la catégorie avec le plus d'opérations différentes?
4. Quelle est la catégorie avec le moins d'opérations différentes?

Mon progrès communicatif

I can understand an infographic about various uses of the Internet.

Étape 2: Classifier

Complétez le tableau.

1. Quelles sont les opérations que vous faites pour l'école et quelles sont les opérations que vous faites pendant vos loisirs?
2. Quelles sont les opérations dont Félix et Océane parlent?
3. Quelles sont les opérations qui sont plutôt pour les adultes?

opérations que je fais à l'école	opérations que je fais pendant mes loisirs	opérations mentionnées par Félix et/ou Océane	opérations que font les adultes

Mon progrès communicatif

I can write simple sentences about how I and others use the Internet to pursue interests.

Étape 3: Parler

Qu'est-ce que ce tableau vous a appris?

a. Citez trois opérations sur internet qui vous aident dans la vie de tous les jours.

b. Comparez vos réponses avec celles d'un(e) autre élève. Avez-vous plus de similarités ou de différences?

Zoom culture

Pratique culturelle: «Parlez-vous technologie?»

Connexions

À votre avis, à quoi les mots suivants correspondent-ils en anglais?:

arobase

nuage

arrosage

mot-dièse

frimousse

Le monde de la technologie évolue constamment et, en même temps, de nouveaux mots de vocabulaire apparaissent donc continuellement.

Des mots ou symboles comme #, like, @, :-) font désormais partie de notre langage courant, surtout en ce qui concerne le marketing, la technologie ou les réseaux sociaux. Nous utilisons aussi de nombreux mots anglais, comme par exemple *mail, webcam, bug*. Mais saviez-vous qu'il existe depuis 1996 un groupe chargé de protéger la langue française? Ce groupe s'appelle "France Terme" et se charge de trouver des mots français pour des concepts dans des langues étrangères.

Réflexion

Pourquoi est-il important de protéger une langue (le français, l'anglais, par exemple)? Quelle est l'influence de l'anglais sur le français et vice versa? Donnez des exemples.

Mon progrès interculturel

I can identify ways in which languages evolve over time based on changing technology and other influences.

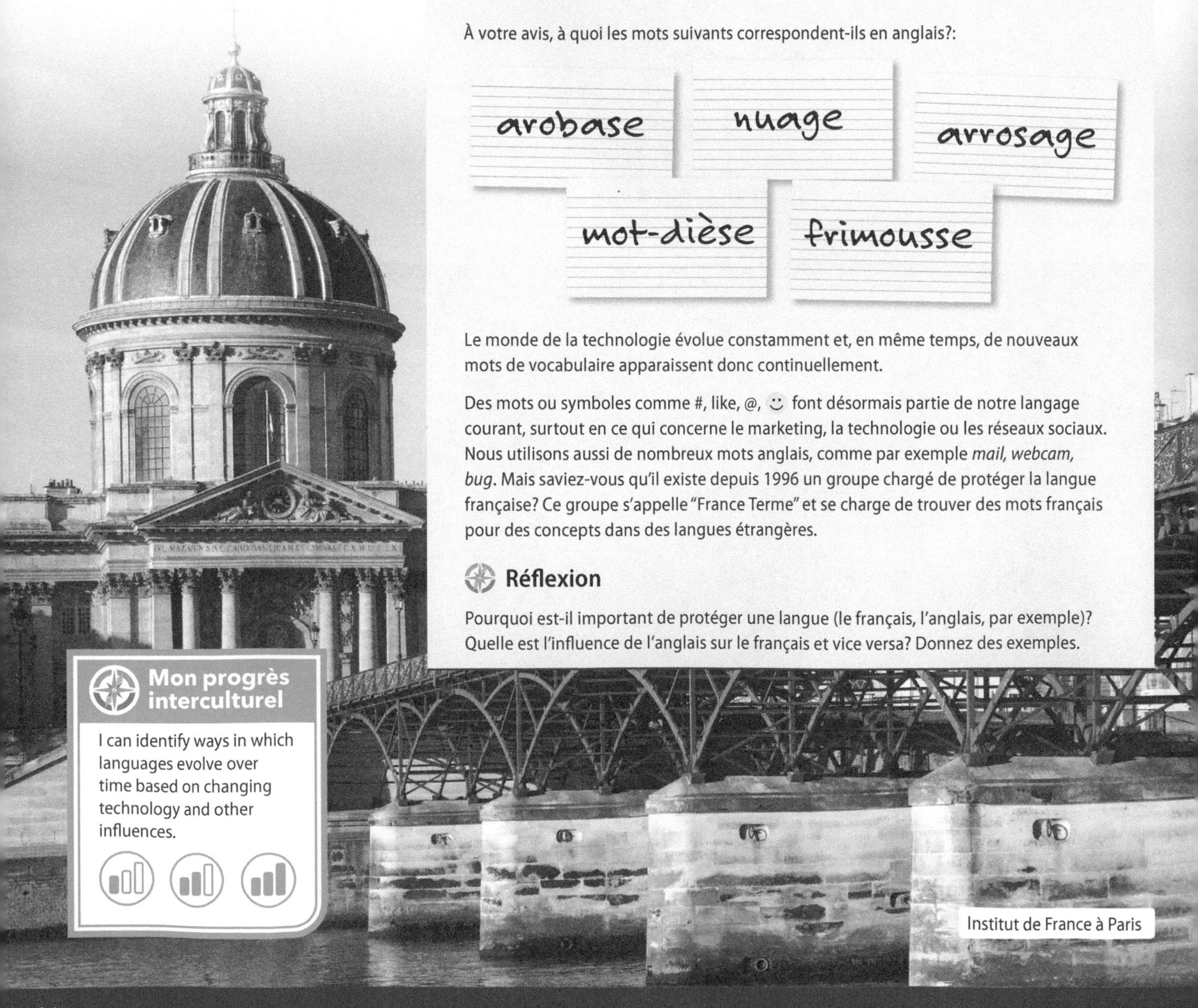

Institut de France à Paris

Comment trouver ce qui m'intéresse

Fabienne veut apprendre à sa grand-mère les termes technologiques essentiels. Pour l'aider, elle a créé un petit jeu de mémorisation.

1. Internet me permet de/d'...
(a) rester au courant de ce qui se passe dans le monde.
2. J'utilise mon ordi pour...
(e) avoir accès à une multitude de sites.
(c) envoyer des textos à mes amis.
3. Mon portable est un outil qui peut...
4. Je me sers d'une clé USB afin de/d'...
(d) sauvegarder et transférer des fichiers.
(b) rester en contact avec ma famille et mes amis.
5. Les réseaux sociaux me donnent le moyen de/d'...

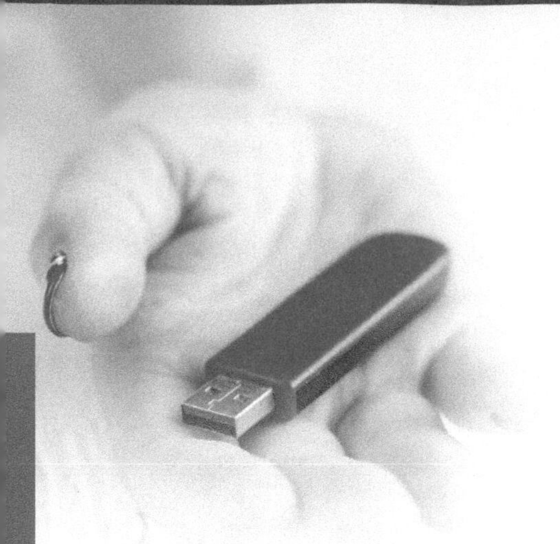

Activité 27

Vocabulaire technologique

Faites correspondre les termes technologiques à leur description des fiches de Fabienne. Écrivez la lettre de la fiche qui explique mieux chaque usage technologique.

1. ________ 2. ________ 3. ________ 4. ________ 5. ________

Activité 28

Allons un peu plus loin

À quoi d'autre la technologie nous sert-elle?

Étape 1: Écrire

Faites une liste. Complétez ces phrases:

J'utilise aussi internet pour...

Mon ordinateur me permet aussi de...

Je me sers aussi de mon portable pour...

Une clé USB est aussi un outil qui peut...

Les réseaux sociaux me donnent aussi le moyen de...

Étape 2: Parler

Dans un petit groupe, posez des questions pour savoir comment vos ami(e)s ont complété les phrases et notez leurs réponses dans la représentation schématique. Puis comparez à l'oral les similarités et les différences dans vos réponses.

	J'utilise aussi internet pour...	**Mon ordinateur me permet aussi de...**	**Je me sers aussi de mon portable pour...**	**Une clé USB est aussi un outil qui peut...**	**Les réseaux sociaux me donnent aussi le moyen de...**
mes réponses					
les réponses de mes partenaires					

Activité 29

La technologie et la communauté

Étape 1: Écrire

La grand-mère d'Océane commence à mieux comprendre comment elle pourrait utiliser la technologie dans la vie de tous les jours. Elle décide de répondre à un texto qu'elle a reçu d'Océane. Commencez par lire le texto d'Océane et composez ensuite la réponse de sa grand-mère.

Océane
Mamie
Coucou Mamie, alors, qu'est-ce que tu as utilisé comme technologie aujourd'hui?
J'ai fait beaucoup de choses…

Étape 2: Écrire

La grand-mère d'Océane a beaucoup utilisé la technologie aujourd'hui. Elle voudrait aussi créer des liens dans sa communauté. Comment pourrait-elle utiliser la technologie pour l'aider? Donnez-lui quelques idées et complétez le tableau.

ce que je fais dans ma communauté	l'outil que j'utilise	comment je l'utilise
Modèle: Je cherche un petit boulot.	internet	Je lis les petites annonces.

Découvrons 3

Présenter une hypothèse: Et si...?

Océane et Félix parlent de l'usage d'internet à l'avenir. Lisez leur conversation.

Félix as-tu déjà réfléchi aux possibilités futures d'internet?
Oui! J'y réfléchis souvent parce que les possibilités sont énormes!
Que **ferais**-tu si tu pouvais parler sur internet aux extraterrestres?
Si je pouvais leur parler, je leur **demanderais** de leur rendre visite.
Pas moi! Et que **diraient** tes parents si tu quittais la Terre pour leur rendre visite?
Ils me **diraient** "Mais non, Félix! Il faut les inviter à visiter la Terre"!
Si moi je contactais des extra-terrestres, je **resterais** sur Terre. Ma famille et mes amis me **manqueraient** trop.
À l'avenir, que **regarderait**-on sur internet, si internet existait toujours?
Si on avait toujours internet, on y **regarderait** les émissions des extraterrestres!
Ça **serait** génial s'il y avait des séries sur internet sur les courses de soucoupes volantes!

Images licensed courtesy of Vyond™

Découvertes

Réfléchissez à ce que vous observez et répondez aux questions dans la représentation schématique sur Explorer.

1. Regardez les mots en caractères gras. Qu'est-ce que vous remarquez? Avez-vous vu quelque chose de similaire dans **Découvrons 2**?
2. Regardez les mots soulignés. Qu'est-ce que vous remarquez? Avez-vous vu quelque chose de similaire?
3. Quelles sont les deux actions dans chaque phrase? Quelle est la différence entre les actions soulignées et les mots en caractères gras?
4. Quel est le rôle du mot «si» dans les phrases? Quel mot/verbe vient après «si»? Et que remarquez-vous à propos de l'autre verbe? Où est-il? Complétez le tableau.
5. Formez des hypothèses et partagez-les avec un(e) partenaire.

Images licensed courtesy of Vyond™

Activité 30

Une nouvelle appli

Pour son cours de marketing, Maggie propose une idée pour un site web. Elle imagine ce que son site ferait pour d'autres élèves de son âge.

Étape 1: Écouter

Regardez la vidéo de Maggie sur son idée pour un site web. Notez dans la représentation schématique sur Explorer ce qu'elle dit dans les catégories qui correspondent.

Mon progrès communicatif

I can understand when people explain an app they would create.

Étape 2: Parler

Vous préparez une proposition pour votre nouveau site web ou votre nouvelle application. En moins d'une minute, expliquez pourquoi votre produit serait avantageux pour d'autres adolescents. Qu'est-ce que votre appli leur permettrait de faire? Enregistrez une vidéo ou une réponse audio sur Explorer.

Mon progrès communicatif

I can explain how an app would be useful as a tool to pursue interests.

Activité 31

Et que ferais-tu si...?

Vous regardez quelques images sur un réseau social avec vos amis. Comment répondriez-vous? Regardez les images et parlez en petit groupe de ce que vous feriez dans les situations suivantes. Puis demandez à votre partenaire ce qu'il/elle ferait aussi.

Mon progrès communicatif

I can exchange opinions about what I and others would do in certain situations.

Modèle

J'ai gagné $1.000.000!

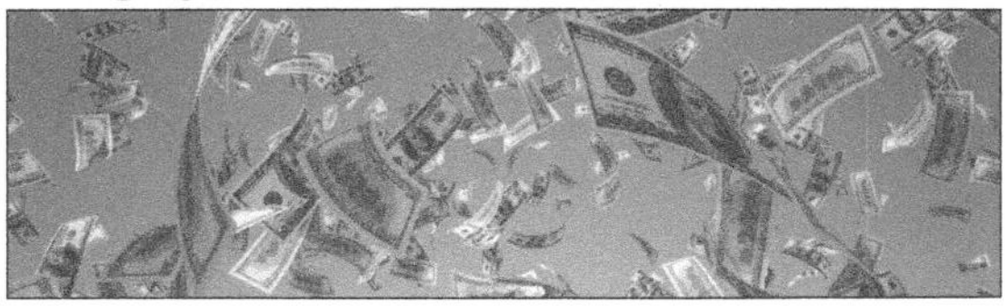

Que ferais-tu si tu gagnais $1.000.000?

Si je gagnais $1.000.000, je voyagerais en Martinique pour apprendre leur culture. Et toi?

L'ancien président visite Londres.

Que ferais-tu si tu rencontrais l'ancien président des États-Unis?

Ma mère a confiance en moi

Qu'est-ce que tu achèterais si tes parents te donnaient $100?

Beyoncé visite mon école!

Que ferais-tu si tu rencontrais une célébrité que tu admires?

Recevez une bourse pour étudier à Paris!

Qu'est-ce que tes parents feraient si tu leur disais que tu veux étudier à Paris?

Achetez une nouvelle voiture!

Si vous aviez une voiture à 25 ans, quelle voiture aimeriez-vous conduire?

Activité 32

Répondre à une annonce

Vous trouvez une annonce pour un atelier en ligne qui vous aide à postuler *(apply for)* pour un job qui vous intéresse. Dans cet atelier, vous apprenez à écrire une lettre de motivation *(cover letter)* pour persuader le/la propriétaire de vous engager *(hire)*. L'atelier vous propose quelques questions à considérer avant d'y aller. Répondez aux questions que l'atelier vous propose.

Cliquez ici pour trouver un job!

Comment trouver un job qui vous intéresse? Cliquez ici pour apprendre à écrire une lettre de motivation qui persuade votre futur employeur de vous engager."

OK

https://www.trouverlejobparfait.fr

Apprenez à écrire une lettre de motivation! Écrivez une courte lettre de motivation qui répond aux questions suivantes:

- Comment seriez-vous responsable?
- Travailleriez-vous efficacement? Avez-vous des exemples de votre travail?
- Aideriez-vous les autres?
- Comment profiter de la technologie et d'internet pour avancer dans votre travail?
- Comment traiteriez-vous les clients? Que leur diriez-vous?
- Pourriez-vous partager d'autres exemples de votre préparation pour faire ce type de travail?

Modèle

Madame, Monsieur,

Si je travaillais pour vous, je…

J'avance 3

De nouvelles idées, de nouvelles applications de technologie

Étape 1: Écouter et écrire

Clément vous propose une idée pour une application et il voudrait votre opinion. Écoutez son idée et notez quelques éléments clés pour pouvoir organiser une réponse.

Étape 2: Écrire

Remplissez le formulaire pour donner à Clément votre réaction et vos commentaires en ce qui concerne son idée. Expliquez comment vous utiliseriez son appli.

Étape 3: Parler

Vous êtes motivé(e)e par l'appli que Clément a créée et vous voulez aussi créer un site web ou une appli. Préparez un argument de vente pour votre nouveau site web ou votre nouvelle application.

Allez sur Explorer pour trouver tous les documents nécessaires de **J'avance**.

Mon progrès communicatif

I can understand when people explain an app they would create.

Mon progrès communicatif

I can respond to posts about how I would use a new app.

Mon progrès communicatif

I can explain how an app would be useful as a tool to pursue interests.

Synthèse de grammaire

1. Avoiding Repetition: *Éviter la répétition en employant me, te, nous, vous, lui et leur*

In order to avoid repeating yourself when communicating orally or in writing, it is sometimes preferable to replace some parts of a sentence.

- Je **te** rends visite samedi? - Oui, tu **me** rends visite samedi. - Non, tu ne **me** rends pas visite samedi.	- Nous **vous** parlons en classe? - Oui, vous **nous** parlez en classe. - Non, vous ne **nous** parlez pas en classe.
- Tu **me** vois sur le forum? - Oui, je **te** vois sur le forum. - Non, je ne **te** vois pas sur le forum	- Vous **nous** envoyez un message? - Oui, nous **vous** envoyons un message. - Non, nous ne **vous** envoyons pas de message.
- Tu rends visite **à ton ami(e)**? - Oui, je **lui** rends visite. - Non, je ne **lui** rends pas visite.	- Vous écrivez **à vos ami(e)**s? - Oui, nous **leur** écrivons. - Non, nous ne **leur** écrivons pas.

2. Expressing What You Would, Should or Could Do: *Décrire les actions hypothétiques*

If you want to say what you would do in a situation or in someone's place, use ***le conditionnel***.

To form it, add the following endings to the infinitive of the verb. If you're using an ***-re*** verb, drop the final ***-e*** before adding these endings:

- ais	- ions
- ais	- iez
- ait	- aient

Some common verbs don't use the infinitive to form the conditional. For these verbs, use the forms below and then add the endings.

aller: ir-	envoyer: enverr-	pouvoir: pourr-	venir: viendr-
avoir: aur-	être: ser-	recevoir: recevr-	voir: verr-
devoir: devr-	faire: fer-	savoir: saur-	vouloir: voudr-

– À ta place, je **demanderais** comment utiliser cette nouvelle appli.

– Dans cette situation, j'**irais** parler à la police. Le cyberharcèlement, c'est un crime!

You can politely say what someone should or shouldn't do by using ***devoir*** in this form.

– Vous ne **devriez** pas poster vos données privées sur les réseaux sociaux!

3. Expressing What Would Be If Another Condition Were Met: *Présenter une hypothèse: Et si...?*

A hypothetical statement expresses what one *would* do in a particular situation *if* certain conditions were met.

Si *j'avais* mon smartphone en classe, **j'enverrais** des textos à mes amis.
If I had my smartphone in class, I would send texts to my friends.

Si *j'avais* mon smartphone en classe

j'enverrais des textos à mes amis

Je **créerais** une nouvelle appli, si *j'avais* une bonne idée.
I would create a new app, if I had a great idea.

Je créerais une nouvelle appli

si *j'avais* une bonne idée

Use the conjunction ***si*** to express a hypothetical idea. Use the ***imparfait*** after ***si*** to express the condition. In the next part, or result part, of the sentence, use the conditional to express what *would* be the result of that condition. ***Si*** can either begin the first clause of the sentence or the second.

Si	Result
+ l'imparfait	+ le conditionnel

Result	Si
+ le conditionnel	+ l'imparfait

See ***Découvrons 2*** and ***Synthèse de grammaire 2*** of this unit to review how to form ***le conditionnel***. See ***Découvrons 2*** and ***3*** of ***Unité 1*** to review how to form ***l'imparfait***.

Vocabulaire

Comment dit-on? 1: Les avantages et les inconvénients d'internet

Les avantages	*Advantages*
ailleurs	*elsewhere*
se détendre	*to relax*
se divertir	*to entertain*
les divertissements (m. pl.)	*entertainment*
grâce à	*thanks to*
le moteur de recherche	*search engine*
l'outil (m.)	*tool*
se servir de/d'	*to use*
en un seul clic	*in one click*
stocker des fichiers (m. pl.)	*to store files*

Les inconvénients	*Disadvantages*
le compte	*account*
cyberdépendant(e)	*cyber-dependent*
le cyberharcèlement	*cyber harassment*
hyperconnecté(e)	*hyperconnected*
la menace	*threat*
le plagiat	*plagiarism*
privé(e)	*private*
prudent(e)	*careful*

Comment dit-on? 2: Les droits et les responsabilités

Les droits	*Rights*
faire partie de/d'	*to be a part of*
la gaffe	*blunder, mess-up*
la loi	*law*
puni(e)	*punished*
visé(e) par	*targeted by*

Expressions utiles	
J'ai le droit de/d'...	*I have the right to...*
Je choisis (de/d')...	*I choose to...*
La loi empêche (de/d')...	*The law prevents...*
La loi interdit (de/d')...	*The law forbids...*
La loi permet (de/d')...	*The law permits...*

Les responsabilités	*Responsibilities*
le commentaire négatif	*negative comment*
se comporter	*to behave oneself*
être respectueux/respectueuse	*to be respectful*
se protéger	*to protect (oneself)*
sécuriser le profil	*to secure one's profile*
signaler	*to report*
supprimer	*to delete*
la vie privée	*private/personal life*

Comment dit-on? 3: Nouvelles technologies, nouveaux intérêts

À la recherche de nouveaux intérêts	***Searching for new interests***
communiquer plus facilement	*to communicate more easily*
créer	*to create*
être en train d'apprendre	*to be in the process of learning*
poursuivre	*to pursue*
le réseau	*network*

Comment trouver ce qui m'intéresse	***How to pursue my interests***
afin de/d'	*in order to*
avoir accès à	*to have access to*
donner le moyen de/d'	*to allow to*
rester au courant de/d'	*to stay informed*
sauvegarder un fichier	*to save a file*
transférer un fichier	*to move a file*

J'y arrive

Questions essentielles

- What effects do digital media have on my life and the lives of those in francophone cultures?
- What are my rights and responsibilities as a digital citizen?
- How can technology help me pursue my interests?

La technologie dans la salle de classe

Votre classe participe à une visioconférence avec une classe du Lycée Maran en Martinique. Le thème de la conversation est la technologie dans la salle de classe. Vous faites des recherches sur internet pour organiser une collecte de fonds pour financer un échange virtuel avec l'école martiniquaise. Avant l'organisation de votre collecte de fonds, vous répondez aux questions du proviseur au sujet de la technologie.

Avant de commencer **J'y arrive**, familiarisez-vous avec les critères d'évaluation sur Explorer.

Allez sur Explorer pour trouver tous les documents nécessaires de **J'y arrive**.

Interpretive Assessment

Les avantages de la technologie

Lisez l'infographie puis complétez le tableau pour vous préparer à parler avec le proviseur de l'école.

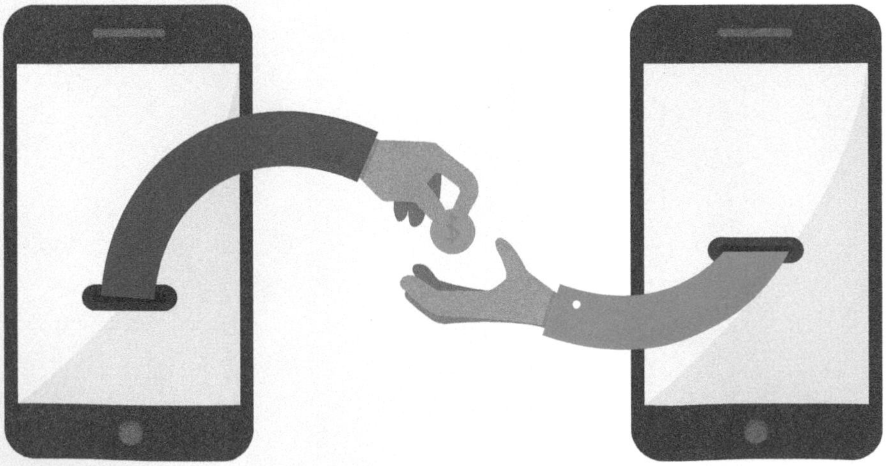

Interpersonal Assessment

AP® Convainquez le proviseur

Vous contactez le proviseur qui n'a pas encore donné son accord officiel. Pendant la conversation, vous essayez de le convaincre des avantages de ce genre de projet. Enregistrez votre conversation sur Explorer.

Presentational Assessment

Organisez une collecte de fonds sur internet

Vous organisez une collecte de fonds sur internet pour financer l'échange virtuel. Remplissez le formulaire sur Explorer pour expliquer votre projet et pour convaincre les membres de votre communauté de faire un don *(donation)*.

UNITÉ 3

Je me prends en charge

Objectifs de l'unité

Exchange information about competencies, interests, and future plans.

Interpret authentic texts such as videos, infographics, or articles to gain insights into the transition toward adulthood among young people in the francophone world.

Present advice about planning for the future and describe work-related competencies and goals.

Investigate how young people in francophone cultures prepare for their future.

Questions essentielles

What do young people need to consider when planning for their future?

How do young people balance their time between what they need to do and want to do in francophone cultures and in my community?

What impact will my generation have on society?

Que vous réserve l'avenir? Nos intérêts, capacités et compétences sociales ouvrent la voie à de futures carrières. Dans cette unité, Clément partagera ses passions, ses talents et ses espoirs pour l'avenir.

Nom: Clément

Langues parlées: français, allemand, anglais

Origine: Hombourg, Belgique

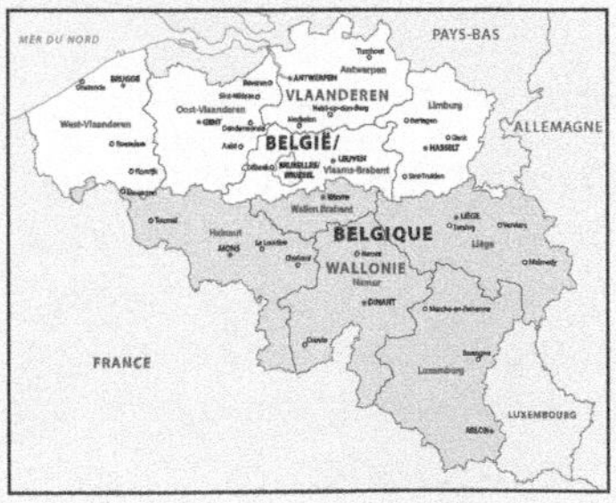

Rencontre interculturelle

Hombourg, Belgique

La Belgique, dont le nom officiel est le Royaume de Belgique, est un petit pays situé dans l'ouest de l'Europe. La Belgique, qui est bordée par la France, l'Allemagne, les Pays-Bas et le Luxembourg, compte plus de onze millions d'habitants, ce qui représente une densité de plus de 370 personnes par km^2! On y parle trois langues différentes: le néerlandais, le français et l'allemand. Son hymne national est la Brabançonne et sa devise est «L'union fait la force» en français, *«Eendracht maakt macht»* en néerlandais et *«Einigkeit macht stark»* en allemand.

Même si elle est petite, la Belgique ne compte pas moins de trois communautés (française, flamande et germanophone), trois régions (wallonne, flamande et Bruxelles-Capitale) et dix provinces. La Belgique est une monarchie constitutionnelle et parlementaire, dont le roi actuel est Philippe de Belgique, septième roi des Belges. C'est bien compliqué tout cela pour un si petit pays…

La Belgique est connue pour son chocolat et ses pralines, ses nombreuses bières, ses gaufres et bien entendu ses frites!

Parmi les Belges les plus connus, on compte le chanteur-compositeur-acteur Jacques Brel, l'inventeur-musicien Adolphe Sax, le grammairien Maurice Grevisse, le dessinateur Hergé, l'académicienne Marguerite Yourcenar ainsi que Stromae, Nafissatou Diam et bien d'autres.

Les gourmands se régalent en mangeant des gaufres belges!

Un cornet de frites belges acheté dans une baraque à frites.

La Belgique est un des rares pays où l'éducation est obligatoire jusqu'à 18 ans.

La Belgique fait partie d'un petit groupe de pays dans le monde où le vote politique est obligatoire.

Hergé, un dessinateur belge qui est bien connu pour sa bande dessinée Tintin.

Stromae, un chanteur belge qui est célèbre dans le monde entier.

La Belgique produit 220.000 tonnes de chocolat par an.

Le système autoroutier belge est la seule structure humaine visible de la Lune (la nuit, du moins, à cause de l'éclairage tout le long du réseau).

Activité 1

Un tour en Belgique

Le pays où Clément habite est un pays très intéressant…faisons sa connaissance! Cochez (✔) les phrases qui décrivent correctement ce petit pays.

- ☐ On parle trois langues différentes en Belgique.
- ☐ Le roi actuel s'appelle Philippe.
- ☐ La Belgique est bordée par les Pays-Bas, la France et la Suisse.
- ☐ Marguerite Yourcenar, Stromae, Hergé et Jacques Brel sont des Belges connus.
- ☐ En Belgique, on doit aller à l'école jusqu'à l'âge de 20 ans.
- ☐ On n'est pas obligé de voter en Belgique.
- ☐ La Belgique est un grand producteur de chocolat.
- ☐ Le plus grand ascenseur à bateaux se trouve en Belgique.

Le plus grand ascenseur à bateaux au monde est l'ascenseur funiculaire de Strepy-Thieu (73,15 m de haut).

Réflexion interculturelle

Quand il se présente, Clément nous explique qu'il habite dans l'est de la Belgique, près de la frontière de l'Allemagne et des Pays-Bas. À votre avis, quelles autres langues Clément ou les membres de sa famille parlent-ils à cause de l'endroit où ils habitent? Connaissez-vous des endroits aux États-Unis où on parle plus d'une langue? Quels sont ces endroits et quelle(s) langue(s) y parle-t-on?

Mon progrès interculturel

I can identify some ways that local language and culture are influenced by bordering countries or regions.

Une vue du village de Gemmenich.

Activité 2

Le pays de Clément

Regardez la vidéo où Clément nous parle des frontières *(borders)* et des caractéristiques naturelles de son pays, la Belgique.

a. Identifiez et écrivez le nom des quatre pays qui entourent la Belgique.

b. Cochez (✔) les mots que vous entendez dans la liste qui décrivent les caractéristiques naturelles de la Belgique.

❑ plage	❑ prairie	❑ montagneux/montagneuse
❑ plateau	❑ désertique	❑ boisé(e) *(wooded)*

Je suis belge.
J'ai deux sœurs.
J'adore le sport.
J'habite dans l'est de la Belgique dans une région fort boisée.

Clément a douze ans et est en première au Collège Notre-Dame de Gemmenich. Il habite à Hombourg, un petit village situé près de la frontière de l'Allemagne et des Pays-Bas. C'est une région fort boisée dans laquelle il y a aussi beaucoup de prairies. Clément a deux sœurs plus âgées que lui: Aude et Margot.

Clément adore le foot, le VTT et le sport en général. Il aime aussi les avions et l'aviation. Enfin, Clément joue de la musique et étudie le solfège *(music theory)*.

	Système éducatif secondaire belge		Système éducatif secondaire français	
11 ans				sixième
12 ans		première		cinquième
13 ans		deuxième	**collège**	quatrième
14 ans		troisième		troisième
15 ans	**école secondaire**	quatrième		seconde
16 ans		cinquième	**lycée**	première
17 ans		sixième ou rhétorique		terminale
18 ans		septième (année facultative)		

Activité 3

Bonjour, Clément!

Étape 1: Lire et regarder

Regardez la photo de Clément, ce qu'il dit dans les bulles et sa description. Notez ce qu'il dit dans les catégories qui correspondent dans la représentation schématique sur Explorer.

catégorie	ce que dit Clément
âge/année à l'école	
nombre de sœurs	
sports préférés	
commentaires sur la région où il habite	

Une école bruxelloise.

Mon progrès interculturel

I can compare my daily life to that of a teen from Belgium.

Gemmenich, Belgique

Étape 2: Parler

Avec un(e) partenaire, parlez de:

a. ce que vous avez en commun avec Clément; et

b. ce que vous trouvez d'intéressant sur la Belgique.

Activité 4

AP® Lire et regarder

Répondez aux questions suivantes d'après les informations dans le texte de la **Rencontre interculturelle** et la vidéo de Clément. Pour chaque question, choisissez la meilleure réponse et indiquez-la sur Explorer.

1. La devise belge est:
   a. Liberté, égalité, fraternité
   b. L'union fait la force
   c. Je me souviens
2. Quelles sont les langues officielles de la Belgique?
   a. néerlandais, français et anglais
   b. français, allemand et anglais
   c. allemand, français et néerlandais
3. Que trouve-t-on à Strepy-Thieu?
   a. un ascenseur à bateaux
   b. un système autoroutier belge
   c. une nouvelle sorte de chocolat
4. Dans sa vidéo, Clément nous parle de ses activités. D'après ses préférences, comment peut-on le décrire?
   a. sportif et musicien
   b. musicien et créatif
   c. sportif et créatif

Rappelle-toi

Activité 5

Le travail que tu fais maintenant

Bénédicte, une élève belge va passer l'année scolaire dans votre école. Pour la présenter, l'administrateur du site a posté une vidéo.

https://www.usschool.org

Bonjour, Bénédicte!

Q: Est-ce que tu peux décrire le travail que tu fais en Belgique?

R: Je ne travaille pas en dehors de l'école, mais je suis très travailleuse aussi bien à l'école qu'à la maison. Le travail que je fais à l'école consiste à réviser mes cours, étudier et me préparer pour les examens, bien sûr! À la maison, je suis très organisée alors j'aide très souvent à faire les tâches ménagères que tout le monde doit faire. Je passe l'aspirateur, je range le salon, je mets la table et je la débarrasse après le dîner. C'est mon beau-père qui fait la cuisine et qui sert le repas. Où est-ce que je travaille? À l'école et à la maison!

Étape 1: Écouter et lire

Comme elle ne travaille pas en dehors de *(outside of)* l'école, Bénédicte parle de son travail à l'école et à la maison.

a. Écoutez et lisez ce qu'elle dit;

b. Illustrez les tâches qu'elle décrit pour les deux endroits où elle les fait; et

c. Décrivez à l'oral les similarités et les différences entre les tâches de Bénédicte et les vôtres *(yours)* avec un(e) partenaire ou un petit groupe.

Les tâches de Bénédicte

à l'école

à la maison

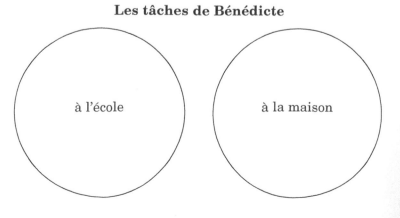

Étape 2: Écrire

Quel est le travail que vous faites? Est-ce que vous travaillez à l'école, à la maison, le soir, le week-end ou en été? Quelles tâches faites-vous et où? Qui doit faire d'autres tâches? Quelles tâches aimez-vous le plus? Répondez aux questions à l'aide des phrases suivantes. Inspirez-vous de la liste de vocabulaire à la fin du **Rappelle-toi.**

Les tâches que je fais sont…
Je…à la maison.
Voici les tâches que j'aime: ___________.
C'est mon meilleur ami qui…

Activité 6

Le travail que tu feras dans l'avenir

Étape 1: Écouter ou lire et écrire

Après avoir écouté ou lu la réponse de Bénédicte où elle parle de son avenir, écrivez quelques phrases qui représentent ce que vous voulez faire ou accomplir dans l'avenir. Inspirez-vous du vocabulaire à la fin du **Rappelle-toi** et de vos propres idées.

https://www.usschool.org

Q: Qu'est-ce que tu feras dans l'avenir?

R: À 18 ans, je commencerai mes études à l'université. À 25 ans, j'habiterai dans un autre pays (j'espère!). Ma sœur me dit qu'elle habitera dans un autre pays, alors peut-être que nous vivrons ensemble. Nous travaillerons ensemble pendant quelques années. Je serai infirmière et elle sera médecin. Nous aiderons nos patients et les débarrasserons de leurs douleurs (*pain*). J'espère améliorer la vie des gens. Je suis curieuse de savoir ce que mes amis feront aussi!

Étape 2: Parler

a. Lisez les aspirations de quelques élèves de votre groupe.

b. Posez des questions sur leurs aspirations avec «où», «quand» ou «pourquoi». Puis donnez deux ou trois conseils aux autres élèves du groupe qui correspondent à leurs aspirations.

Fais…!
Organise…!
Planifie…!

Faites…!
Organisez…!
Planifiez…!

Rappelle-toi

Le travail que je ferai dans l'avenir

Les tâches que nous faisons

accueillir	laver
aider	organiser son emploi du temps
améliorer	planifier
apprendre	planter des arbres
arroser	plier le linge
conseiller	mettre le couvert/ la table
construire des maisons	passer l'aspirateur
contribuer à	ramasser les déchets
créer	ranger
débarrasser (le lave-vaisselle/la table)	réaliser
essayer quelque chose de nouveau	réconforter (quelqu'un)
faire du bénévolat	répondre au téléphone
faire du jardinage	servir
garder	soutenir
gérer	trier et distribuer le courrier
lancer de nouvelles idées	

Les personnes qui travaillent

le/la bénévole

le/la chef

Les endroits où on travaille

la banque alimentaire

la fondation

le foyer de soins

la garderie

l'hôpital (m.)

le jardin communautaire

le refuge pour animaux

le refuge pour sans-abris

Les activités professionnelles

le projet

la réunion

Les emplois du temps

hebdomadaire

mensuel/mensuelle

quotidien/quotidienne

Expressions utiles

Bonne idée!

C'est important de/d'...

donner à manger

donner un coup de main

faire le lit

Je (ne) suis (pas) d'accord (avec toi).

un monde meilleur

Détail linguistique

Synonymes

une aptitude

une capacité

une compétence

une qualité

Communiquons

Comment dit-on? 1

En route vers l'avenir

Je me prépare mentalement

*Dis-moi, ton conseiller et toi, vous allez bientôt **vous rencontrer** pour parler de ta vie après le lycée, n'est-ce pas? Tu **t'es décidé** sur ce que tu voudrais faire dans **l'avenir** et sur quel **métier** ou quelle profession tu aimerais te concentrer?*

l'avenir

Tu t'y mets aussi? (Not you too!) *Maman et Papa n'arrêtent pas de me dire que je dois **me décider** immédiatement sur mon avenir et ils me rendent complètement nerveux! Je ne sais pas ce que je veux faire!*

*Ne t'inquiète pas! Commence par identifier tes **compétences** et ce qui t'intéresse. Tu es fort en beaucoup de choses!*

*D'accord, ils veulent que **je m'interroge** sur mes rêves et mes intérêts. Est-ce que **cibler** tes intérêts t'a aidé à trouver ton premier job?*

cibler

Oui! Tout à fait! Après avoir (after having) *identifié mes **compétences, je me suis fixé des objectifs** sur un emploi dans la technologie.*

*Mais, je n'ai que 12 ans! Je dois encore grandir et **mûrir** avant de réaliser mes rêves.*

*Oui, je sais! Mais, éventuellement, **cibler** tes intérêts et tes **compétences** t'aidera à trouver un emploi qui te plaira et qui te rendra heureux! Tu as parlé d'un métier comme pilote ou professeur, donc il faut **te fixer des objectifs** sur l'université qui peut t'offrir la meilleure formation. Clément, ne t'inquiète pas – tu vas réaliser tes rêves!*

*Merci, Aude. Je me sens un peu plus calme maintenant – je me renseignerai sur les possibilités de devenir enseignant et commencerai à **échanger** de l'information avec mon conseiller pour que je puisse réaliser mon rêve d'être professeur! Vive l'enseignement!*

Activité 7

Je pense à l'avenir

Lisez la conversation entre Clément et sa sœur Aude. Pour chaque expression en caractères gras dans la représentation schématique sur Explorer, choisissez la meilleure définition de la boîte.

mots en caractères gras	définitions
se rencontrer	
se décider	
les compétences	

Activité 8

Ce qui m'intéresse et ce dont je rêve

Étape 1: Regarder

Écoutez Clément parler de ses intérêts et de ses rêves pour l'avenir. Cochez (✔) ce qu'il mentionne dans la représentation schématique; puis finissez les deux phrases avec l'idée générale de ce que Clément a dit. Il n'est pas nécessaire d'utiliser les mots exacts de Clément.

✔	Ce que dit Clément...
	Je m'orienterai plutôt vers l'armée.
	J'ai encore le temps de mûrir et de changer d'idées.
	J'ai déjà eu l'occasion de pratiquer le sport plusieurs fois.
	Ce que je voudrais faire plus tard comme métier, c'est pilote.
	Je me suis déjà renseigné sur les filières à suivre.
	Si je réussissais à cela, cela me permettrait d'être médecin car j'adore soigner les gens.

Ce qui intéresse Clément, c'est...
Il rêve de...

Détail linguistique

Après + _avoir/être_ + le participe passé

Après + avoir + regardé
Après + être + arrivé
] = verbe au passé sans utiliser de sujet

Après avoir identifié mes compétences, j'ai parlé à mon conseiller.

Après être allée au bureau de son conseiller, elle est partie pour aller au café avec ses amies.

Mon progrès communicatif

I can understand the main ideas when someone describes interests and dreams for the future.

Rappel

Pour donner des conseils

Il faut...

On doit, tu dois, vous devez...

Pensez à vos intérêts et à vos rêves!

Parlez avec votre conseiller et aux adultes!

Expressions utiles

Ce dont je rêve, c'est...

Ce que je veux faire, c'est...

Ce qui me plaît, c'est...

Ce qui m'intéresse, c'est...

Ce qui me passionne, c'est...

Je rêve de...

Je suis fort(e) en...(maths, communication, musique, etc.)

Mon progrès communicatif

I can describe my interests and skills related to a potential career path for the future.

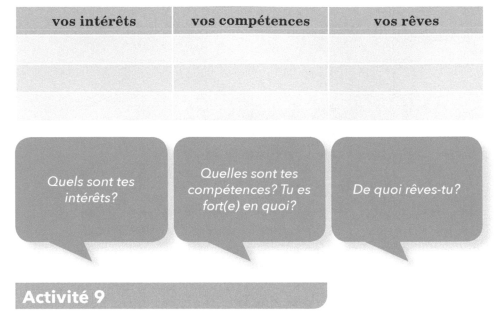

Étape 2: Noter et parler

Quels sont vos intérêts, vos compétences et vos rêves? Après avoir lu et écouté Clément parler de ses intérêts, réfléchissez à vos propres (*your own*) compétences, vos intérêts et vos rêves.

a. Pensez à quelques exemples et notez-les.

b. Demandez ce que votre partenaire a choisi.

c. Répondez à votre partenaire.

vos intérêts	vos compétences	vos rêves

Quels sont tes intérêts?

Quelles sont tes compétences? Tu es fort(e) en quoi?

De quoi rêves-tu?

Activité 9

Les compétences nécessaires

Votre conseiller est fier de tout ce que vous avez déjà fait pour organiser vos compétences, intérêts et rêves. Il vous demande donc de créer une infographie qui aidera les autres élèves à identifier leurs compétences avant de rencontrer le conseiller pour parler de leur orientation.

Étape 1: Écrire

a. Faites correspondre les images et les mots.

b. Cochez (✔) cinq images parmi la liste que vous considérez les plus importantes pour identifier votre futur emploi. Ces images et mots guideront l'infographie que vous créerez.

c. Écrivez des conseils qui correspondent à vos cinq choix dans la troisième colonne.

⟷			(✔)	conseils
1. se rencontrer ____	a.		☐	
2. se décider ____	b.	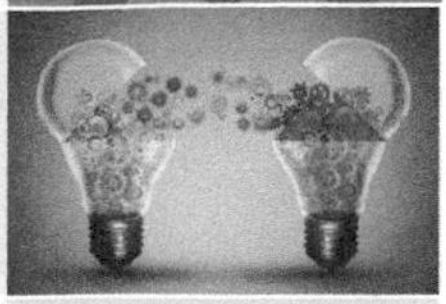	☐	
3. identifier les compétences ____	c.		☐	
4. s'interroger ____	d.		☐	
5. cibler ____	e.		☐	
6. se fixer des objectifs ____	f.		☐	
7. mûrir ____	g.		☐	
8. se renseigner ____	h.		☐	
9. échanger ____	i.		☐	

Étape 2: Écrire

Créez une infographie pour la classe avec les cinq étapes que vous avez choisies.

a. Si vous voulez, dessinez aussi une image qui décrit les étapes que vous avez choisies.

b. Sur votre infographie, écrivez trois conseils et ajoutez-les sous l'étape correspondante.

Étape 3: Préparez-vous

Préparez-vous à présenter votre infographie. Avec un partenaire, vous la présenterez trois fois:

a. la première fois, vous pouvez lire ce que vous avez écrit;

b. la deuxième fois, vous lisez, mais vous gardez plus de contact visuel avec votre partenaire;

c. la troisième fois, tâchez de ne pas regarder votre infographie et maintenez le contact visuel avec votre partenaire.

Mon progrès communicatif

I can present a series of steps for choosing a future career path.

Étape 4: Présenter

Placez votre infographie sur le mur de votre salle de classe. À tour de rôle *(taking turns)* vous présenterez votre infographie aux autres élèves de la classe. Quand vous ne présentez pas, vous circulerez pour écouter les autres élèves parler de leur infographie.

Je prends mon avenir en main!

Vous recevez une invitation au Salon de l'avenir. Vous cliquez sur le lien pour plus d'informations.

https://salondelavenir.be

Êtes-vous étudiant?

Savez-vous ce que vous ferez dans l'avenir comme profession?

Venez discuter de ce grand défi avec un professionnel.

Soyez les bienvenus au **Salon** de l'avenir! **Orientez-vous** vers votre futur métier!

C'est pour qui? collégiens et lycéens

Pourquoi? choisir une **orientation**

Quand? mercredi de 16h à 18h

Où? au Centre sportif Lamarche

Activités proposées:

- parler aux professionnels dans des **secteurs** différents
- assurez-vous de suivre la **filière** à l'école correspondant à vos intérêts
-  parler aux employeurs qui **embauchent** des assistants dans tous les secteurs

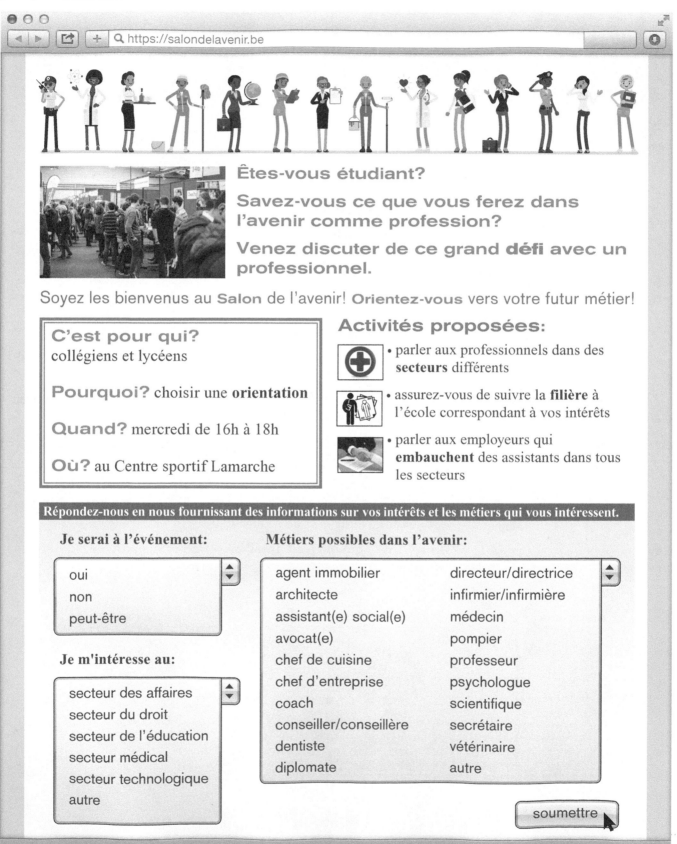

Répondez-nous en nous fournissant des informations sur vos intérêts et les métiers qui vous intéressent.

Je serai à l'événement:

- oui
- non
- peut-être

Je m'intéresse au:

- secteur des affaires
- secteur du droit
- secteur de l'éducation
- secteur médical
- secteur technologique
- autre

Métiers possibles dans l'avenir:

- agent immobilier
- architecte
- assistant(e) social(e)
- avocat(e)
- chef de cuisine
- chef d'entreprise
- coach
- conseiller/conseillère
- dentiste
- diplomate
- directeur/directrice
- infirmier/infirmière
- médecin
- pompier
- professeur
- psychologue
- scientifique
- secrétaire
- vétérinaire
- autre

soumettre

Détail linguistique

Ce que j'aime; ce que je n'aime pas

Pour parler de ce que l'on aime ou n'aime pas, on utilise souvent «plaire».

La technologie ne me plaît pas.

Le cours de maths me plaît.

Vous reconnaissez le mot «plaît» de l'expression «s'il vous plaît».

Si vous aimez beaucoup quelque chose, vous pouvez aussi utiliser «passionner».

La musique (ne) me passionne (pas).

Les langues me passionnent.

Rappel

Les commentaires

C'est intéressant!
C'est super!
Cool!
Génial!
Moi aussi!
Moi non plus!
Pourquoi?
Très bien!

Mon progrès communicatif

I can understand and respond to short online messages about interests, skills, and career paths.

Activité 10

Qui dit quoi?

Étape 1: Lire et répondre

Vous pensez au Salon de l'avenir parce que vous considérez votre filière et votre orientation professionnelle. Indiquez quelle personne dirait chaque citation: l'élève ou l'employeur.

1. «J'ai besoin d'embaucher trois personnes pour la rentrée».
2. «J'adore l'informatique et mon travail me plaît. Je l'ai trouvé dans un salon de technologie».
3. «Je suis forte en maths. Mon métier me convient parfaitement».
4. «Le métier de prof est un défi passionnant! Je m'oriente vers cette profession».
5. «Vous vous orientez vers quel métier? Qu'est-ce qui vous intéresse à l'école»?
6. «Je choisis la filière à l'école qui me prépare à travailler avec les enfants. Ce qui m'intéresse, c'est le secteur de l'éducation».

Étape 2: Écrire

Qu'est-ce que vous diriez au sujet de vos compétences, vos intérêts et votre orientation professionnelle?

a. Écrivez quelques idées sur le forum de discussion sur Explorer en vous servant des citations de l'**Étape 1** comme modèles.
b. Faites un ou deux commentaires sur ce que d'autres élèves ont écrit.

Modèle

Ce qui m'intéresse, c'est travailler avec les animaux. Ce que j'aimerais faire dans l'avenir c'est être vétérinaire.

Cool! C'est ce qui me plaît aussi; mais être vétérinaire ne m'intéresse pas tellement.

Activité 11

Ce qu'ils devraient faire

Avec les autres élèves de la classe, vous vous préparez pour le Salon de l'avenir. Chaque participant doit écrire une biographie pour décrire ses intérêts, ses compétences et l'impact qu'il espère avoir dans l'avenir.

a. Lisez les trois biographies écrites par d'autres élèves; puis

b. À l'oral, indiquez dans quel(s) secteur(s) chaque élève devrait travailler et la filière (ou le cours) que l'élève devrait suivre à l'école.

Mehdi, 16 ans, tunisien

Je m'appelle Mehdi. Ce qui m'intéresse le plus, ce sont les ordinateurs. Mon cours de science me plaît beaucoup aussi. En ce qui concerne mes compétences: je suis fort en maths. J'aime travailler avec les animaux et aider les gens. Je rêve de travailler avec d'autres personnes et d'avoir un impact sur la vie des autres. Je m'interroge sur le métier que je devrais choisir.

secteurs/cours suggérés:

Clarissa, 17 ans, canadienne

Je suis Clarissa. La musique me passionne et le dessin me plaît beaucoup. Je suis forte en sciences sociales et en français. Ce dont je rêve, c'est de travailler dans un secteur où je peux communiquer avec les gens. Je travaille bien avec les enfants, les adolescents et les adultes.

secteurs/cours suggérés:

Céline, 15 ans, belge

Je m'appelle Céline. Je suis forte en informatique et en communication. Ce sont mes compétences les plus développées. Je m'oriente vers une profession où je peux écrire et parler pour échanger avec d'autres personnes. Un objectif que je me suis fixé, c'est de trouver un métier qui me permette de visiter d'autres pays.

secteurs/cours suggérés:

On peut aussi dire

Pour parler du travail

les domaines (m. pl.), les secteurs (m. pl.)

Je travaille dans:

les affaires (f. pl.) *(business)*

le secteur du droit *(law)*

l'éducation (f.)

l'immobilier (m.) *(real estate)*

le secteur médical

la technologie

Zoom culture

Pratique culturelle: Le travail de l'étudiant

Connexions

En quoi consiste le travail ou le boulot des adolescents? Quand vous discutez du travail ou du boulot avec vos amis, de quoi parlez-vous? De l'école? De petits jobs après l'école ou le week-end?

On a le droit de travailler à partir de 14 ans aux États-Unis et de 15 ans en Belgique. En 2015, aux États-Unis, plus de 34% des adolescents américains avaient un boulot et travaillaient le week-end, le soir ou les jours fériés par rapport à seulement 1,5% des jeunes de 15 ans et 5% des jeunes de 16 ans en Belgique.[1] Lorsqu'un jeune Belge vous dit «je travaille», il veut probablement vous dire qu'il fait ses devoirs ou qu'il prépare un examen. C'est le cas dans beaucoup de pays francophones. Le travail de l'étudiant, c'est principalement les études, avec des possibilités de faire du babysitting ou travailler comme caissier. Si un jeune Américain dit «je travaille», cela peut vouloir dire autre chose. Il parle peut-être de son boulot en dehors de l'école.

À part l'argent de poche, il y a d'autres avantages à travailler en dehors de l'école. En 2007, une enquête en Belgique montre que les jeunes considèrent le travail comme quelque chose d'essentiel pour construire leur identité et leur vie sociale et aussi pour améliorer leur niveau de vie. Il y a plusieurs enquêtes qui ciblent les jeunes pour déterminer la place du travail dans la vie et qui posent la question de savoir si un boulot après l'école ou le week-end donne de la confiance aux adolescents.

[1] http © Randstad (2017), "The Netherlands-Belgium, Which Students Work The Most?", Information récupérée de https://www.randstad.be/en.

Réflexion

Quel est votre place dans le monde du travail? Avez-vous un boulot ou connaissez-vous des ados qui travaillent? Que font-ils comme travail? Quand travaillent-ils? Est-ce que vous connaissez des étudiants qui habitent dans d'autres régions ou d'autres pays? Quel est leur état d'esprit *(mindset)* vis-à-vis du travail?

Mon progrès interculturel

I can compare similarities and differences in what young people consider as "work" in francophone cultures and in my community.

Réflexion interculturelle

Selon vous, quelles sont les différentes significations du mot «travail»? À votre âge, quel est votre travail? À votre avis, pourquoi le nombre d'étudiants qui ont un travail en dehors de l'école varie-t-il selon l'endroit où ils vivent? Utilisez ce que vous avez appris dans ***EntreCultures 1*** et ***2*** à propos des horaires scolaires et des activités périscolaires.

Découvrons 1

Relier des idées avec les pronoms relatifs *ce qui* et *ce que*

10 leçons à retenir pour avancer dans la vie

1 Ne laisse pas l'opinion des autres contrôler ta vie.

★ Ce n'est pas **ce que** les autres pensent, c'est **ce que** toi tu penses de toi-même qui compte.

★ Tu dois faire **ce qui** est le mieux pour toi et ta vie, et non **ce qui** est mieux pour tous les autres.

2 N'aie pas honte de tes échecs passés.

★ Ton passé n'est pas ton avenir.

★ Tout **ce qui** importe est **ce que** tu fais là maintenant.

3 Sois sûr(e) de ce que tu veux.

★ Tu ne cesseras jamais d'en être là où tu en es tant que tu n'auras pas décidé où tu préférerais être.

★ Prends la décision de trouver **ce que** tu désires, puis poursuis tes désirs avec passion.

4 Repère les points positifs dans ta vie.

★ **Ce que** tu vois dépend entièrement de **ce que** tu recherches.

★ Tu auras du mal à être heureux(-se) un jour si tu n'es pas reconnaissant(e) pour les bonnes choses de ta vie.

5 Choisis, tout le temps.

★ Tu ne peux choisir ni comment mourir, ni quand, mais tu peux décider de comment tu vas vivre, maintenant.

★ Chaque jour est une nouvelle chance de choisir.

6 Tu n'as pas besoin d'avoir toujours raison.

★ Vise le succès, mais n'abandonne jamais ton droit d'avoir tort.

★ Te tromper te permet d'apprendre de nouvelles choses et d'avancer dans ta vie.

7 Ne fuis pas les problèmes que tu pourrais résoudre.

★ Arrête de fuir!

★ Affronte les soucis, résous les problèmes, communique, pardonne et aime les personnes dans la vie qui le méritent.

8 Ne trouve pas d'excuse, prends des décisions.

★ La plupart des échecs à long terme proviennent de personnes qui se trouvent des excuses au lieu de prendre des décisions.

9 Arrête de repousser les buts importants pour toi.

★ Deux choix fondamentaux: accepter les choses telles qu'elles sont ou accepter la responsabilité de les changer.

★ Le meilleur moment pour planter un arbre était il y a 20 ans, le deuxième meilleur moment est maintenant.

10 Apprécie le moment présent.

★ Trop souvent, on essaie d'accomplir quelque chose d'énorme sans se rendre compte que la majeure partie de notre vie est constituée de petites choses.

Elina LEMENU, Happy Elina, du blog jadmirelavie.com

Découvertes

Réfléchissez à ce que vous observez et répondez aux questions suivantes dans la représentation schématique sur Explorer.

1. Lisez l'infographie et regardez les mots en caractères gras.
2. Voyez-vous des structures qui ressemblent à celles *(the ones)* que vous avez déjà vues dans ***EntreCultures 2***? Lesquelles *(which ones)*?
3. Pourquoi les expressions en caractères gras existent-elles? Pourquoi les utiliser?
4. Quel mot ou quel type de mot vient après chaque expression?
5. Partagez vos observations avec un(e) partenaire. Que remarquez-vous d'autre dans ces phrases et que pouvez-vous ajouter aux observations de votre partenaire?
6. Testez vos hypothèses! Quelle expression utiliseriez-vous?
   a. La littérature, c'est __________ m'intéresse.
   b. __________ je veux faire dans la vie, c'est aider les autres.

Détail grammatical

Dont et ce dont

Pour les expressions avec «de», utilisez **(ce) dont** au lieu de **(ce) que**.

J'ai besoin **de** patience pour travailler avec les enfants.

J'ai la patience **dont** j'ai besoin.

La patience, c'est **ce dont** j'ai besoin.

Je rêve **de** travailler avec les enfants.

Ce dont je rêve, c'est de travailler avec les enfants.

J'ai envie **de** travailler avec les mains.

Travailler avec les mains, c'est **ce dont** j'ai envie.

Activité 12

Ce qui les passionne

Étape 1: Regarder

Regardez Maggie et Charles qui parlent de leurs intérêts et de leur avenir.

a. Regardez les citations et écrivez *ce qui* ou *ce que* pour les terminer; puis

b. Écrivez le nom de la personne qui dirait la phrase.

1. «______ m'intéresse, c'est d'aider les personnes.»

   ____

2. «J'aime rencontrer de nouvelles personnes. C'est ______ me plaît.»

   ____

3. «Voyager autour du monde en bateau à voile, c'est ______ me passionne.»

   ____

4. «______ j'aimerais faire dans mon futur métier, c'est aider les autres.»

   ____

5. «______ je veux avoir, c'est un bureau avec différents types de psychologues.»

   ____

Étape 2: Écrire

Choisissez une phrase de Maggie et une phrase de Charles qui vous intéressent. Puis faites une suggestion à chaque élève pour proposer une filière (ou des cours) qui préparera leur avenir.

Modèle

Ce que Maggie/Charles veut faire, c'est...

Ce qui intéresse Maggie/Charles, c'est de/d'...

Ce qui plaît à Maggie/Charles, c'est...

«Étudie __________ et __________ à l'école pour te préparer.»

Activité 13

Ce qui me plaît et ce que je peux faire

Vous avez déjà vu et écouté quelques biographies écrites par d'autres élèves pour le Salon de l'avenir. Maintenant, écrivez votre biographie pour le Salon de l'avenir.

a. Dans votre biographie, mentionnez vos intérêts, vos compétences, ce qui vous plaît comme cours ou activité et dans quel domaine vous voulez travailler dans l'avenir.

b. Postez votre bio sur le forum de discussion d'Explorer avec les autres bios de la classe.

Mon progrès communicatif

I can connect ideas about planning for the future related to what I want, what I need, and what interests me.

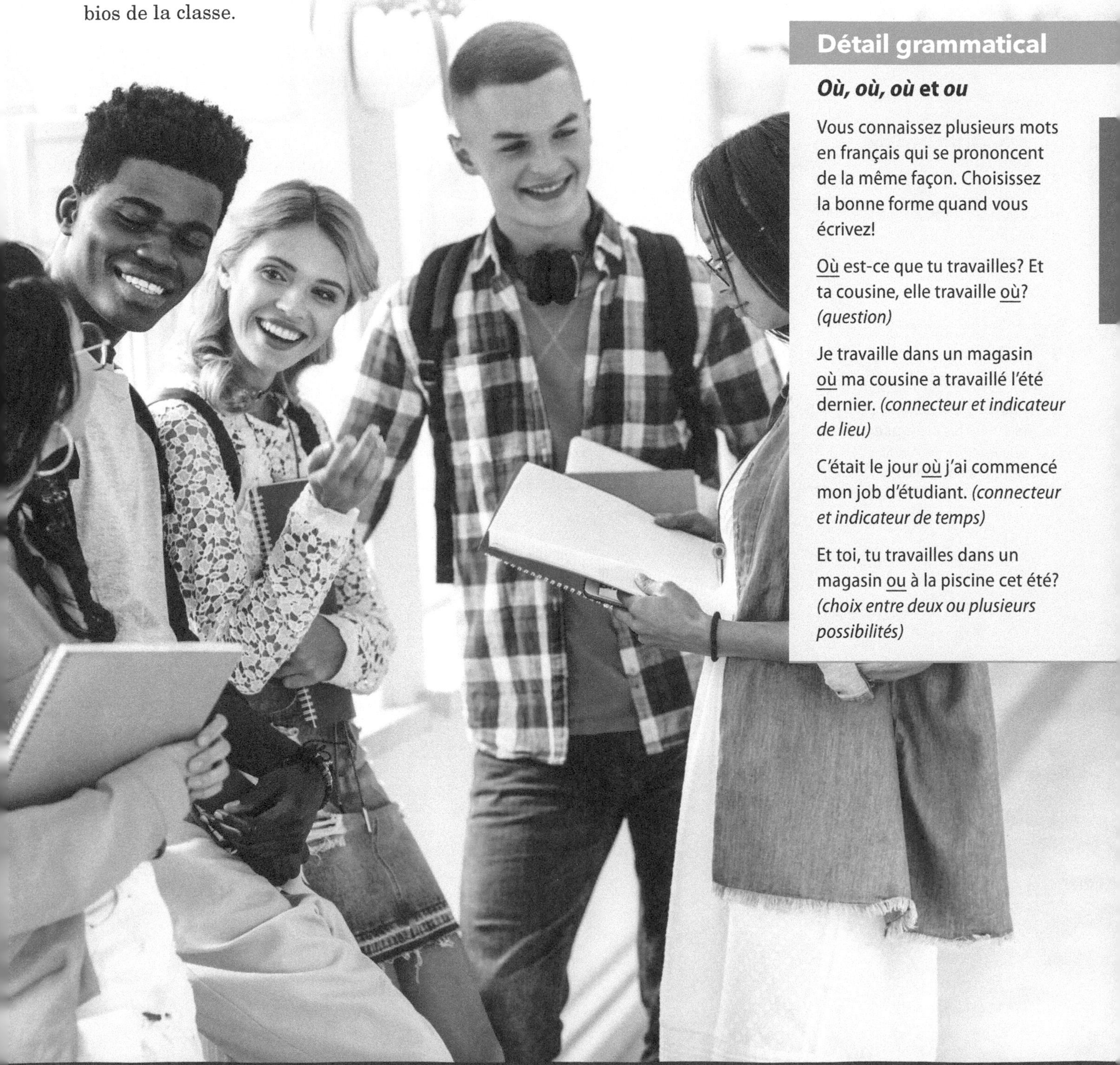

Détail grammatical

Où, où, où* et *ou

Vous connaissez plusieurs mots en français qui se prononcent de la même façon. Choisissez la bonne forme quand vous écrivez!

Où est-ce que tu travailles? Et ta cousine, elle travaille où? *(question)*

Je travaille dans un magasin où ma cousine a travaillé l'été dernier. *(connecteur et indicateur de lieu)*

C'était le jour où j'ai commencé mon job d'étudiant. *(connecteur et indicateur de temps)*

Et toi, tu travailles dans un magasin ou à la piscine cet été? *(choix entre deux ou plusieurs possibilités)*

Mon progrès communicatif

I can understand the main ideas when someone describes interests and dreams for the future.

Mon progrès communicatif

I can describe my interests and skills related to a potential career path for the future.

Mon progrès communicatif

I can connect ideas about planning for the future related to what I want, what I need, and what interests me.

J'avance 1

Du rêve à la réalité

Vous allez bientôt parler à votre conseiller au lycée pour identifier vos intérêts et vos compétences qui mèneront peut-être à une carrière.

Étape 1: Regarder

Écoutez Charles parler de ses rêves et passions, de ses métiers possibles, de ses compétences ou de ce qu'il fait bien. Identifiez-les dans la représentation schématique.

Étape 2: Écrire

Pour vous préparer à la discussion avec votre conseiller d'orientation, utilisez vos notes de l'**Étape 1** pour organiser vos idées.

Étape 3: Parler

Pour continuer à vous préparer à la conversation avec votre conseiller, votre partenaire et vous, vous interrogez sur ce que vous planifiez pour l'avenir. À tour de rôle, vous jouerez le rôle du conseiller et celui de l'élève.

Allez sur Explorer pour trouver tous les documents nécessaires de **J'avance**.

Comment dit-on? 2

Trouver un équilibre de vie

uneviesaine.be

Quatre étapes pour une vie plus **équilibrée**

Vous êtes stressé(e)? Vous n'avez pas de temps pour vous? Si vous avez répondu «oui» à une de ces questions, c'est l'heure de **rééquilibrer votre vie**. Suivez ces quatre suggestions pour **être** plus **à l'aise** avec l'équilibre entre la vie personnelle et le travail.

1 **Bossez** chez vous

De plus en plus, les employés et les élèves peuvent **travailler à domicile** (chez eux). Travailler comme ça peut être plus calme car ça évite certains problèmes quotidiens comme le stress de **faire la navette** et devoir conduire ou prendre les transports en commun entre la maison et le bureau ou l'école.

2 **Faites confiance** aux autres

On ne peut pas tout faire seul(e). Il faut compter sur les autres et leur déléguer certaines tâches. Travailler en équipe peut permettre de mieux gérer la difficulté des tâches **exigeantes** et aussi d'identifier des solutions plus créatives.

3 N'acceptez pas **le malheur**

Si vous n'êtes pas content(e), il faut changer quelque chose. Votre **bonheur** doit être une priorité!

Beaucoup de Français utilisent leur droit de **faire la grève** pour améliorer les conditions dans lesquelles ils travaillent ou étudient. Quelquefois, il faut **démissionner** et trouver un nouvel emploi qui vous permette d'être heureux...et peut-être **déménager** dans une nouvelle ville!

4 **Faites des pauses**

D'abord, il faut **prendre soin de** vous. Sinon, vous pourriez tomber malade ou souffrir d'un burn-out. Déjeunez à la cantine, dans un restaurant ou chez vous, pas au bureau devant l'ordi.

Profitez des opportunités que la vie vous offre. Vous pouvez **prendre un congé** pour rendre visite à votre famille ou partir en vacances. Pendant ce congé, si vous oubliez le boulot et le bureau, vous **serez** de nouveau **de bonne humeur**, prêt(e) à **faire face aux** défis de la vie.

Mon progrès communicatif

I can understand the main ideas and some details about how to balance my workload and personal life.

Activité 14

Quelle suggestion?

Lisez ce que ces personnes font pour avoir une vie plus équilibrée puis choisissez la suggestion de l'article précédent qui est représentée.

commentaire	suggestion
Modèle: Je pars pour Montréal la semaine prochaine! J'ai tellement hâte!	4
1. J'ai un gros projet à finir pour vendredi donc j'ai demandé de l'aide à mes collègues.	
2. J'ai sauvegardé tous les documents dont j'ai besoin sur internet et je n'ai pas de réunions aujourd'hui, donc je ne vais pas au bureau.	
3. On a réduit le nombre d'employés dans notre bureau mais on a augmenté le nombre de tâches à faire. Nous avons envoyé une lettre au chef d'entreprise pour dénoncer le changement.	
4. Le mercredi, mes collègues et moi déjeunons dans une brasserie près du bureau pour bavarder.	
5. J'ai trop d'articles à écrire. J'en ai donné un à ma collègue qui va m'aider à le préparer.	
6. Je ne suis pas heureux où je bosse à Paris maintenant, donc je vais déménager à Bruxelles pour y travailler.	

Activité 15

Vous êtes en direct!

Vous avez un job de vacances dans la station de radio locale. Chaque jour, l'animateur radio permet aux auditeurs de le contacter directement pour discuter de leurs problèmes et de leurs soucis selon un thème bien précis. Vous décidez d'écouter un extrait de l'émission d'aujourd'hui dont *(whose)* le thème est l'équilibre entre la vie personnelle et le travail.

Étape 1: Écouter

Qui dit quoi? Écoutez attentivement l'extrait de l'émission et décidez si les commentaires ont été dits par l'animateur radio ou par l'auditeur.

	auditeur	animateur radio
1. Bonjour tout le monde.		
2. J'attends vos commentaires en ligne.		
3. Bonjour Thomas, je m'appelle Arnaud.		
4. Je vous appelle de Bruxelles.		
5. Merci pour votre appel.		
6. J'adore mon travail et mes collègues.		
7. Je suis souvent malade.		
8. J'ai peur de perdre mon boulot.		
9. Vous devriez prendre soin de vous.		
10. Vous pourriez vous relaxer.		

Étape 2: Parler

Avec votre partenaire, vous décidez de pratiquer l'art de répondre aux auditeurs. À tour de rôle, adoptez l'identité de l'animateur et de l'auditeur. Choisissez une des situations et suggérez des solutions.

Modèle

Élève A / animateur / animatrice: Allô, ici <votre nom>, je vous écoute.

Élève B / auditeur / auditrice: Bonjour, je m'appelle <votre nom>. J'ai horreur de faire la navette tous les jours. Que me conseillez-vous?

Élève A / animateur / animatrice: Alors, si vous avez horreur de faire la navette tous les jours, je vous conseille de travailler à domicile une ou deux fois par semaine.

1. Je ne suis pas contente de travailler ici.
2. Je crois que je vais démissionner.
3. Il y a trop de bruit au bureau.
4. J'ai beaucoup trop de travail.
5. Mon travail est trop exigeant.
6. Je n'aime pas travailler seul(e).

Voici la première strophe d'un poème de Pierre Béarn tiré du recueil «Couleurs d'usine» paru en 1951. «Métro, boulot, dodo», extrait du dernier vers de cette strophe, est devenue la devise des manifestations de mai 68.

Au déboulé[1] garçon pointe ton numéro
Pour gagner ainsi le salaire
D'un énorme jour utilitaire
Métro, boulot, bistro, mégots[2], dodo, zéro.

[1] quickly [2] cigarette butts

Zoom culture

Pratique culturelle: «Métro, boulot, dodo»

Connexions

Quelle est votre routine quotidienne? Comment passez-vous la semaine et le week-end?

«Métro, boulot, dodo» décrit d'une manière simple les routines quotidiennes des gens. Pour un adulte, on fait la navette (métro), on va au travail (boulot) puis on dort (dodo). Cette expression est devenue très familière à des millions de Français pendant les manifestations de mai et de juin 1968. Ces manifestations contre ce mode de vie ont suivi une décennie de prospérité, mais pas pour tout le monde. Les étudiants et travailleurs se sont insurgés *(rose up)* et ont commencé un mouvement antiautoritaire contre le capitalisme et le consumérisme.

Quelques décennies plus tard, ce sont les jeunes qui vont à l'école, travaillent et dorment qui emploient cette expression pour parler des routines. En 2012, Canal+ (une chaîne payante de télévision française) a diffusé une émission «Les ados: métro, boulot, dodo» pour aider les ados à penser à la manière dont ils se détendent et voient leur avenir. De nos jours, comment les ados envisagent-ils leur vie professionnelle? Quand les ados veulent faire une pause dans leur routine quotidienne, ils aiment écouter de la musique méditative, faire de l'exercice et du yoga, chanter, respirer, regarder des films, faire une promenade ou faire du scoutisme. Les routines servent à orienter et à rassurer les gens et aussi à développer l'autonomie. Même dans les moments les plus stressants, comme pendant les examens ou durant la recherche d'un premier boulot, une routine nous aide à savoir ce qui nous attend et peut nous rassurer.

Réflexion

Comment réussissez-vous à trouver l'équilibre entre le boulot et votre temps libre pendant la journée? Comment allez-vous à l'école? Quelle est votre routine le soir avant d'aller vous coucher? Comment vous déconnectez-vous du boulot? Comment passez-vous votre temps libre le week-end?

Mon progrès interculturel

I can describe the role of routines in francophone cultures and in my daily life.

Réflexion interculturelle

«Métro, boulot, dodo» est une devise qui peut nous rappeler de nous réorienter. Êtes-vous d'accord que la routine quotidienne sert à orienter les gens, des plus jeunes aux plus âgés? Qu'en pensez-vous?

Expressions utiles

accorder la priorité à…
concilier les études et le travail
la conciliation études-travail
définir ses priorités
un mode de vie sain
prendre du temps pour soi
si jamais…

Activité 16

Concilier la vie et le travail

Écoutez ce que disent Nickar et Lily au sujet de leurs stratégies pour concilier leur travail et leur vie.

a. Notez leurs stratégies et dites si vous utilisez ou non les mêmes stratégies.

nom	stratégies	Vous utilisez cette stratégie? ✔
Lily		oui ☐ non ☐
		oui ☐ non ☐
		oui ☐ non ☐
Nickar		oui ☐ non ☐
		oui ☐ non ☐
		oui ☐ non ☐

b. Écrivez une ou deux autres stratégies que vous utilisez pour trouver un équilibre de vie.

Mon progrès communicatif

I can understand some strategies for balancing workload and personal life.

Activité 17

Des conseils pour une vie plus équilibrée

Étape 1: Regarder

Comme vous voudriez avoir une vie plus équilibrée, un(e) camarade vous a envoyé cette vidéo. Regardez-la et complétez le tableau avec les informations du clip.

conseils pendant le travail	conseils après le travail

Mon progrès communicatif

I can give simple advice about how to balance workload and personal life.

Étape 2: Parler

Vous voulez aider les jeunes dans votre communauté à avoir une vie plus équilibrée alors vous avez décidé de créer une page sur un réseau social pour leur donner des conseils pratiques.

a. En groupes, parlez des conseils que vous suivez déjà et de ceux que vous voudriez essayer.

b. Après, parlez de vos expériences personnelles pour prendre soin de vous et de ce que vous faites pour avoir une vie plus équilibrée.

Modèle

Il est important de concilier les études et le travail!

Découvrons 2

Exprimer ce qui arrivera peut-être

Félix va étudier à la bibliothèque où il retrouve Océane. Ils parlent de ce qu'ils doivent faire.
Bonjour, Océane, comment ça va?
Pas mal. Mais j'ai tellement de choses à faire. Je suis hyper stressée!
Oh là là, c'est grave! Ce n'est pas bien d'être stressé à ce point. Si tu fais une pause, tu **te sentiras** beaucoup mieux.
C'est vrai, mais si je fais une pause, je ne **finirai** jamais tous les devoirs que je dois faire.
Océ, tu **auras** beaucoup de problèmes de santé plus tard si tu ne prends pas soin de toi maintenant.
Tu as raison, Félix. Si on ne profite pas de la vie, on **sera** toujours malheureux. Le boulot, c'est important, mais le plus important c'est de trouver le bonheur.
Si tu n'es pas contente, qu'est-ce que tu **feras**?
Je prendrai un congé! Alors, tu as envie d'aller à la plage avec moi vendredi? Si nous y allons, nous **pourrons** enfin nous détendre un peu!

Images licensed courtesy of Vyond™

Découvertes

Réfléchissez à ce que vous observez et répondez aux questions dans la représentation schématique sur Explorer.

1. Quelle est la différence entre les mots en caractères gras et les mots soulignés? Quand se passent ces actions?
2. Quel mot voyez-vous près de chaque mot souligné? Quel est le rôle de ce mot?
3. Quelle est la fonction de l'autre partie de la phrase où il n'y a pas de «si»?
4. Regardez les mots en caractères gras et les mots soulignés. Qu'est-ce que vous remarquez? Avez-vous vu quelque chose de similaire dans l'**Unité 2**?
5. Formez des hypothèses et partagez-les avec un(e) partenaire.

Images licensed courtesy of Vyond™

Activité 18

Leurs choix

Félix et Océane ont beaucoup parlé de ce qui se passera s'ils font ou ne font pas quelque chose. Selon ce que vous avez lu dans **Découvrons 2**, identifiez l'image qui correspond à chaque phrase, puis complétez la phrase.

Modèle

Si Océane fait une pause... A. elle ne finira pas ses devoirs.

A

B

C

D

E

F

1. Si Océane va à la plage... ___ ______________________
2. Océane aura des problèmes de santé... ___ ______________________
3. Si Océane ne profite pas de la vie... ___ ______________________
4. Félix croit qu'Océane se sentira mieux... ___ ______________________
5. Si Océane n'est pas contente... ___ ______________________

Activité 19

Qu'est-ce qui se passera?

Vos amis et vous pensez toujours à ce qui arrivera si vous faites ou ne faites pas certaines choses. Vous imaginez les résultats possibles de certaines situations pour prendre une bonne décision pour une vie équilibrée.

À tour de rôle, posez deux ou trois questions à votre partenaire sur des scénarios possibles et commentez ("Je (ne) suis (pas) d'accord parce que..."; "Je pense que...") les réponses de votre partenaire.

Modèle

Élève A: Et si tu ne fais pas tes devoirs ce soir?

Élève B: Si je ne fais pas mes devoirs ce soir, je ne pourrai pas participer à l'événement de l'école demain soir.

Élève A: Oui, c'est vrai. Il faut travailler pendant les cours pour pouvoir faire des activités le soir.

- Et si tu (ne) travailles (pas) en été?
- Et si tu choisis de participer au club de théâtre (ou à un autre club)?
- Et si tes ami(e)s décident de faire du bénévolat le week-end?
- Et si nous décidons de faire un voyage dans un autre pays pour aider des gens?
- Et si...?

Mon progrès communicatif

I can state what I think will happen in various situations.

Activité 20

Voilà ce qui t'arrivera si...

Vos amis vous demandent de l'aide à propos de leurs choix sur un réseau social. Devraient-ils favoriser leur travail ou leur vie personnelle? Lisez la description des deux défis puis proposez des suggestions à un de ces défis sur Explorer.

Modèle

Si tu démissionnes, tu pourras accorder la priorité à ta famille.

> Bonsoir...j'ai besoin de tes conseils. Je ne suis pas très heureuse maintenant. J'ai trop de devoirs et je n'ai pas de temps pour moi. Qu'est-ce qui se passera si je ne les fais pas? Je pense ne pas aller au lycée demain. Je te remercie pour ton aide.

> Coucou, ça va? Ben, j'ai un gros problème. Je suis caissière et je déteste ce boulot. Je travaille trop et je gagne très peu d'argent. Je vois rarement ma famille ou mes amis. Si je démissionne, qu'est-ce qui se passera?

Mon progrès communicatif

I can understand and respond to a short post to state what will happen.

Mon progrès communicatif

I can understand the main ideas and some details about how to balance my workload and personal life.

Mon progrès communicatif

I can give simple advice about how to balance workload and personal life.

Mon progrès communicatif

I can state what I think will happen in various situations.

J'avance 2

Je concilie mes études et mon travail

Votre conseiller vous a donné un dépliant qui explique comment concilier les études et le travail.

Étape 1: Lire

Vous lisez le dépliant et puis vous répondez aux questions que votre conseiller vous a posées.

AP® Étape 2: Parler

Après la discussion avec votre conseiller, vous décidez de vous changer les idées et d'aller faire un petit tour en ville. Vous apercevez Chloé dans un café. Vous la rejoignez. Elle vous pose plusieurs questions et vous lui expliquez ce que vous avez appris à propos de l'importance d'avoir une vie équilibrée.

Étape 3: Écrire

Après votre conversation, Chloé a décidé de faire une petite pause et elle se sent beaucoup plus calme. Maintenant, elle voudrait travailler avec vous pour préparer un message sur un réseau social qui explique les avantages de mener une vie équilibrée.

Allez sur Explorer pour trouver tous les documents nécessaires de **J'avance**.

Comment dit-on? 3

Quelles sont mes compétences sociales?

Vous écoutez un reportage sur le Salon du travail. En voici quelques extraits. La transcription complète se trouve sur Explorer.

La plupart de ces étudiants sont à la recherche d'un petit boulot qui leur permettra de gérer leur argent et de devenir plus autonome.

...ces organisateurs aident aussi les étudiants à ***savoir garder leur calme*** *lors d'une entrevue ou d'un* ***conflit***, *à* ***tenir leurs engagements*** *et si nécessaire à* ***hiérarchiser*** *les différentes charges de travail.*

Selon les organisateurs, les employeurs sont à la recherche de candidats qui ne sont pas ***renfermés***, *mais plutôt sociables.*

Les étudiants qui n'ont pas peur des ***échecs***, *qui savent prendre des risques, gérer plusieurs tâches simultanément et suggérer des solutions concrètes sont des candidats idéaux qui vont* ***atteindre*** *leurs objectifs.*

Êtes-vous le candidat idéal? Venez au Salon du travail. Les employeurs vous y attendent.

Détail linguistique

Les «soft skills»

Comme vous le savez, il y a de nombreux anglicismes en français moderne. Le terme «soft skills» est un des anglicismes utilisés dans le monde du travail. Il existe de nombreuses traductions pour cette expression comme «les compétences sociales, humaines, personnelles ou relationnelles», «les savoirs comportementaux» et parfois même «les compétences non-techniques». À vous de choisir l'expression que vous préférez!

Mon progrès communicatif

I can identify key information about competencies and soft skills needed for a job.

Activité 21

Avez-vous fait attention?

Vous venez d'écouter le reportage en direct du Salon du travail. Avez-vous fait attention? Cochez (✔) les caractéristiques d'un candidat idéal dans le tableau.

Le candidat idéal...	vrai	faux
1. veut gérer son argent		
2. veut devenir autonome		
3. sait garder son calme		
4. aime les conflits		
5. tient ses engagements		
6. est renfermé		
7. est sociable		
8. a peur des échecs		
9. prend des risques		
10. trouve des solutions		

Rappel

Les activités

gérer
une tâche

Détail linguistique

Quelques mots apparentés

la communication

l'empathie (f.)

la flexibilité

la patience

la persuasion

progresser

la solution concrète

Activité 22

Je suis le candidat idéal!

Suite au reportage sur le Salon du travail, vous décidez de contacter les organisateurs de «Recrut'Day». Vous leur envoyez un e-mail qui explique que vous cherchez un petit boulot et pourquoi vous êtes le candidat idéal.

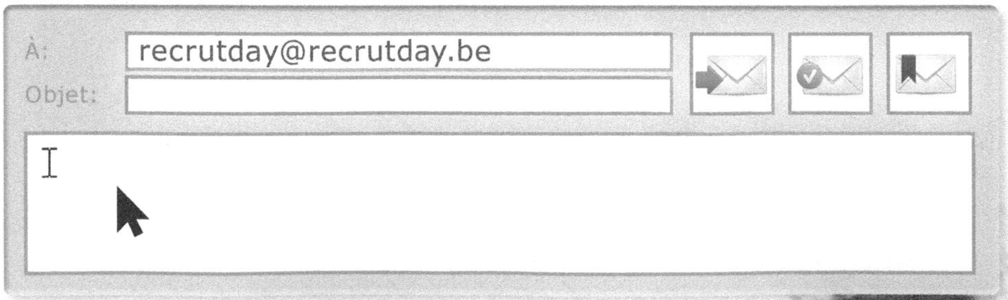

Mon progrès communicatif

I can use connected sentences to describe my soft skills and what makes me an ideal candidate.

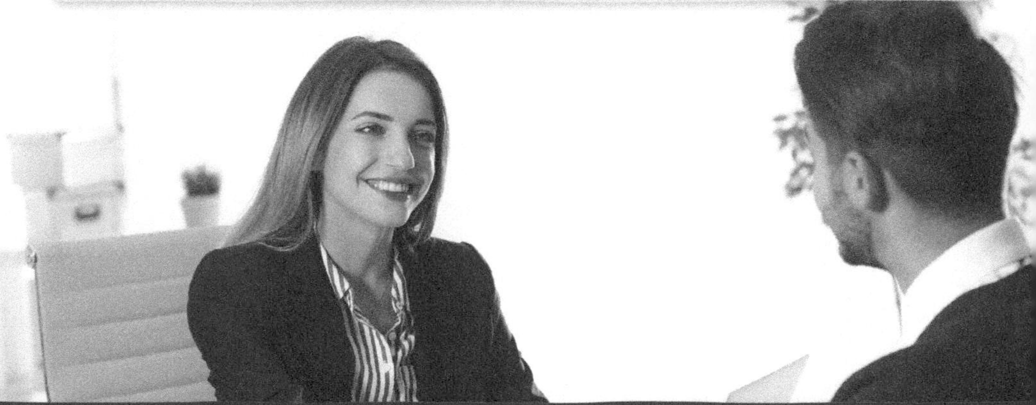

Activité 23

Cherchons des candidats

Étape 1: Parler

Les organisateurs font un appel à candidatures. Vous devez vous présenter oralement pour les convaincre que vous êtes un candidat sérieux. Enregistrez votre réponse sur Explorer.

Modèle

Bonjour, je m'appelle Léa, j'ai 15 ans et je cherche un travail de vacances. Je suis digne de confiance et patiente, j'aime travailler en équipe pour résoudre des problèmes et je garde toujours mon calme! J'espère que vous me contacterez. À bientôt!

Étape 2: Écrire

Félicitations! Les organisateurs du Salon du travail vous ont répondu après avoir reçu votre présentation enregistrée. Ils vous invitent à vous présenter à un poste de volontariat pour l'été prochain.

a. Imaginez un poste qui vous plairait; et

b. Écrivez un e-mail avec votre lettre de motivation *(cover letter)* pour le poste afin de présenter vos intérêts, vos compétences et le type de poste qui vous intéresse.

Organisez votre communication formelle d'après les suggestions dans la vidéo de **Stratégies** de cette unité.

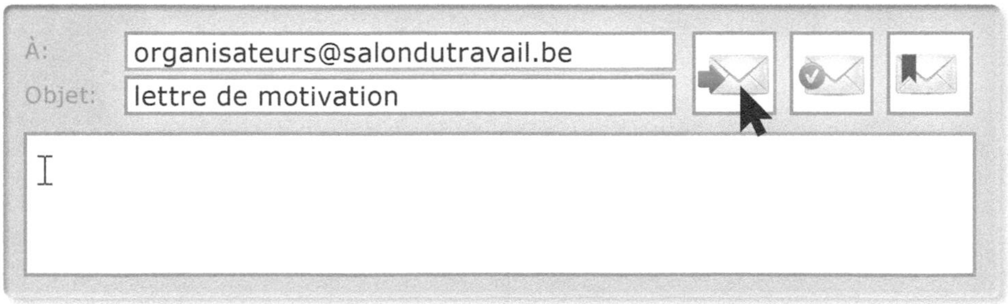

Images licensed courtesy of Vyond™

Stratégies

La communication écrite formelle

Écrivez:

1. la date et le lieu;
2. l'objet;
3. une formule d'appel;
4. le contenu de la lettre;
5. une formule de politesse; et
6. la signature.

Mon progrès communicatif

I can correspond appropriately with a prospective employer.

On peut aussi dire

dès que + {sujet} + futur
aussitôt que + {sujet} + futur

Découvrons 3

Exprimer ce qui arrivera dans certaines situations

Vous réfléchissez à ce que vous ferez dans dix ans et comment vous aurez un impact dans votre communauté. Vous tombez sur cette bande dessinée sur internet qui parle de ce que vous aimeriez faire en tant qu'adulte.

http://reveuse.be

maintenant	dans 10 ans

<u>Lorsque</u> je **serai** grande, je ne **mangerai** jamais de légumes, seulement du chocolat et des bonbons.

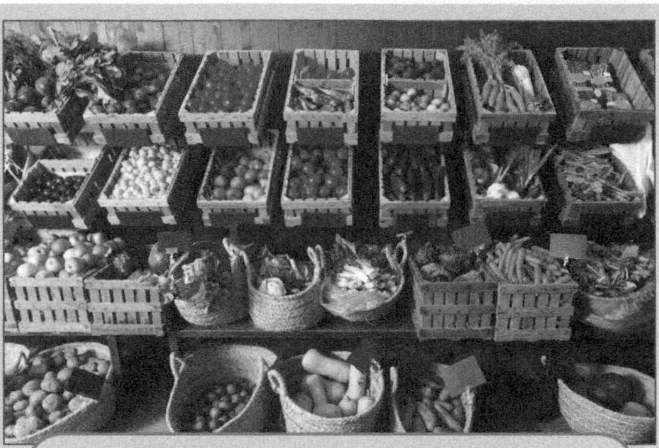

J'ai besoin de céleri, de chou et de framboises pour mon dîner ce soir. Quelle chance j'ai d'avoir accès à un jardin communautaire dans mon quartier !

<u>Quand</u> je **serai** adulte, je **prendrai** ma voiture pour aller au boulot - pas le bus!

Prochain arrêt: rue du Commerce. C'est quand même facile de prendre le bus tous les jours. C'est moins cher et en plus cela diminue la pollution.

http://reveuse.be

maintenant	dans 10 ans

<u>Quand</u> je **serai** grand, je **ferai** ce que je veux!

Je préfère avoir une maison propre et je partage le travail avec mon épouse. Nous montrons l'exemple à nos enfants quand nous faisons les tâches ménagères ensemble.

<u>Lorsque</u> j'**aurai** 18 ans, il n'y **aura** plus de devoirs et j'**aurai** beaucoup plus de temps libre!

Il y aura un projet important à finir dès que possible au bureau, mais j'ai hâte de passer le week-end à aider à rénover des logements pour les sans-abri!

Découvertes

Réfléchissez à ce que vous observez et répondez aux questions dans la représentation schématique sur Explorer.

1. Lisez les bandes dessinées. Regardez les mots soulignés et les mots en caractères gras. Qu'est-ce que vous remarquez?
2. Connaissez-vous déjà ces mots? Quel est leur rôle?
3. Quand se passent ces actions? Alors, quelle est la fonction des expressions soulignées?
4. Formulez des hypothèses et partagez-les avec un(e) partenaire.

Zoom culture

Pratique culturelle: Faire la grève

Connexions

Pourquoi les Français font-ils grève? Les travailleurs dans votre communauté font-ils grève?

Les grèves en France sont assez communes. En fait, la France est le pays européen avec le plus de jours de grève. Souvent, ces grévistes (personnes qui font la grève) travaillent dans le secteur public. Par exemple, la Société Nationale des Chemins de Fer (SNCF) (l'entreprise de trains publique française) est célèbre pour son grand nombre de grèves qui posent beaucoup de problèmes aux voyageurs.

Les travailleurs ne sont pas les seules personnes qui manifestent. Les jeunes sortent dans la rue aussi pour améliorer les conditions dans leurs lycées et leurs universités. Ces mouvements de jeunesse ont créé des changements importants dans le système éducatif et le gouvernement français.

Parmi les manifestations les plus importantes dans l'histoire de la France il y a celle de mai 68. En mai 1968, les étudiants sont descendus dans la rue pour dénoncer les mauvaises conditions dans les universités, les traditions culturelles démodées *(outdated)* et un gouvernement qui ne comprenait pas les jeunes. Pendant ce mouvement social, des travailleurs ont décidé de faire grève pour rejoindre *(join)* les jeunes dans ces grandes manifestations.

Les grèves et les manifestations continuent en France. En 2018, le mouvement social des «Gilets jaunes» a commencé et beaucoup de Français sont descendus dans la rue à nouveau pour exprimer leurs opinions sur le gouvernement et la société française.

© André Cros, 1968.

© Guillaume70, 2019.

Réflexion

Êtes-vous pour ou contre les manifestations organisées par des étudiants? Justifiez votre position. Quel impact sur la société ces manifestations ont-elles? Avez-vous déjà participé à une manifestation de ce genre? Quel était l'objectif de cette manifestation et quel résultat avez-vous obtenu?

Mon progrès interculturel

I can compare practices and perspectives related to participating in strikes or demonstrations in francophone cultures and in my community.

Réflexion interculturelle

Y a-t-il des grèves importantes qui ont eu un impact sur la culture de votre communauté? Pourquoi les jeunes organiseraient-ils une manifestation dans votre communauté? Que voudraient-ils changer et accomplir?

Activité 24

Et vous? Dessiner votre présent et votre avenir...

Votre classe va assister au Salon du travail. Votre conseiller vous propose donc de créer vos propres bandes dessinées (BD) du même style que les BD que vous avez lues.

a. Dessinez votre propre bande dessinée. Représentez votre présent et montrez l'impact que vous aurez sur les générations futures.

b. Avec un(e) partenaire, partagez et expliquez votre BD. Comment avez-vous représenté votre présent? Pourquoi? Comment l'avez-vous transformé dans votre BD pour montrer l'impact que vous aurez sur les générations futures?

c. Alternez les rôles. Posez quelques questions et répondez aux questions de votre partenaire.

Mon progrès communicatif

I can ask and answer simple questions about my and others' future impact on society.

Activité 25

Ce que j'espère faire quand je serai adulte

Au Salon du travail, vous faites la connaissance d'un membre de l'équipe «Recrut'Day». Il vous pose des questions sur ce que vous voulez accomplir dans les années à venir y compris l'impact que vous aimeriez avoir dans votre communauté. Il vous demande d'écrire quelques phrases sur une fiche qu'il va garder pour aider l'équipe à choisir un(e) assistant(e) pour l'été.

Modèle

Lorsque je serai adulte, je choisirai une profession qui m'intéresse, par exemple, agent de police parce que je protégerai les gens de ma communauté.

Dès que je terminerai mes études, il y aura beaucoup de possibilités comme métiers dans le secteur médical.

1. Quand...
2. Lorsque...
3. Dès que...
4. Aussitôt que...

Détail linguistique

Les familles de mots

la communication-communicatif-communiquer

la hiérarchie-hiérarchique-hiérarchiser

la patience-patient-patienter

la persuasion-persuasif-persuader

Mon progrès communicatif

I can understand the main ideas and some details when someone describes dreams and plans for the future.

Détail grammatical

***Je sais* ou *Je connais*?**

Pour les compétences: *savoir* + *infinitif*
Je sais dessiner. Je pourrai travailler comme artiste.
Elle sait parler trois langues. Elle pourra travailler comme interprète.

Pour les relations ou la familiarité: *connaître* + *personne/concept/endroit*
Je connais beaucoup de professeurs.
Il connaît bien les sciences naturelles.
Nous connaissons Bruxelles alors nous pouvons organiser la visite.

Expressions utiles

Aussitôt dit, aussitôt fait!

dès que possible

Détail linguistique

Les connecteurs

alors
cependant
de plus
donc
pourtant
puisque

Activité 26

Leurs rêves et leurs passions

Écoutez attentivement ce que disent nos trois blogueurs. Quels sont leurs rêves, leurs passions? Quelle(s) profession(s) aimeraient-ils explorer? Complétez le tableau avec les détails appropriés.

blogueuse/ blogueur	profession	impact

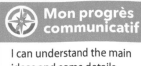

J'avance 3

Je m'engage à réussir

Vous avez envoyé votre CV à plusieurs entreprises. L'une d'elles vous contacte et vous préparez votre réponse.

Étape 1: Lire et écrire

Une des entreprises présentes lors de l'événement «Recrut'Day» vous a contacté(e). Vous lui répondez en envoyant une lettre de motivation par e-mail.

Mon progrès communicatif

I can correspond appropriately with a prospective employer.

Étape 2: Écouter

Un employeur potentiel vous a laissé un message vocal: vous avez été choisi(e) pour une seconde entrevue! L'employeur vous demande des informations supplémentaires sur les qualités qui vous distingueraient des autres candidats.

Mon progrès communicatif

I can identify key information about competencies and soft skills needed for a job.

Étape 3: Parler

Félicitations! L'entreprise vient de vous contacter et elle vous invite à passer une dernière entrevue. Il ne reste que deux candidats. Pour cette dernière entrevue, vous devez envoyer un message vocal à l'employeur présentant les qualités personnelles et les compétences humaines que vous possédez et qui vous distinguent de l'autre candidat.

Allez sur Explorer pour trouver tous les documents nécessaires de **J'avance**.

Mon progrès communicatif

I can use connected sentences to describe my soft skills and what makes me an ideal candidate.

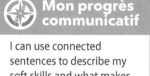

Synthèse de grammaire

1. Connecting Ideas: *Relier des idées avec les pronoms relatifs ce qui et ce que*

In ***EntreCultures 2***, you learned that ***que*** and ***qui*** are used to create longer and more sophisticated sentences. They give more information about something or someone mentioned earlier in the same sentence. ***Ce qui*** and ***ce que*** are similar to ***qui*** and ***que***.

Ce qui and ***ce que*** can be used to connect ideas within and between sentences and, similar to ***qui*** and ***que***, can also help create longer and more sophisticated sentences. They both usually mean "what" but can also mean "which." ***Ce qui*** acts as the subject of a verb and ***ce que*** is followed by a subject.

Ils ne comprennent pas ***ce qui*** se passe.
They don't understand what's happening.

Elle pense toujours à son avenir, ***ce qui*** est important.
She is always thinking about her future, which is important.

Dans la vie, tu devrais faire ***ce que*** tu aimes.
In life, you should do what you love.

2. Expressing What Will Happen If Another Condition Is Met: *Exprimer ce qui arrivera peut-être*

In ***Unité 2*** hypothetical statements (what if…) were presented using si followed by ***imparfait***, then ***conditionnel***.

Si j'avais un boulot, je pourrais partir en vacances.

The ***futur simple*** can be used along with ***si + présent*** to talk about the results of an action. You can place the actions in either order as long as the ***si*** appears with the verb in the ***présent***.

Si on fait une pause, on ***travaillera*** mieux.
If we take a break, we'll work better.

Je ***chercherai*** un autre emploi ***si*** l'entreprise n'améliore pas nos conditions de travail.
I'll look for another job, if the company doesn't improve our work conditions.

Si je peux travailler à domicile, *je n'**aurai** pas à* faire la navette tous les jours.
If I can work from home, I won't have to commute every day.

The present + future construction is used for events that are likely to occur.

Si j'ai un mode de vie équilibré, ***j'accorderai*** la priorité à mes amis.

Si mon frère est sélectionné, il ***travaillera*** au Québec.

Like the sentences using ***si*** with ***imparfait*** and conditionnel, the ***si*** clause can come first or second. You can place the actions in either order as long as the ***si*** appears with the verb in the ***présent***.

3. Expressing What Will Happen in Certain Situations: *Exprimer ce qui arrivera dans certaines situations*

Use the ***futur simple*** with the expressions *quand, lorsque, dès que*, and *aussitôt que* if the action has not yet taken place.

Je serai plus autonome ***quand j'aurai*** un emploi.
I'll be more independent when I get a job.
(The speaker doesn't have a job yet).

Envoie-moi un texto ***aussitôt que tu arriveras*** au bureau.
Send me a text as soon as you arrive at the office.
(The person hasn't yet arrived at the office).

Lorsqu'on saura garder son calme, on pourra éviter les conflits dans notre équipe.
When we know how to stay calm, we'll be able to avoid conflicts within our team.
(The group doesn't know how to stay calm yet.)

Vocabulaire

Comment dit-on? 1: En route vers l'avenir

Je me prépare mentalement	***Mentally preparing***
l'avenir (m.)	*future*
cibler	*to target*
les compétences (f. pl.)	*skills*
se décider	*to decide for oneself*
échanger	*to exchange*
se fixer des objectifs	*to set goals*
s'interroger	*to question oneself*
le métier	*occupation, job*
mûrir	*to mature*
se rencontrer	*to meet each other (for the first time)*

Je prends mon avenir en main!	***Taking action***
le défi	*challenge*
embaucher	*to hire*
la filière	*track of school courses*
l'orientation (f.)	*career path*
s'orienter	*to orient oneself, choose one's path*
le salon	*(job) fair*
le secteur	*job sector, field*

Expressions utiles

Ce dont je rêve, c'est...	*What I dream of is...*
Ce que je veux faire, c'est...	*What I want to do is...*
Ce qui me passionne, c'est...	*What I am passionate about is...*
Ce qui me plaît, c'est...	*What I like is..., What pleases me is...*
Ce qui m'intéresse, c'est...	*What interests me is...*
Je rêve de/d'...	*I dream of...*
Je suis fort(e) en...	*I am good at..., I am strong in...*

Comment dit-on? 2: Trouver un équilibre de vie

le bonheur	*happiness*
bosser	*to work*
déménager	*to move*
être à l'aise	*to be comfortable, at ease*
être de bonne humeur	*to be in a good mood*
exigeant(e)	*demanding*
faire confiance à	*to trust*
faire face à	*to face*
faire (la) grève	*to go on strike*
faire la navette	*to go back and forth*
faire une pause	*to take a break*
le malheur	*misfortune, sadness*
prendre soin de/d'	*to take care of*
prendre un congé	*to take a leave*
profiter de/d'	*to take advantage of*
rééquilibrer sa vie	*to rebalance one's life*
travailler à domicile	*to work from home*

Expressions utiles

accorder la priorité à...	*to prioritize*
concilier les études et le travail	*to balance school and work*
la conciliation études-travail	*school-work balance*
définir ses priorités	*to define one's priorities*
un mode de vie sain	*a healthy lifestyle*
prendre du temps pour soi	*to take time for yourself*
si jamais...	*if ever...*

Comment dit-on? 3: Quelles sont mes compétences sociales?

atteindre	*to attain*
le conflit	*conflict*
l'échec (m.)	*failure*
hiérarchiser	*to prioritize*
renfermé(e)	*withdrawn*
savoir garder son calme	*to know how to stay calm*
tenir ses engagements	*to keep one's commitments*

Expressions utiles

Aussitôt dit, aussitôt fait!	*No sooner said than done!*
dès que possible	*as soon as possible*

J'y arrive

Questions essentielles

- What do young people need to consider when planning for their future?
- How do young people balance their time between what they need to do and want to do in francophone cultures and in my community?
- What impact will my generation have on society?

Penser à l'avenir

Vous avez l'occasion de passer deux mois en Belgique cet été. Pendant votre séjour, vous aimeriez faire du bénévolat dans une association de jeunesse. D'après vos recherches, vous savez que vous devrez joindre une lettre de motivation à un e-mail. Vous contactez votre conseiller pour lui demander de l'aide.

Avant de commencer, référez-vous à Explorer pour vous familiariser avec les critères d'évaluation de **J'y arrive**.

Allez sur Explorer pour trouver tous les documents nécessaires de **J'y arrive**.

Interpretive Assessment

Préparez-vous!

Pour vous préparer à votre rendez-vous, votre conseiller vous a donné un article du *Figaro* qui souligne les huit compétences que l'on devrait posséder avant de quitter le lycée.

a. Lisez les huit compétences et faites-les correspondre aux images appropriées.

b. Divisez les compétences en deux catégories: les compétences que vous possédez déjà et celles *(the ones)* que vous voulez améliorer.

Interpersonal Assessment

AP® Choisir une orientation

Vous avez pris rendez-vous avec votre conseiller pour discuter de votre avenir.

Presentational Assessment

Votre lettre de motivation

Vous écrivez un e-mail destiné à une association de jeunesse belge. Présentez-vous, expliquez brièvement vos objectifs et incorporez vos diverses compétences. Écrivez votre message dans un style formel et utilisez les formules d'usage.

UNITÉ 4
Génération responsable

Objectifs de l'unité

Exchange information and advice about what it means to be eco-friendly.

Interpret authentic texts, such as videos, charts, infographics, brochures, and articles, to gain insights into patterns of sustainability in the francophone world.

Present and defend plans for protecting the environment and meeting global challenges related to sustainability.

Investigate how young people in francophone cultures face global challenges such as the protection of the environment.

Questions essentielles

What is my role as an eco-friendly citizen?

Why does sustainability matter and how do my actions impact the future?

How are the beliefs of community members reflected in their actions regarding the environment in francophone communities and my own?

La durabilité environnementale est un des grands défis mondiaux de notre époque. Dans cette unité, Maggie nous parlera de ses passions et de son rôle en tant qu'écocitoyenne.

Nom: Maggie

Langues parlées: français, anglais, espagnol

Origine: Saint-Hyacinthe, Québec, Canada

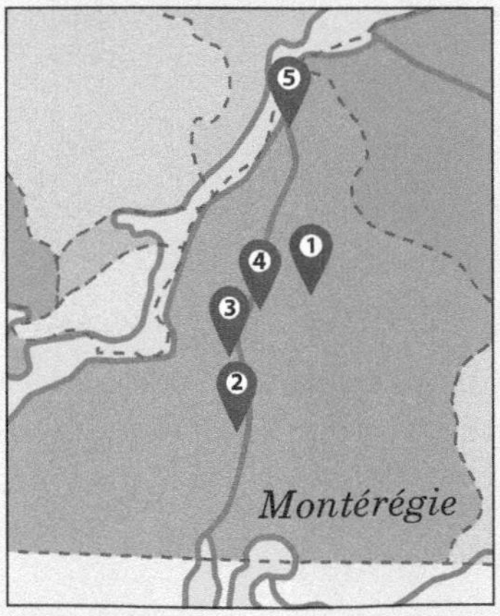

1. Saint-Hyacinthe
2. Saint Jean-sur-Richelieu
3. Chambly
4. Otterburn Park
5. Sorel-Tracy

Rencontre interculturelle

Saint-Hyacinthe, Québec

Saint-Hyacinthe est une ville de plus de 56.000 habitants située au Québec, la plus grande province du Canada. Saint-Hyacinthe se trouve à une demi-heure de Montréal, dans une région appelée la Montérégie. La Montérégie est connue pour ses vignobles, ses vergers de pommes et ses nombreuses pistes cyclables.

Venez visiter les nombreux vignobles de la région. Ces vignobles produisent du vin blanc, rouge et rosé.

Les amateurs de fruits frais ne manqueront pas de venir jeter un coup d'œil aux vergers de pommes.

Cyclistes...à vos vélos! Il y a de nombreuses pistes cyclables dans cette région magnifique.

Cela vous dit de découvrir cette région magnifique? Voici quatre endroits à ne pas manquer:

1. On commence par Arbraska qui promet aux petits comme aux grands une aventure - en plein air - absolument inoubliable! Des parcours aériens, de l'accrobranche et des tyroliennes (*ziplines*) géantes.

2. On continue avec une visite à la Ferme Guyon. Toute la famille trouvera quelque chose d'intéressant ici...la ferme pédagogique, la papillonnerie ou même les nombreux produits du terroir. Une expérience unique!

3. On va ensuite à la Cabosse d'Or: la visite idéale pour les gourmands et les gourmets. Chocolats, gâteaux, pâtisseries et crèmes glacées vous attendent ici. Cette chocolaterie attire plus de 100.000 visiteurs par an.

4. On termine en beauté avec une petite visite à Statera Expérience. Vous aimez les voyages dans le temps et dans l'histoire? Statera Expérience est l'endroit idéal pour vous. Grâce à un parcours interactif, vous serez plongé(e)(s) virtuellement dans l'univers de l'archipel Sorel. Vous pouvez aussi visiter le dôme interactif extérieur et voir un film à 360 degrés.

Julie Deshaies JD 83 / Alamy Stock Photo

Ne perdez pas de temps, préparez votre voyage en Montérégie!

Le Québécois Laurent Duvernay-Tardif est un joueur de football américain dans la ligue professionnelle aux États-Unis.

Céline Dion est une chanteuse et vedette internationale.

Guy Laliberté est non seulement le fondateur du Cirque du Soleil, mais il a aussi fondé l'association *One Drop* qui vise à rendre l'eau plus accessible.

Alain Le Garsmeur Canada / Alamy Stock Photo

René Lévesque a été le Premier ministre du Québec de 1976 à 1985.

Justin Trudeau a accédé au poste de Premier ministre du Canada en 2015. Son père, Pierre Trudeau, a occupé le même poste à deux reprises de 1968 à 1979 et de 1980 à 1984.

Activité 1

Je visite Saint-Hyacinthe et ses alentours.

Maggie habite dans une région vraiment intéressante...allons à sa rencontre!

Faites correspondre les endroits aux descriptions appropriées.

1. Saint-Hyacinthe	a. Un parc dans lequel on peut faire de nombreuses activités dans les arbres.
2. La Montérégie	b. Une ville située dans la périphérie de Montréal.
3. Arbraska	c. Découvrez la faune et la flore de l'archipel Sorel grâce à des voyages virtuels.
4. La Ferme Guyon	d. Vous aimez les choses sucrées? Venez visiter cet endroit!
5. La Cabosse d'Or	e. C'est l'endroit idéal pour les amateurs d'animaux.
6. Statera Expérience	f. Une région située dans la province de Québec.

Ville de Québec

Activité 2

On rencontre Maggie!

Regardez la vidéo dans laquelle Maggie nous parle de sa famille, de son école et de ses passions.

Cochez (✔) les images qui représentent des faits mentionnés par Maggie dans la vidéo.

QUÉBEC

Je suis canadienne.
J'ai treize ans.
J'ai un frère.
J'aime le sport et la musique.

Maggie a treize ans. Elle habite à Saint-Hyacinthe avec son petit frère et ses parents. Saint-Hyacinthe est une ville située dans la province de Québec au Canada.

Maggie est en secondaire 2 dans un programme d'éducation internationale. Elle apprend le français, l'anglais et l'espagnol en plus des autres matières comme les maths ou les sciences.

Maggie aime les sports et la musique. Son sport préféré, c'est le volley-ball, mais elle aime aussi le tennis. Maggie a commencé à jouer du piano quand elle avait six ans. Elle aime tout ce qui a un rapport à la musique comme écrire de la musique, écrire des paroles pour des chansons et chanter aussi!

Activité 3

AP® Salut, Maggie!

Répondez aux questions suivantes d'après les informations dans le texte de la **Rencontre interculturelle** et la vidéo de Maggie. Pour chaque question, choisissez la meilleure réponse et indiquez-la sur Explorer.

1. La ville de Saint-Hyacinthe est située...
   a. dans la plus petite province du Canada
   b. à côté de la Montérégie
   c. près de Montréal
2. Les amateurs d'aventure et les sportifs devraient visiter…
   a. la Ferme Guyon
   b. Arbraska
   c. la Cabosse d'Or
3. Maggie
   a. est plus âgée que son frère
   b. est plus jeune que son frère
   c. a le même âge que son frère
4. Les pistes cyclables sont utiles aux sportifs qui font du...
   a. vélo
   b. tennis
   c. golf
5. Vous vous intéressez aux animaux et à l'histoire, vous allez visiter...
   a. Arbraska et Statera Expérience
   b. Statera Expérience et la Ferme Guyon
   c. la Ferme Guyon et la Cabosse d'Or

Saint-Hyacinthe, Québec, Canada

En Montérégie, Québec, Canada

Réflexion interculturelle

Dans sa présentation, Maggie nous parle de sa famille, des cours qu'elle suit et de ce qu'elle aime faire pendant ses loisirs. D'après ce qu'elle nous dit sur son programme académique, elle semble surtout se spécialiser dans certains cours, lesquels? Existe-t-il des programmes similaires dans votre école ou dans votre arrondissement scolaire? À votre avis, pourquoi ce genre de programme est-il important là où Maggie habite?

Mon progrès interculturel

I can describe the value of International Education Studies for students in Quebec and in my community.

Rappelle-toi

Activité 4

Et vous? Vous faites quoi comme bénévolat?

Vos amies, Marianne et Maggie, sont déjà des citoyennes engagées, mais elles voudraient faire encore un peu plus de bénévolat. Consultez le graphique pour répondre à leurs demandes de conseils.

© Réseau de l'action bénévole du Québec (2017), "Qui sont les bénévoles?", Infographie récupérée de https://www.rabq.ca/benevolat-en-chiffres.php.

QUE FONT LES BÉNÉVOLES?

TABLEAU 7 — **SECTEUR D'ACTIVITÉS OÙ S'IMPLIQUENT LES BÉNÉVOLES**

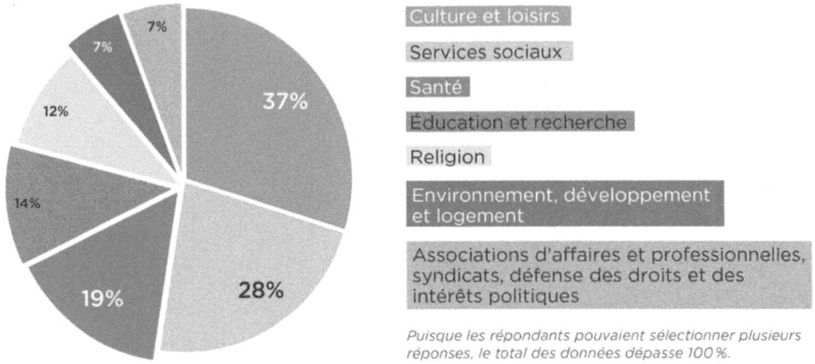

Puisque les répondants pouvaient sélectionner plusieurs réponses, le total des données dépasse 100 %.

Étape 1: Lire

Lisez les textos de vos amies Maggie et Marianne. Selon le graphique, à quels secteurs de bénévolat s'intéressent-elles?

Maggie

Moi, je me considère comme une bonne citoyenne. Je donne un coup de main quand je peux dans ma communauté. Je ramasse des déchets dans un parc près de chez moi. Je sais que je dois aussi éviter de gaspiller l'eau et l'électricité. Je cherche un nouveau type de bénévolat. Tu peux me conseiller quelque chose?

Marianne

J'adore aider les petits enfants! Je participe à un projet où on planifie des activités saines et éducatives pour des élèves de l'école primaire. On leur enseigne à lire et à cuisiner. Après, on sert les repas que nous avons préparés avec les petits. Ils sont adorables!

Étape 2: Répondre

Répondez aux textos de vos amies en donnant des conseils.

Modèle

Salut Maggie! Fais du bénévolat dans... Il faut aider...

Étape 3: Parler

Posez des questions aux autres élèves de votre classe pour savoir dans quels secteurs de bénévolat ils travaillent. Notez les réponses des autres dans la représentation schématique sur Explorer. Si une personne dit qu'elle ne fait pas de bénévolat, donnez-lui des conseils.

Modèle

Élève A: Est-ce que tu aides notre communauté en tant que bénévole?

Élève B: Oui, je fais du bénévolat dans le secteur de la culture et des loisirs. J'aide au musée d'art. J'enseigne les arts plastiques aux enfants.

Élève A: Moi, je ne fais pas de bénévolat, mais le secteur de la santé m'intéresse.

Élève B: D'accord. Il est important d'apporter son aide à la communauté. Tu devrais venir à la réunion du club des futurs médecins demain après l'école.

Rappel

L'impératif

Pour dire aux autres ce qu'il faut faire, employez les formes de *tu*, *nous*, ou *vous* d'un verbe sans son sujet:

Apprends une nouvelle langue.

Améliorons notre communauté!

Préservez les ressources naturelles.

Pour les verbes qui se terminent en *-er* (même le verbe *aller*), il n'y a pas de *s* à la fin du verbe en forme de *tu*:

Va demander à la professeure.

S'il te plaît, **donne**-moi un coup de main!

Activité 5

Le bien-être et les choix

Vous vous intéressez aux régimes sans viande et vous avez trouvé une vidéo qui les explique.

Étape 1: Parler

On mange végétarien pour beaucoup de raisons; en voici quelques-unes qui seront mentionnées dans la vidéo. Dans un petit groupe, expliquez et donnez votre avis sur ces raisons:

- pour des raisons éthiques;
- pour une meilleure santé;
- pour protéger l'environnement; et
- pour des raisons de préférence personnelle.

Étape 2: Lire et associer

Il y a plusieurs manières de manger végétarien. Associez chaque pratique alimentaire à sa définition.

1. quand on mange des œufs et des produits laitiers mais on ne mange ni viande ni poisson	a. l'ovo-lacto-végétarisme
2. quand on ne mange aucun animal (ni ses produits, ce qui inclut le miel) et on a un mode de vie qui exclut tout produit issu de l'exploitation animale	b. l'ovo-végétarisme
3. quand on ne mange aucun animal (ni ses produits, ce qui inclut le miel)	c. le lacto-végétarisme
4. quand on mange des œufs mais on ne mange ni viande ni poisson ni produit laitier	d. le végétalisme
5. quand on ne mange pas de viande mais on accepte de manger du poisson	e. le pesco-végétarisme
6. quand on mange des produits laitiers mais on ne mange ni viande ni poisson ni œuf	f. le véganisme

Étape 3: Regarder et écouter

a. Regardez la vidéo et décidez qui (le premier monsieur, le deuxième monsieur, ou la dame) a prononcé chacune des idées suivantes.

1. Les consommateurs cherchent plus d'équilibre; on essaie de prendre des repas dont la moitié est composée de produits végétaux.
2. On voit une progression vers le végétarisme, même si ce n'est pas strictement végétalien.
3. Certains disent que les plats végétaux ne sont pas intéressants, mais ce n'est plus le cas.
4. Manger des produits végétaux est meilleur pour la planète car l'énergie passe directement de la plante à l'humain.

b. Un des locuteurs dans la vidéo a parlé du "flexitarisme". Regardez de nouveau et utilisez le vocabulaire des activités précédentes pour écrire une bonne définition de ce mot avec un partenaire.

Étape 4: Écrire un blog

Écrivez un post pour un blog sur le végétarisme.

a. Exprimez votre point de vue sur le végétarisme.

b. Donnez des conseils aux amis qui envisagent d'adopter un régime végétarien.

Activité 6

Que faut-il faire pour être un(e) étudiant(e) responsable?

Votre professeur vous a demandé d'enregistrer une vidéo destinée aux futurs élèves de sa classe. Quels conseils avez-vous pour les élèves qui arriveront dans votre école l'année prochaine? Qu'est-ce qu'il faut faire pour profiter de la vie scolaire et extrascolaire?

Rappelle-toi

Les éléments d'une génération responsable

l'avenir (m.)
le/la bénévole
le citoyen/la citoyenne
le projet
la réunion
sain(e)

Pour dire quand

déjà
hebdomadaire
mensuel/mensuelle
quotidien/quotidienne

Pour créer un monde meilleur

aider
améliorer
apprendre
conseiller
contribuer à
créer
enseigner
faire attention (à)
faire du bénévolat
ne pas gaspiller
gérer
planifier
préserver
ramasser les déchets
servir
soutenir
travailler en équipe
trier

Expressions utiles

donner un coup de main
C'est important de/d'...
Il est important de/d'...
Le plus important, c'est (de/d')...
Je (ne) dois (pas)...
Je (ne) suis (pas) d'accord (avec toi).
Je te conseille de/d'...
Je vous propose (de/d')...
On devrait...
le monde meilleur

Communiquons

Comment dit-on? 1

Écocitoyenneté

Moi, j'agis!

Activité 7

À court de temps

Maggie n'a pas eu le temps de finir le tableau d'affichage. Pouvez-vous l'aider en faisant correspondre les images à un des conseils?

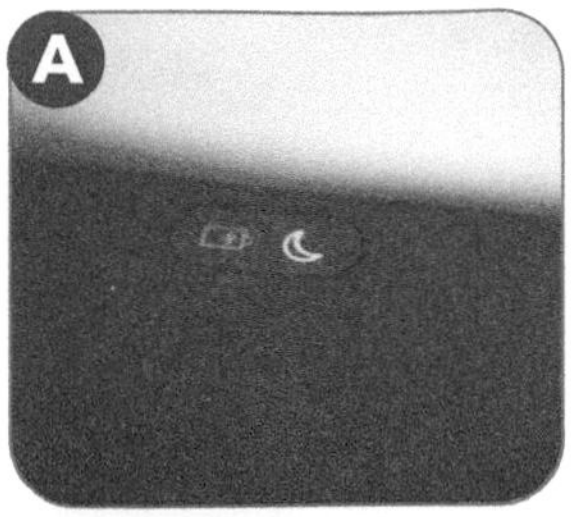

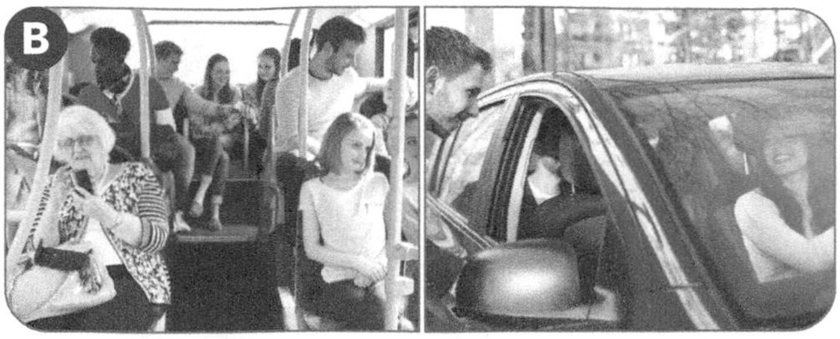

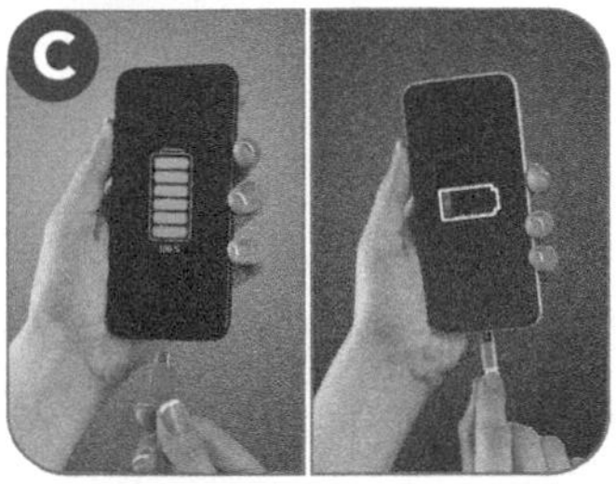

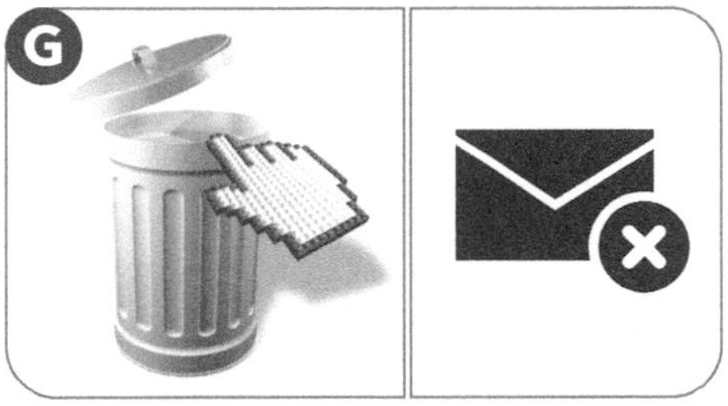

Mon progrès communicatif

I can understand suggestions for preserving the environment.

Activité 8

Les conseils de l'Éco Club

Étape 1: Écrire

Lisez les conseils de l'Éco Club et classez-les selon ces trois catégories.

ce que je fais déjà	ce que je ferai à partir de maintenant	ce que je pourrais faire

Étape 2: Écrire

a. Choisissez un conseil de la catégorie «ce que je pourrais faire».

b. Cochez-le (✔) dans la représentation schématique.

c. Expliquez ce qui vous empêche de suivre ce conseil.

Étape 3: Parler et noter

a. Expliquez oralement à votre partenaire les conseils que vous suivez déjà et ceux que vous ne suivez pas encore. Justifiez votre réponse.

b. Demandez à votre partenaire de partager ses réponses.

c. Notez les réponses de votre partenaire.

d. Selon ses réponses, exprimez si vos choix correspondent aux siens ou pas.

Activité 9

C'est logique ou pas?

Pendant le cours de français, le professeur vous demande de comparer vos réponses à celles d'un(e) de vos ami(e)s. Certaines de ses phrases sont logiques et d'autres ne le sont pas. Identifiez celles qui sont logiques et réécrivez celles qui ne le sont pas.

1. Si l'écocitoyen(ne) doit imprimer un document, il/elle l'imprime en noir et blanc.
2. Si l'écocitoyen(ne) doit utiliser sa voiture pour aller au travail, il/elle favorise le covoiturage.
3. Si l'écocitoyen(ne) achète un nouveau smartphone, il/elle garde aussi son ancien appareil.
4. Si l'écocitoyen(ne) envoie et reçoit de nombreux e-mails, il/elle garde une copie électronique de tous ses messages, y compris des pourriels (des spams).
5. Si l'écocitoyen(ne) doit recharger sa tablette, il/elle la charge et ensuite débranche le chargeur.

Activité 10

Un(e) écocitoyen(ne), c'est...?

À votre avis, un(e) écocitoyen(ne), c'est quoi?

le recyclage

en fonction de

en charge

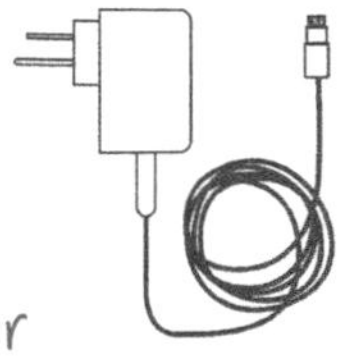

le collecteur

les déchets

favoriser

éteindre

Sauvons la planète tous ensemble

vider la corbeille

les déplacements

Étape 1: Écrire

Utilisez plusieurs termes de la banque de mots afin de créer une phrase qui décrit un(e) écocitoyen(ne).

Modèle

Un(e) écocitoyen(ne), c'est quelqu'un qui imprime le moins possible et qui essaye de lire en ligne quand c'est possible.

Mon progrès communicatif

I can describe the characteristics of an eco-citizen.

Étape 2: Parler

Comparez votre définition à celle d'un(e) autre élève et ajoutez une action qui concrétise sa définition.

Modèle

Élève A: Moi, je pense qu'un(e) écocitoyen(ne) doit imprimer le moins possible et essayer de lire en ligne le plus possible. Et toi, qu'est-ce que tu en penses?

Élève B: Je suis d'accord avec toi. Un(e) écocitoyen(ne), c'est aussi quelqu'un qui imprime en noir et blanc quand c'est possible.

Les pailles ne sont ni recyclées, ni recyclables.

Le Canada recycle plus ou moins 55% de ses déchets.

Zoom culture

Pratique culturelle: Le recyclage au Canada

Connexions

Vous et vos proches *(the people close to you)*, recyclez-vous dans votre vie quotidienne? Est-ce que vous trouvez que recycler, c'est important? Quels sont les systèmes de recyclage mis en place dans votre communauté? Recycler, est-ce plutôt facile ou difficile là où vous habitez? Pourquoi? Qu'est-ce que votre communauté pourrait faire pour augmenter le taux de recyclage?

Le recyclage dans le monde - c'est loin d'être une partie gagnée! Nous produisons de plus en plus de déchets et seulement peu d'entre eux sont recyclés. Le recyclage des déchets continue à être un véritable défi *(challenge)* mondial. C'est un véritable défi aux niveaux *(levels)* économique, social et écologique.

D'après de récentes études de la Banque mondiale, nous produisons plus de deux milliards de tonnes de déchets par an. Deux millards de tonnes! C'est incroyable! La solution, ce n'est donc pas seulement le recyclage adéquat, mais surtout la diminution de la production de déchets.

Qui sont les grands fautifs? Ce sont les pays de l'Asie de l'Est et Pacifique qui produisent le plus de déchets dans le monde (23%), suivis par l'Asie du Sud. Les régions de l'Afrique et du Moyen-Orient sont celles qui en produisent le moins. Même si les pays riches sont responsables d'une grande partie de la production des déchets, les pays à faible revenu font face à un autre problème: la collecte des déchets.

Et au Canada, que se passe-t-il? Le Canada recycle plus ou moins 55% de ses déchets. Même si la population canadienne est très sensible aux problèmes environnementaux, les habitudes changent difficilement. Le plus grand problème, c'est la contamination du recyclage: un pot de confiture à moitié vide ou mal lavé n'est pas recyclable et finit donc à la décharge au lieu du recyclage.

L'utilisation massive du plastique est un autre problème: les gobelets, les pailles, les couverts ne sont ni recyclés, ni recyclables, pensez-y la prochaine fois. Il faut absolument que nous agissions tous ensemble pour la sauvegarde de notre planète!

Réflexion

Connaissez-vous plus de gens qui recyclent ou plus qui ne recyclent pas? Pourquoi ont-ils pris la décision de recycler ou de ne pas recycler? Et vous, recyclez-vous régulièrement? Quels types de matériaux recyclez-vous? Décidez-vous quelquefois de réutiliser un objet au lieu de le recycler? Expliquez.

Réflexion interculturelle

Comment pouvez-vous comparer les habitudes de recyclage dans votre pays à celles d'autres pays du monde? Dans votre pays, les gens ont-ils de bonnes habitudes et de bons processus en ce qui concerne l'environnement? Si, à votre avis, les habitudes et les processus peuvent être améliorés, quelles démarches *(steps)* pourrait-on prendre pour être plus efficace?

Mon progrès interculturel

I can compare recycling efforts in my community to those in francophone cultures.

Nous agissons ensemble

*Cet article sur les trois **piliers** du **développement durable** est hyper intéressant. Je continue de le lire.*

*En fait, ce n'est pas tellement compliqué, il y a trois piliers: le pilier économique, le pilier social et le pilier écologique. En tant qu'écocitoyens, il est nécessaire que nous **agissions** aux trois niveaux.*

Si j'ai bien compris, le défi, c'est qu'il faut que nous préservions, améliorions et valorisions l'environnement et les ressources naturelles en maintenant les grands équilibres écologiques, en réduisant les risques et en prévenant les impacts environnementaux.

Activité 11

Les trois piliers

Maggie a lu l'article sur les trois piliers. Aidez-la à compléter ce dessin avec le nom de chaque pilier.

Activité 12

Avez-vous compris?

Avez-vous bien compris ce que Maggie a dit? Les phrases suivantes sont-elles vraies ou fausses?

	vrai	faux
1. Maggie aime lire l'article.		
2. Maggie trouve que le contenu de l'article est facile à comprendre.		
3. Il n'est pas du tout important d'agir au niveau économique.		
4. Le développement durable, c'est répondre à nos besoins présents tout en protégeant notre environnement.		
5. Le développement durable, c'est une tâche très facile.		

Activité 13

Que devons-nous faire?

Selon Maggie, qu'est-ce qu'il est important de faire maintenant? Faites correspondre les verbes dans la banque de mots aux phrases suivantes.

A. agir   B. améliorer   C. préserver   D. réduire   E. valoriser

____ 1. J'essaye de/d' __________ le nombre de documents que j'imprime à la maison et à l'école.

____ 2. Il est important de/d'__________ le plus rapidement possible pour sauvegarder l'environnement.

____ 3. Si vous voulez __________ les ressources naturelles, essayer de diminuer votre utilisation du plastique.

____ 4. Il est nécessaire de/d' __________ les trois piliers du développement durable.

Détail linguistique

Quelques mots apparentés

communiquer
contribuer
développer
éradiquer
limiter
motiver
persuader
préserver
proposer
recycler
sélectionner

Découvrons 1

Exprimer ce qu'il est nécessaire de faire

Notre avenir durable Publier

Je suis candidate parce je me sens responsable de l'avenir. **Il faut que** je <u>fasse</u> quelque chose pour notre communauté et **il faut que** nous <u>fassions</u> quelque chose pour la planète. C'est notre devoir!

Il est nécessaire que nous <u>soyons</u> conscients de nos actions. **Il faut que** je <u>parle</u> de l'écoresponsabilité. **Il faut que** chaque personne <u>soit</u> responsable.

Il faut que nous <u>parlions</u> plus de nos comportements quotidiens en ce qui concerne la technologie. **Il est nécessaire que** vous en <u>parliez</u> à vos amis et **qu**'ils <u>limitent</u>, **que** nous <u>limitions</u> tous notre consommation énergétique.

Mes chers concitoyens, c'est le moment de partir - **il faut que** je m'en <u>aille</u>. N'oubliez pas, **il est nécessaire que** vous <u>alliez</u> aux urnes et **que** vous <u>votiez</u> vert!

Expressions utiles

Pour annoncer son départ

Il faut que je file!

Il faut que je m'en aille.

Découvertes

Il y a des élections municipales qui approchent. Comme vous vous intéressez à l'écoresponsabilité, vous lisez des commentaires d'un compte sur un réseau social qui résument le point de vue de plusieurs candidats à ce sujet.

Réfléchissez à ce que vous observez et répondez aux questions suivantes dans la représentation schématique sur Explorer.

1. Lisez les commentaires des candidats et regardez les mots en caractères gras.
2. Voyez-vous des expressions que vous connaissez déjà? Lesquelles?
3. Quelles sont les différences entre les expressions que vous connaissez déjà et celles que vous voyez ici?
4. Partagez vos observations avec un(e) partenaire. Que remarquez-vous d'autre dans ces citations et que pouvez-vous ajouter aux observations de votre partenaire?

Activité 14

Ce qu'il faut qu'on fasse

Votre ami(e) et vous trouvez les messages des candidats impressionnants. Vous réfléchissez à vos comportements. Qu'est-ce qu'il faut que vous fassiez pour vous améliorer en tant que citoyen(ne)?

Étape 1: Écrire

Lisez le texto de votre ami(e) et notez les actions responsables qu'il/elle suggère.

> Impressionnant! Il est nécessaire que je change certaines choses dans ma vie. Il faut que je fasse un effort pour consommer moins d'énergie. Il faut que j'aille à l'école plus souvent à pied. Et il est nécessaire que les profs impriment moins de documents! Je le leur dirai lundi! Qu'est-ce qu'il faut que tu fasses?

Modèle

changer certaines choses

Étape 2: Écrire

Et vous, qu'est-ce que vous comptez faire comme actions responsables? Répondez au message de votre ami(e).

Il est nécessaire que je...

Il faut que je...

Détail grammatical

Pour exprimer la nécessité

Pour les verbes en *-er*, notez qu'il y a plusieurs formes au subjonctif qui ressemblent au présent.

Mon progrès communicatif

I can respond to a message to share my plans for preserving the environment.

Manifestation pour le climat à Strasbourg, le 8 décembre 2018.

Victor Hugo (1802-1885) est un des écrivains français les plus célèbres. Il a écrit des poèmes, des romans et des pièces de théâtre. Deux de ses œuvres les plus connues sont *Les Misérables* et *Notre Dame de Paris*.

Mon progrès communicatif

I can understand a poem describing what a poet must do.

Activité 15

Il faut que le poète

Étape 1: Lire, écouter et classer

Lisez et écoutez le poème. Remarquez les contrastes dans le vocabulaire que choisit Victor Hugo. Classez le vocabulaire dans les catégories suivantes dans la représentation schématique: la lumière/le positif, l'obscurité/le négatif et la nature.

Il faut que le poète, épris[1] d'ombre et d'azur,
Esprit doux et splendide, au rayonnement pur,
Qui marche devant tous, éclairant ceux qui doutent,
Chanteur mystérieux qu'en tressaillant[2] écoutent
Les femmes, les songeurs[3], les sages, les amants,
Devienne formidable à de certains moments.
Parfois, lorsqu'on se met à rêver sur son livre,
Où tout berce[4], éblouit[5], calme, caresse, enivre[6],
Où l'âme à chaque pas trouve à faire son miel,
Où les coins les plus noirs ont des lueurs du ciel,
Au milieu de cette humble et haute poésie,
Dans cette paix sacrée où croît la fleur choisie,
Où l'on entend couler les sources et les pleurs,
Où les strophes, oiseaux peints de mille couleurs,
Volent chantant l'amour, l'espérance et la joie,
Il faut que par instants on frissonne[7], et **qu'on voie**
Tout à coup, sombre, grave et terrible au passant,
Un vers fauve[8] sortir de l'ombre en rugissant[9]!
Il faut que le poète aux semences fécondes[10]
Soit comme ces forêts vertes, fraîches, profondes,
Pleines de chants, amour du vent et du rayon,
Charmantes, où soudain l'on rencontre un lion.

[1] passionné
[2] tremblant
[3] rêveurs
[4] endort
[5] fascine
[6] charme
[7] tremble
[8] féroce
[9] criant
[10] graines fertiles

Étape 2: Relire et écrire

Relisez le poème en faisant attention au message du poète. Répondez aux questions suivantes pour expliquer votre interprétation du poème.

1. Cherchez l'expression «il faut que» et l'action qui la suit. Écrivez les trois phrases en version courte, sans le vocabulaire poétique entre l'expression et l'action. Regardez les mots en caractères gras pour vous aider à trouver les phrases.
2. D'après Victor Hugo, qu'est-ce qui est nécessaire que le poète fasse? Quel est son rôle dans sa profession? Simplifiez les phrases d'Hugo pour expliquer votre interprétation.

Cosette, un des personnages principaux du roman *Les Misérables*. Elle est aussi dans la comédie musicale dramatique du même titre adaptée du livre.

Notre-Dame de Paris, la cathédrale où se déroule l'action du roman de Victor Hugo, avec son personnage principal Quasimodo.

Activité 16

Il faut ou il ne faut pas

Après avoir vu les affiches de l'Éco Club partout à l'école, plusieurs élèves ont demandé à Maggie et aux membres de ce groupe s'ils pourraient faire partie de ce club. À leur prochaine réunion, les membres ont invité ceux qui s'intéressent à l'Éco Club. Avec un(e) partenaire, jouez les rôles des membres et des invités quand vous posez des questions et y répondez.

Modèle

Recycler un vieux smartphone

Élève A: Faut-il qu'on recycle un vieux smartphone?

Élève B: Oui, il faut certainement qu'on recycle un vieux smartphone.

1. Imprimer en noir et blanc ou en couleur
2. Être plus écoresponsable quand on voyage
3. Laisser les équipements en charge
4. Aller n'importe où de façon écologique
5. Favoriser les livres, pas la lecture à l'écran
6. Vider la boite mail

Activité 17

Ma famille responsable

Grâce à ce que vous avez appris à l'école sur la préservation de l'environnement, essayez de changer quelques aspects de votre vie quotidienne. En moins d'une minute, il faut que vous persuadiez vos parents de faire ces changements aussi vite que possible.

Mon progrès communicatif

I can convince others of a plan of action for preserving the environment.

J'avance 1

À vos marques!

L'organisation *Défi pour un don durable* a invité votre école à participer à une compétition en ligne. L'école gagnante recevra un don d'argent que vous pourrez utiliser afin de financer un projet innovant qui répond à un des besoins environnementaux de votre établissement.

Étape 1: Regarder

Avec un(e) partenaire, vous avez décidé de vous inscrire et de participer à la compétition. Vous accédez au site de l'organisation *Défi pour un don durable.* Pour cette première étape, il faut que vous fassiez correspondre, le plus rapidement possible, des descriptions à des images.

Étape 2: Parler

Félicitations! Votre école a gagné la compétition du *Défi pour un don durable*. Vous devez, à présent, choisir votre piste d'action parmi une série de possibilités établies par votre école. Présentez, oralement en moins d'une minute, votre plan d'action pour résoudre au moins un des défis de votre école.

Étape 3: Écrire

Des membres de la municipalité locale vous ont envoyé un e-mail avec quelques questions au sujet de votre projet. Répondez à leurs questions par écrit.

Allez sur Explorer pour trouver tous les documents nécessaires de ***J'avance***.

Mon progrès communicatif

I can understand suggestions for preserving the environment.

Mon progrès communicatif

I can convince others of a plan of action for preserving the environment.

Mon progrès communicatif

I can answer questions to provide details about a plan of action for protecting the environment.

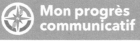

Comment dit-on? 2

Notre impact individuel et collectif

Prendre conscience de son impact

IL FAUT AMÉLIORER NOTRE ENVIRONNEMENT POUR AMÉLIORER NOTRE SANTÉ

1. Appliquer **des stratégies à faible émission de carbone** pour la production de l'énergie, le logement, l'industrie.

2. Utiliser **des transports plus actifs ou collectifs**.

3. Introduire des **technologies et des combustibles propres** pour préparer la nourriture, pour le chauffage, la lumière.

4. Réduire **les expositions professionnelles** et améliorer les conditions de travail.

5. Développer **l'accès à l'eau potable** et à des installations suffisantes d'assainissement (m.); promouvoir le lavage des mains.

6. Changer **les modes de consommation** pour utiliser moins de produits chimiques, produire moins de déchets et économiser l'énergie.

7. Prendre des mesures pour encourager à **se protéger du soleil**.

8. Imposer des **interdictions de fumer** afin de réduire l'exposition à la fumée d'autrui.

9. Intégrer **l'approche sanitaire à toutes les politiques** afin de créer des environnements plus sains et prévenir les maladies.

Ces stratégies « gagnant-gagnant » sont fondamentales pour atteindre les OBJECTIFS DE DÉVELOPPEMENT DURABLE

17 OBJECTIFS POUR TRANSFORMER NOTRE MONDE

Organisation mondiale de la Santé

#EnvironmentalHealth

Pour notre santé, travaillons ensemble à un environnement plus sain.

Détail linguistique

Les noms de certains verbes en *-uire*

Notez que plusieurs verbes se terminant en *-uire* ont une forme nominale en *-uction*.

détruire	destruction
introduire	introduction
produire	production
réduire	réduction

Mon progrès communicatif

I can understand an infographic about protecting the environment.

Activité 18

Aider à étudier!

Étape 1: Lire et faire correspondre

Le professeur du cours de sciences de la vie et de la Terre (SVT) vient de donner l'infographie de l'Organisation mondiale de la Santé à la classe de Félix et Océane pour les aider à se préparer pour un dialogue avec un environnementaliste qui viendra bientôt parler à leur classe. Aidez-les à comprendre l'infographie en faisant correspondre les suggestions.

Étape 2: Classer et parler

Décidez quelle catégorie (ou quelles catégories) de la représentation schématique est(sont) la(les) plus appropriée(s) pour chaque suggestion en vous posant les questions suivantes: «Est-ce quelque chose que je peux faire personnellement? Est-ce quelque chose que je peux faire avec l'aide de ma communauté? Est-ce quelque chose qu'il faut faire au niveau mondial?»

a. Mettez les suggestions de l'**Étape 1** dans les catégories appropriées; puis

b. Justifiez à l'oral votre réponse avec votre partenaire.

action individuelle	action communautaire	action mondiale

Détail linguistique

Les planètes du système solaire

Les noms des planètes ressemblent beaucoup aux mots en anglais, sauf pour notre planète, la Terre (avec un «t» majuscule). Vous connaissez peut-être les mots extraterrestre 👽, la pomme de terre 🥔 et par terre avec un «t» minuscule.

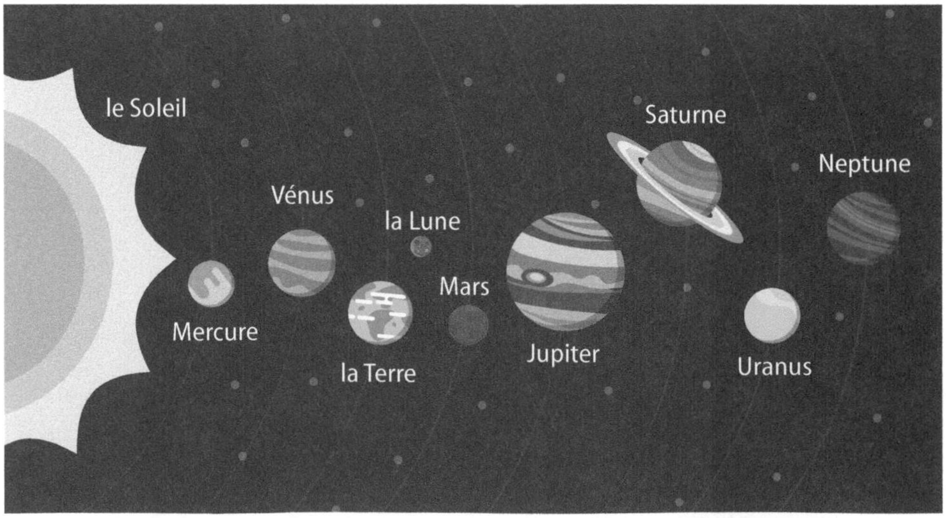

Activité 19

Des conseils environnementaux

Votre ami suisse a vu sur les réseaux sociaux que vous étudiiez les effets du réchauffement *(warming)* climatique dans votre cours de sciences de la vie et de la Terre (SVT) et partage votre passion pour le sujet. Lisez le courriel pour vous préparer à lui offrir des conseils.

À: ecolosfrancophiles@notreplanete.ch
Objet: Au secours de notre planète

Coucou!

J'espère que tu vas bien et que tu n'as pas beaucoup de boulot en ce moment. Je vais bien, mais je commence à m'inquiéter pour notre environnement et de ses effets néfastes (*dangerous*) sur notre santé. Je suis aussi un cours de sciences de la vie et de la Terre et on parle du changement climatique. Il faut que tu aides ma famille à changer notre routine quotidienne pour réduire l'impact que nous avons sur notre Terre! Voici ce que nous faisons tous les jours:

Nous nous levons tôt puis nous prenons une douche chaude de vingt minutes chacun. Puis nous prenons notre petit déjeuner mais personne n'a vraiment faim si tôt le matin donc on jette la plupart de notre nourriture à la poubelle. Quel gaspillage! Avant de quitter la maison, je débranche mon ordinateur que j'ai chargé pendant toute la nuit. Ma mère démarre la voiture dix minutes avant de partir pour qu'elle soit réchauffée avant d'aller au boulot. Avant de me déposer au lycée, nous achetons des bouteilles d'eau en plastique car nous ne voulons pas être déshydratés. Puis je vais en classe et branche encore mon ordi. Au déjeuner, j'ai très faim parce que je n'ai pas beaucoup mangé au petit déj. Malheureusement, j'en prends trop et je finis par mettre le reste à la poubelle. Après l'école, mes amies et moi, nous allons en voiture au café. Je sais qu'il y a des transports en commun mais nous n'aimons pas les prendre. On aime conduire! Après, je retourne chez moi, j'augmente la clim *(air conditioning)* et allume toutes les lumières pour pouvoir faire mes devoirs.

Peux-tu nous aider à changer notre routine quotidienne? Il faut que nous fassions mieux pour préserver l'environnement!

Bisous,

Mamadou

Détail linguistique

Les familles de mots

gaspiller - gaspillage

monde - mondial(e)

protéger - protection

recycler - recyclage

sain(e) - santé - assainissement

Étape 1: Lire et organiser

Après avoir lu le courriel de votre ami, vous voulez organiser une liste de toutes les habitudes de sa vie quotidienne qui contribuent à la pollution de la Terre.

a. Classez-les dans les deux catégories suivantes; puis

habitudes faciles à changer	habitudes difficiles à changer
Modèle • prendre une douche chaude de vingt minutes • ...	

b. Notez les effets négatifs de ses habitudes et suggérez comment votre ami peut changer ses habitudes.

effets négatifs sur la santé	suggestions

Étape 2: Parler

Après avoir noté les effets négatifs et les suggestions, vous décidez de lui laisser un message à l'oral avec cinq idées qui aideront sa famille.

Modèle

Il ne faut pas que ta mère fasse chauffer la voiture avant d'aller au bureau.

Tu dois prendre des douches plus courtes.

Détail grammatical

La cause et l'effet

Pour exprimer une action qui a un effet, remplacez la terminaison *-ons* du présent de l'indicatif par *-ant* et ajoutez *en* avant le verbe.

Exemples:

En assurant l'accès à l'eau potable, toute la population sera en meilleure santé.

Je fais ma part pour réduire le réchauffement climatique **en prenant** des transports en commun.

En réduisant la pollution, on respirera mieux.

Activité 20

Quels effets auront-ils?

Étape 1: Écouter

Lily, Maggie et Clément vous parlent de leur rôle en tant qu'écocitoyen(ne)s. Écoutez ce qu'ils vous disent et notez leurs commentaires.

vidéoblogueur/vidéoblogueuse	son rôle en tant qu'écocitoyen(ne)
Lily	
Maggie	
Clément	

Mon progrès communicatif

I can understand when others describe their role as eco-citizens.

Étape 2: Identifier

a. Après avoir écouté les trois vidéos, avec qui vous identifiez-vous le plus et pourquoi? Y a-t-il des mesures que vous avez déjà prises? Lesquelles?

b. Avec un(e) partenaire, partagez vos pensées.

Modèle

Je m'identifie le plus avec...parce que...

Étape 3: Écrire

Aidez Lily, Maggie et Clément à agir! Que peuvent-ils faire de plus en tant qu'écocitoyen(ne)s? Pourquoi? Choisissez **un(e)** vidéoblogueur/vidéoblogueuse et écrivez-lui un e-mail pour lui suggérer d'autres actions qui amélioreront l'environnement.

Images licensed courtesy of Vyond™

Stratégies

Écrire pour persuader

1. Soyez clair dans votre organisation: commencez, élaborez, finissez.
2. Présentez et justifiez votre point de vue.
3. Citez vos sources.
4. Utilisez des connecteurs.

À nous maintenant!

Maintenant oui! Mais avant la classe de SVT avec Mme Brunel, non!

Quelle leçon aujourd'hui! ***Tu te rends compte de*** *l'effet possible que nos actions ont sur l'environnement?*

*Non! Et en plus, j'ai toujours considéré comme normal d'****avoir accès à*** *l'eau potable. Une trop grande part de la population n'y a pas accès! Quelle honte!*

Mes amies me rappellent toujours de ne plus acheter de bouteilles en plastique. Savais-tu que le plastique non-recyclé finit par polluer les océans et tuer autant de (so many) poissons?

LES CONSEILS DE L'ÉCO CLUB

7 conseils-clés pour préserver l'environnement

Et notre école ne fait pas de compost. Qu'est-ce qu'on fait avec la nourriture qu'on ne mange pas au déjeuner? Il y a trop de déchets dans la cantine.

Incroyable! Le bulletin d'affichage du club de l'environnement nous montre les problèmes liés aux ***changements climatiques****.*

Et Mme Brunel a aussi parlé des pesticides sur nos fruits et légumes, des produits chimiques qu'on achète sans le savoir et des ***usines*** *polluantes qui les émettent! Tu t'es rendu compte de cela?*

Oui, soyons plus actifs! Regarde toutes les voitures à l'arrêt avec le moteur allumé, les avions qui passent au-dessus et les polluants qu'ils ***émettent****! Et les bouteilles en plastique ainsi que d'autres matériaux recyclables par terre!*

Et ***le bruit*** *aussi! Quelle pollution sonore! Quelquefois je dois me boucher (cover) les oreilles! Que pouvons-nous faire?*

LYCÉE NORD WAYSIDE

*Nous pouvons persuader nos amis et nos parents d'****élire*** *les candidats qui veulent aussi investir dans l'environnement et l'améliorer! Il faut qu'on fasse plus pour avoir un impact non seulement sur notre communauté mais ailleurs également!*

Mais comment pouvons-nous convaincre les autres de l'effet que leurs actions ont sur la santé d'autrui?

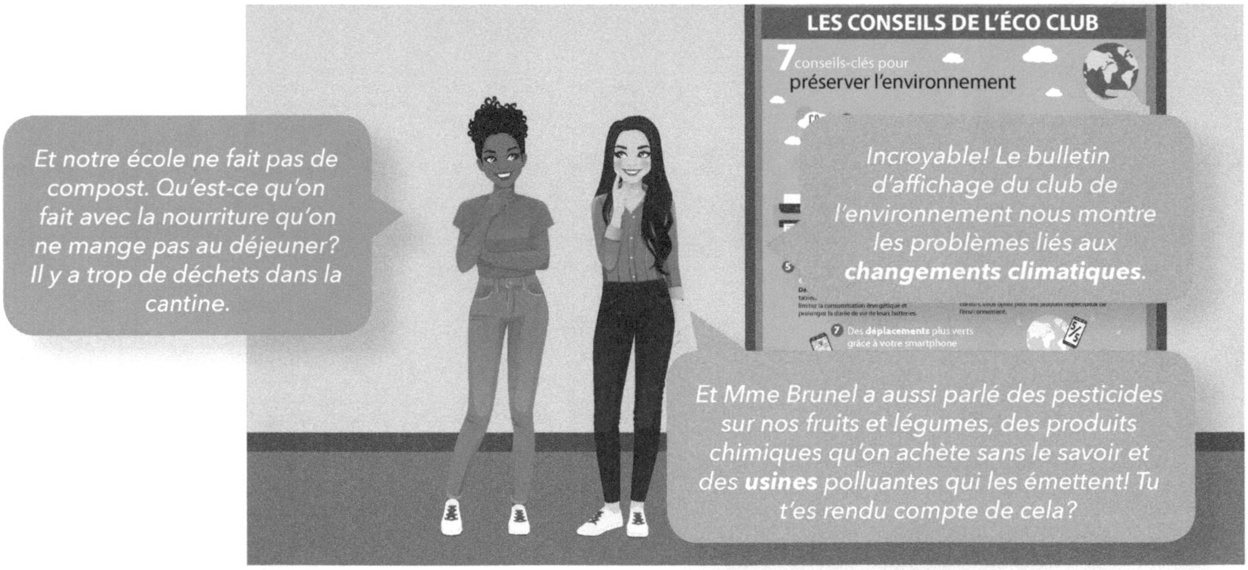

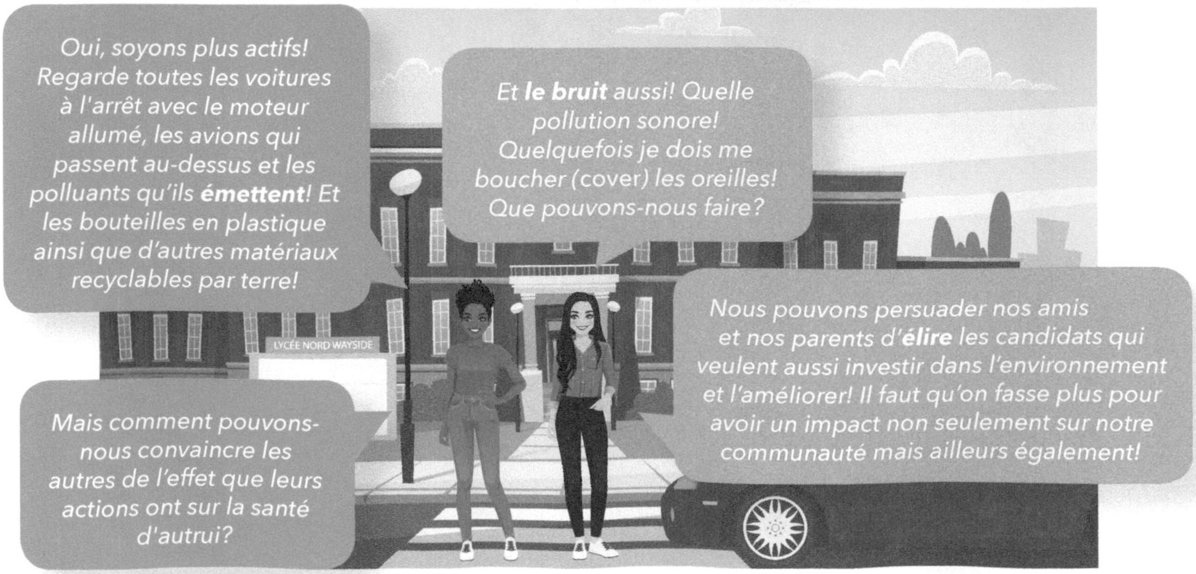

Activité 21

J'illustre les problèmes

Étape 1: Regarder et faire correspondre

Dessinez une image qui représente chaque problème environnemental ou sa solution.

problèmes mentionnés par Maggie et Marianne	dessin du problème
Modèle: ne pas recycler les bouteilles en plastique	

Étape 2: Trouver une solution

Puis avec un(e) partenaire, choisissez quatre problèmes de l'**Étape 1** et suggérez des solutions possibles.

Activité 22

À vous maintenant!

Madame Fournier, directrice du Centre de l'Environnement à Genève, est la mère d'un de vos amis au lycée. Elle souhaiterait connaître vos idées et répondre à vos questions en ce qui concerne l'amélioration de l'environnement.

Étape 1: Organiser

Organisez vos idées dans la représentation schématique sur Explorer. Mettez les idées néfastes que vous voudriez éradiquer dans la colonne à gauche et vos solutions possibles à droite. Écrivez au moins une question pour madame Fournier en bas de la représentation schématique.

Étape 2: Partager

a. Partagez vos idées avec un(e) partenaire; puis

b. Écrivez les idées de votre partenaire.

Étape 3: Voter

Regardez vos notes et décidez quelles solutions auront un impact positif sur l'environnement. Votez pour les solutions les plus efficaces.

Expressions utiles

au niveau (de)

concernant

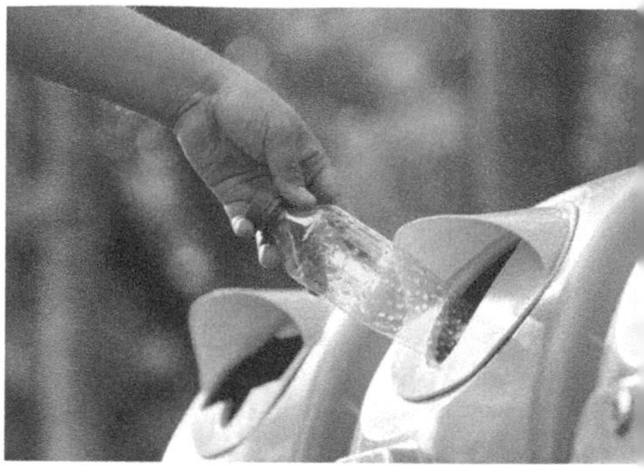

Mon progrès communicatif

I can interact with others to find solutions to environmental problems.

© Ministère de la Transition Ecologique et Solidaire (2020), "Certificat qualité de l'air", Récréé de https://www.caradisiac.com/vignette-crit-air-oui-mais-sur-quels-criteres-112319.htm.

© FREDERICK FLORIN/AFP via Getty Images

Pollution: vitesse limitée sur autoroute

Zoom culture

Pratique culturelle: La circulation différenciée

Connexions

Quelles sortes d'actions faites-vous personnellement pour améliorer l'environnement? Qui est chargé de sauver notre planète?

Quelle est la voiture de vos rêves? Quel type de voiture désirez-vous conduire tôt ou tard? Étant donné *(given)* les conséquences de l'émission de CO_2 par les voitures et le lien entre le CO_2 et le changement climatique, cette question devient de plus en plus pertinente.

À cause des pics *(spikes)* de pollution dans les plus grandes villes de France telles que Toulouse, Marseille, Paris et Lille, les autorités ont pris la décision de limiter le nombre de voitures qui circulent en ville. En établissant certaines restrictions dans les rues et sur les autoroutes, la France espère ainsi diminuer les effets de la pollution sur la santé humaine et environnementale.

Qu'est-ce qui pousse les autorités à agir? En cas de pic de pollution, une circulation différenciée, qui permet uniquement aux véhicules les moins polluants de rouler, est mise en place.

Comment évaluer le niveau de pollution de votre voiture? Il faut aller sur le site web Service de Délivrance des Certificats Qualité de l'Air pour obtenir un certificat qualité de l'air, ou Crit'Air, qui coûte environ 4€ par voiture. «Le certificat de qualité de l'air est un document sécurisé qui permet de classer les véhicules en fonction des véhicules polluants.» Ce document classe votre voiture parmi les moins polluantes (un score entre 0 et 3) ou les plus polluantes (4-7). Si vous avez une voiture parmi les plus polluantes, vous n'aurez pas le droit de conduire pendant les jours de pics de pollution. Selon Olivier Blond, le Président de l'Association Respire, la circulation différenciée, d'après les études, diminue entre 5 et 10 % les émissions polluantes. Cette diminution a un effet mesurable sur la santé des humains. C'est-à-dire qu'il y aura moins de gens rendus malades par la pollution donc plus de vies sauvées. Il est donc crucial que ces systèmes visent à réduire la pollution à l'ozone dans ces villes.

Réflexion

Connaissez-vous quelqu'un qui conduit une voiture écologique? Quel type de voiture? Pour quelles raisons décide-t-on d'acheter une voiture écologique? Pourquoi tout le monde n'achète pas de voiture écologique? Qu'est-ce qui empêche les gens d'investir dans un véhicule écologique? Que feriez-vous si vous n'aviez pas le droit de conduire votre voiture?

Réflexion interculturelle

L'action que fait le gouvernement français nous rappelle notre responsabilité en ce qui concerne l'environnement. Qu'en pensez-vous? C'est la responsabilité de qui de protéger l'environnement? Est-ce que les élus *(elected officials)* de votre ville, État ou gouvernement prennent des mesures similaires? Si oui, lesquelles? Si non, pourquoi pas à votre avis?

Mon progrès interculturel

I can describe government measures taken to reduce automobile pollution in francophone cultures and in my community.

Découvrons 2

Donner des directives

L'Éco Club a créé une exposition d'affiches qui décorent les casiers de l'école pour encourager les élèves à améliorer leur vie.

SOYEZ
VERT!

Ne soyons pas spectateurs, mais acteurs de nos déchets!

Pour nous tous:
Ayons le courage de changer le monde.

Chère amie,
N'aie pas peur d'avancer lentement. Aie peur de rester immobile.

N'AIE PAS PEUR, MON AMI.
SOIS FORT! NOUS FAISONS UN EFFORT POUR T'AIDER.

Vous avez peur d'aider les autres?
N'ayez pas peur d'être différent. Ayez peur d'être pareil que tout le monde.
Soyez unique!

Détail linguistique

Les formules de politesse

N'oubliez pas que vous connaissez déjà quelques formules de politesse comme *veuillez* que vous pouvez utiliser dans la communication écrite formelle:

Veuillez agréer/recevoir l'expression de mes sentiments distingués.

Découvertes

Réfléchissez à ce que vous observez et répondez aux questions suivantes dans la représentation schématique sur Explorer.

1. Lisez les affiches attentivement.
2. Voyez-vous des expressions que vous connaissez déjà? Lesquelles?
3. Quelles similarities remarquez-vous entre les formes que vous connaissez et celles-ci? Pouvez-vous reconnaître de quels verbes il s'agit?
4. Partagez vos observations avec un(e) partenaire. Que remarquez-vous d'autre dans ces citations et que pouvez-vous ajouter aux observations de votre partenaire?

Je réfléchis...

veuillez patienter

Activité 23

Une émission de radio

Vous allez écouter une émission de radio où on va discuter des façons de devenir un(e) vrai(e) écocitoyen(ne). C'est une interview de Joseph Lapiste, qui vient de tourner un documentaire intitulé *Six moyens de protéger l'environnement*. Écoutez attentivement et faites une correspondance entre les idées de Monsieur Lapiste et l'importance ou la conséquence de chaque idée.

idée	importance/conséquence
1. Soyez prudent avec ce que vous faites des bouteilles en plastique.	A. On pollue l'air.
2. Veuillez débrancher vos appareils une fois chargés.	B. Les candidats responsables peuvent aider à sauver la planète.
3. Ne démarrez pas la voiture trop à l'avance les matins froids.	C. On n'a pas envie de gaspiller l'eau et payer trop pour l'énergie.
4. Soyez un bon citoyen aux élections.	D. Les océans sont menacés.
5. Veuillez prendre des douches plus courtes.	E. On peut informer nos voisins de l'importance de la protection de l'environnement.
6. N'ayez pas peur d'être membre d'un groupe écologique.	F. On gaspille l'énergie.

Activité 24

Soyez plus responsables!

Maggie voudrait communiquer à sa famille l'importance de l'environnement. Elle parle aux membres de sa famille pour qu'ils changent certaines habitudes environnementales. Écrivez les directives que Maggie donne pour chaque situation.

membre(s) de la famille	action	directive
Modèle: toute la famille et moi	être plus responsable	«Soyons plus responsables!»
Modèle: mon frère	recycler les bouteilles	«Recycle les bouteilles!»
mes parents	acheter des produits non-polluants	
toute la famille et moi	ne pas avoir peur de changer nos habitudes	
mon frère	ne pas jeter les produits réutilisables	
mes parents et mon frère	être attentif au gaspillage alimentaire	
mon frère	être un bon écocitoyen	
toute la famille et moi	ne pas gaspiller l'énergie	
mes parents	avoir un domicile respectueux de la Terre	

Mon progrès communicatif

I can suggest actions for protecting the environment.

J'avance 2

La Semaine de l'humanité

Pour célébrer la Semaine de l'humanité, votre communauté organise un concours. Votre club des environnementalistes décide d'y participer.

Étape 1: Lire

Lisez l'infographie de l'Organisation mondiale de la santé.

Mon progrès communicatif

I can understand an infographic about protecting the environment.

Étape 2: Écrire

Choisissez un thème de l'infographie qui vous semble le plus important et suggérez à la communauté plusieurs actions qu'il faut faire pour l'améliorer. Votre message sera affiché sur le panneau d'affichage lumineux *(school marquee sign)* devant votre école pour pouvoir le montrer aux membres de la communauté.

Mon progrès communicatif

I can suggest actions for protecting the environment.

AP® Étape 3: Parler

Une adjointe à l'environnement de votre commune a vu votre message sur le panneau d'affichage lumineux devant l'école et elle s'intéresse à vos suggestions. Elle vous pose plusieurs questions. Répondez-y pour lui donner plus d'informations.

Mon progrès communicatif

I can interact with others to justify an environmental project.

Allez sur Explorer pour trouver tous les documents nécessaires de ***J'avance***.

Bibliothèque universitaire de l'Institut de journalisme Bordeaux Aquitaine.

Comment dit-on? 3

Actions autour du monde

En 2015, 193 pays ont adopté dix-sept objectifs de développement durable (ODD). Pourquoi? Pour ne laisser personne *(leave no one behind)*, surtout les personnes vulnérables, combattre seul **la pauvreté, la faim, les inégalités**, les changements climatiques et pour **promouvoir** le développement durable jusqu'en 2030. Les ODD sont universels et s'appliquent à tous les pays. Les ODD reconnaissent le fait que les défis mondiaux nécessitent des solutions globales.

Quels sont ces dix-sept objectifs et à quoi servent-ils?

1. éliminer la pauvreté sous toutes ses formes
2. éliminer la faim
3. santé et bien-être
4. éducation de qualité
5. égalité des genres
6. eau potable et assainissement
7. énergie renouvelable pour tous
8. travail décent et croissance économique
9. innovation et infrastructure résiliente
10. réduction des inégalités
11. résilience des villes et des communautés
12. modes de consommation et de production durables
13. action contre les changements climatiques
14. conservation des océans
15. durabilité des écosystèmes
16. **paix** et justice
17. partenariats mondiaux

Comme les politiques (*policies*) nationales liées à ces thématiques auront un impact dans d'autres parties du monde, nous devons coordonner notre action.

La colombe est le symbole de la paix.

La pauvreté, c'est l'insuffisance de ressources pour répondre aux besoins de nourriture, de logement ou de vêtements.

La faim dans le monde continue, hélas, d'augmenter.

Détail linguistique

Quelques mots apparentés

combattre

éliminer

éradiquer

les genres (m. pl.)

nécessiter

potable

reconnaître

On peut aussi dire

en voie de développement

en voie de disparition

la croissance

La population du caribou de Peary n'est plus en croissance. Cette espèce est en voie de disparition.

Activité 25

Les défis mondiaux

Étape 1: Lire

Le journal de votre école voudrait publier un article au sujet des grands défis de notre planète. Une photographe a déjà pris de bonnes photos pour illustrer ces problèmes mondiaux. Pouvez-vous identifier le texte qui correspond à chaque image?

Modèle

La pollution de l'air provoque beaucoup de problèmes de santé.

A

B

C

D

E

F

1. Des ONG luttent contre la faim quand elles servent des repas gratuits à ceux qui en ont besoin.
2. Pour réduire la pollution, on consomme de préférence l'énergie renouvelable, par exemple l'énergie solaire et l'énergie éolienne.
3. Il faut respecter les autres et assurer l'égalité pour donner les mêmes opportunités à tout le monde.
4. Les océans doivent être protégés pour la santé mondiale.
5. Beaucoup de gens souffrent à cause de la pauvreté. Certaines personnes n'ont pas de maison ou d'appartement. Ces gens sont des sans-abris.
6. L'eau potable n'est pas facilement disponible dans toutes les communautés.

Étape 2: Parler

Maintenant, le journal invite un groupe d'élèves à essayer de trouver des solutions aux défis identifiés dans l'article. Avec un groupe, formulez des solutions possibles.

Modèle

Pour améloirer le problème de la pauvreté, il faut que le gouvernement construise plus de logements sociaux.

On pourrait aussi collecter des fonds pour les sans-abris.

Activité 26

Les trois piliers et la durabilité globale

En faisant une recherche sur la crise climatique, vous trouvez une vidéo qui parle directement de l'intégration des ODD et des trois piliers (social, économique, et environnemental) du développement durable. Vous l'écoutez pour vous préparer à une conversation avec Mme Pelletier, la directrice du Centre de l'Environnement Global à Genève, qui vient bientôt parler à votre classe de SVT.

Étape 1: Regarder

a. Regardez la vidéo; puis

b. Faites correspondre les déclarations suivantes de la vidéo au(x) pilier(s) approprié(s) (progrès social, croissance économique, protection environnementale) pour montrer l'intégration de chaque pilier.

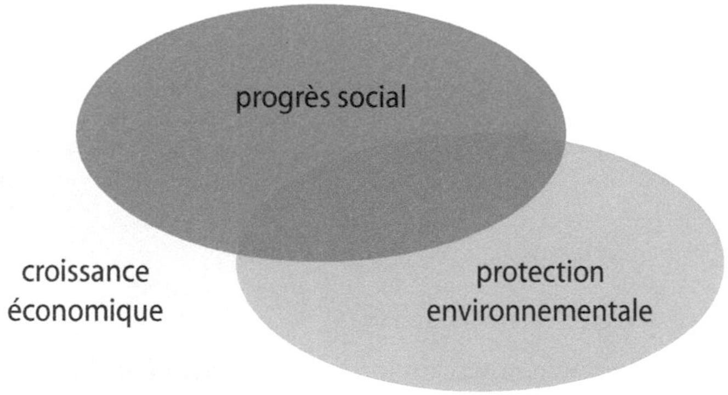

Modèle

«produire assez de nourriture pour tout le monde *[progrès social]* sans détruire notre sol ou gaspiller l'eau *[protection environnementale]*»

«(1) développer nos économies [________________] (2) sans accroître nos inégalités [________________]»

«(3) produire assez d'électricité pour tout le monde [________________] (4) sans émettre de dioxyde de carbone [________________]»

Mon progrès communicatif

I can exchange information about sustainable development.

Expressions utiles

sans (aucun) doute

...y compris...

Mon progrès communicatif

I can understand an informational video about sustainable development.

Détail linguistique

Le suffixe *-able*

À l'aide du suffixe *-able* on peut transformer un verbe en adjectif:

biodégrader ⟶ biodégradable

durer ⟶ durable

recycler ⟶ recyclable

renouveler ⟶ renouvelable

Étape 2: Écrire

a. À côté de chaque idée de la représentation schématique, dessinez une image qui la représente; puis

b. Expliquez pourquoi chaque affirmation nécessite une action globale.

idée	dessin	explication
Modèle: garantir un accès aux soins pour les communautés rurales		Si on peut garantir un accès aux soins pour les communautés rurales, la population de ces communautés pourra aller à l'école et travailler plus. Elles auront accès à de meilleurs emplois.
garantir l'accès à l'éducation aux peuples indigènes		
créer des emplois pour les femmes et les hommes		
garantir une eau potable		
garantir des services d'assainissement pour les personnes vivant avec un handicap		

On peut aussi dire

lutter contre

les peuples (m. pl.) indigènes

une population marginalisée

Activité 27

Que pourrait-on faire?

Vous lisez des blogs écrits par de jeunes écocitoyens du monde entier qui partagent ce qu'ils observent là où ils habitent. Complétez le tableau en identifiant l'ODD, en cochant (✔) le pilier approprié et en proposant une solution aux défis.

Blog n°1:

Une famille se nourrit presque exclusivement de poisson. Avant, on pouvait simplement aller au marché et acheter du poisson frais pour les repas. Maintenant, à cause du réchauffement de l'eau et de la demande des marchés internationaux, il n'y a plus assez de poisson pour les habitants du pays. Que pourrait-on faire?

Blog n°2:

Un blogueur adore faire du ski. Il vous explique que les avalanches deviennent de plus en plus nombreuses et meurtrières (létales) à cause de la hausse des températures. Que pourrait-on faire?

Blog n°3:

Deux jeunes étudiants viennent d'obtenir un travail dans la même société. Un des étudiants est une jeune femme et l'autre un jeune homme. Leurs responsabilités sont identiques et ils font exactement le même travail pendant le même nombre d'heures. Leur salaire n'est cependant pas le même... Que pourrait-on faire?

Blog n°4:

Un blogueur écrit que suite à l'installation d'une nouvelle usine, il est à présent interdit d'aller nager dans le lac de sa communauté à cause des polluants présents dans l'eau. Que pourrait-on faire?

Blog n°5:

Un jeune homme qui travaille dans un restaurant est furieux car son patron continue d'utiliser des pailles en plastique. Il lui a expliqué l'impact des pailles sur l'environnement, mais le patron refuse de changer. Que pourrait-on faire?

Scénario	Quel ODD est décrit?	Choisissez le pilier approprié.	Que pourrait-on faire pour améliorer cette situation?
1	**Modèle** éliminer la faim; santé et bien-être; modes de consommation durable	☑ économique ☑ environnemental ☑ social	On pourrait essayer de limiter l'exportation de poissons pour les marchés internationaux.
2		❑ économique ❑ environnemental ❑ social	
3		❑ économique ❑ environnemental ❑ social	
4		❑ économique ❑ environnemental ❑ social	
5		❑ économique ❑ environnemental ❑ social	

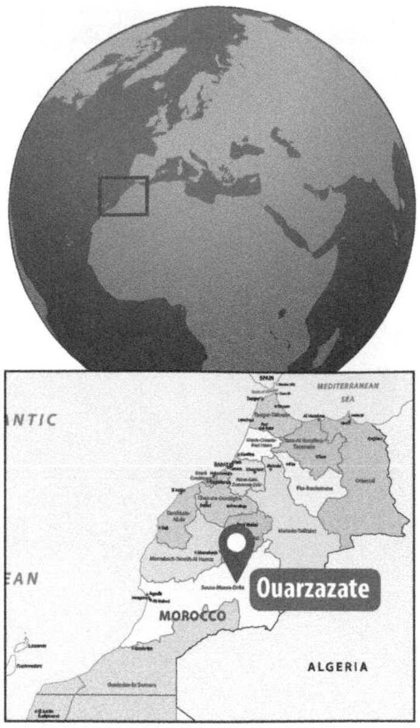

Zoom culture

Produit culturel: Les panneaux solaires au Maroc

Connexions

Pourquoi est-il essentiel de développer des modèles à base d'énergie propre? Comment votre communauté essaye-t-elle de développer des modèles à base d'énergie propre?

Ouarzazate, ville touristique marocaine connue surtout pour ses grands tournages cinématographiques comme *La momie*, *Gladiator*, ou *Les nouvelles aventures d'Aladin*, devrait dès 2020 accueillir la plus grande centrale solaire au monde appelée "NOOR Ouarzazate".

La ville qui est située au bord d'un désert, sera désormais le site de quatre énormes centrales solaires qui devraient produire la moitié de l'électricité du pays dès 2020.

Comme le Maroc ne dispose que de peu de ressources en énergie fossile, le pays dépend presque entièrement de l'extérieur pour son énergie. La réponse du pays à ce manque de ressources: le plan solaire marocain qui a été lancé en 2009.

Ce projet permettra de:

- réduire la dépendance énergétique du Royaume et renforcer sa capacité de production électrique;
- réduire l'impact négatif des importations d'énergie fossile sur le budget de l'État et sur la balance commerciale du royaume;
- maîtriser une ressource nationale: le Maroc bénéficie d'un taux d'ensoleillement exceptionnel; et
- favoriser la création d'une nouvelle filière solaire au Maroc.

Grâce à ce projet, le Maroc s'impose comme un pays leader dans le domaine des énergies propres et durables!

Réflexion

Comment votre famille proche essaye-t-elle de préserver l'énergie? Citez quelques exemples concrets. Quel est l'impact à court terme et à long terme de vos efforts? Que pourriez-vous faire d'autre pour avoir un impact plus considérable? Que faudrait-il mettre en place afin que cela devienne une réalité?

Mon progrès interculturel

I can describe the benefits of a solar energy project and compare it to clean energy projects in the francophone world and in my community.

Réflexion interculturelle

Selon vous, existe-t-il dans votre communauté un plan ou un projet à base d'énergie propre? Et ailleurs dans le monde, y a-t-il des projets similaires à la centrale solaire marocaine? Où? Pouvez-vous présenter les grandes lignes de ces projets? Existe-t-il de nombreuses centrales solaires dans le monde francophone? Où ces centrales solaires se trouvent-elles? Y a-t-il une explication logique en ce qui concerne la localisation de ces centrales?

Découvrons 3

Exprimer ce que nous savons, ce que nous connaissons et qui nous connaissons

Maggie et les membres de l'Éco Club ont créé une présentation dont le sujet est «Savez-vous être un(e) citoyen(ne) responsable?».

Images licensed courtesy of Vyond™

Savez-vous qu'il y a des millions de gens dans ce pays qui vivent dans un état de pauvreté?

Nous **connaissons** plusieurs membres de notre communauté qui préfèrent l'énergie solaire. Et vous? **Connaissez**-vous les sources d'énergie dans votre communauté?

Nous **savons** que l'inégalité n'est jamais acceptable.

Est-ce que vous **connaissez** des familles qui utilisent l'énergie renouvelable?

Savez-vous où les changements climatiques provoquent des problèmes? Il le **sait**! Partout!

Je **connais** des villes et des pays qui montent de grands projets de développement durable. Et vous?

Je **sais** construire des maisons et tu **sais** faire du jardinage. Nous pouvons améliorer les choses ensemble!

Découvertes

Réfléchissez à ce que vous observez et répondez aux questions suivantes dans la représentation schématique sur Explorer.

1. Regardez les photos et observez les mots en caractères gras.
2. Voyez-vous des expressions que vous connaissez déjà? Lesquelles?
3. Quel type de mot suit *connais, connaissons* et *connaissez*?
4. Dans quels contextes utilise-t-on *sais, sait, savons* ou *savez*?
5. Partagez vos observations avec un(e) partenaire. Que remarquez-vous d'autre dans ces citations et que pouvez-vous ajouter aux observations de votre partenaire?

Détail linguistique

Quelques mots empruntés

L'anglais a emprunté plusieurs mots au français qui sont reliés aux verbes savoir et connaître, tels que *savvy, savant, savoir-faire, savoir-vivre* et *connaisseur* (aussi épelé *connoisseur*). Savez-vous en faire des phrases en anglais?

Activité 28

Je sais ou je connais

Vous lisez un test sur internet au sujet de vos connaissances sur les défis mondiaux. Complétez les phrases avec «je sais» ou «je connais». Ensuite, cochez (✔) les phrases qui sont vraies pour vous individuellement.

www.ecoinfo.fr

- ○ ________ que le développement doit être durable.
- ○ ________ des personnes qui cultivent des fruits et des légumes chez elles.
- ○ ________ où acheter les produits écologiques.
- ○ ________ une ville qui aide les gens qui vivent dans la pauvreté.
- ○ ________ un film qui parle du réchauffement climatique.
- ○ ________ cuisiner avec des produits locaux.
- ○ ________ que les inégalités existent toujours dans le monde.
- ○ ________ pourquoi il faut être conscient des défis mondiaux.

Entre 0 et 2 coches: Vous pourriez approfondir vos connaissances. Pourquoi ne pas regarder ou lire les infos un peu tous les jours pour mieux connaître les défis mondiaux et ceux de votre communauté? Parlez avec les autres et écoutez attentivement en cours. Il faut travailler tous ensemble pour améliorer notre monde.

Entre 3 et 5 coches: Vous connaissez assez bien les défis mondiaux. On pourrait toujours être un peu plus informé, donc essayez de trouver de nouvelles sources où vous pourrez en apprendre plus au sujet des défis dans le monde et leurs effets dans votre communauté. Rappelez-vous: avec plus de connaissances, on peut trouver de meilleures solutions.

Entre 6 et 8 coches: Très bien! Vous connaissez parfaitement les défis mondiaux et ceux de votre communauté. Il est nécessaire que vous partagiez ce que vous savez avec les autres. Écrivez des messages sur les réseaux sociaux et partagez vos connaissances en cours. Comme ça, vous pourrez aider les autres à comprendre les défis et commencer à trouver de nouvelles solutions.

Mon progrès communicatif

I can understand a podcast about ecological challenges.

Activité 29

La réunion mensuelle

Chaque mois, les membres de la communauté de Maggie ont une réunion pour discuter des problèmes et des soucis de leur région. Ce mois-ci, il y a deux invités spéciaux: Anne Tremblay, directrice de l'organisation Éco-Québec et monsieur Jacques Lemaire, professeur de sciences au lycée Champlain.

a. Écoutez le podcast qui présente une discussion des défis écologiques de la région; puis

b. Faites une correspondance entre les sujets et les actions dans les deux colonnes.

les sujets

1. Nous (les membres de la communauté)
2. Nous (les Québécois)
3. Les usines du Québec
4. Mme Tremblay
5. Les propriétaires des usines
6. M. Lemaire
7. Les citoyens et la municipalité de Montréal

les actions

A. exportons une grande quantité d'énergie

B. connaît personnellement des propriétaires

C. savent réduire la pollution

D. connaissons bien notre région

E. promettent de réduire les émissions toxiques

F. produisent beaucoup de pollution de l'air

G. savons qu'il y aura de grands défis

H. connaît la ville de Montréal

I. savons que nous ne manquons pas d'eau

J. sait que la pollution de l'air est une assez grande menace

K. construisent de plus en plus de transports en commun

L. luttent contre la pollution

Activité 30

Un test sur les défis mondiaux

Le conseil des élèves a créé un petit test pour évaluer le niveau de connaissances parmi les autres élèves et les profs sur ce sujet. Lisez ces cartes avec les questions. Après, posez les questions à votre groupe et répondez individuellement.

Savez-vous réduire la quantité de déchets chez vous?

Connaissez-vous quelqu'un qui soutient une ONG écologique?

Est-ce que vous savez où les gens peuvent acheter des produits biologiques?

Est-ce que vous connaissez une ville où on promeut souvent les transports en commun?

Savez-vous combien d' espèces menacées il y a dans l'écosystème de votre communauté?

Connaissez-vous une ville où il y a ou avait des problèmes avec l'eau potable? Lesquels?

Connaissez-vous quelqu'un qui a souffert à cause de l'inégalité?

Est-ce que vous savez si on développe de l'énergie renouvelable dans votre communauté?

Activité 31

Les écocitoyen(ne)s

Étape 1: Regarder

Regardez encore les clips vidéo de Clément, de Maggie et de Lily qui parlent de leur vie en tant qu'écocitoyen(ne)s.

a. Notez ce que les blogueurs savent au sujet de l'environnement et comment ils mènent une vie écoresponsable.

b. Ajoutez ce que vous savez au sujet de l'écoresponsabilité et comment vous agissez pour mener une vie écoresponsable.

personne	les problèmes environnementaux que la personne connaît	comment on peut mener une vie écoresponsable
Clément		
Maggie		
Lily		
vous		

Mon progrès communicatif

I can propose and justify a community project related to sustainable development.

Étape 2: Parler

Laissez un message vocal pour un organisme environnemental où vous aimeriez faire un stage. Mentionnez le suivant:

- Comment vous connaissez l'organisme et ce qu'ils font comme travail;
- Ce que vous savez faire;
- Ce que vous savez au sujet de l'écoresponsabilité; et
- Ce que vous pouvez faire pour l'organisme.

J'avance 3

Nous agissons pour le bien de tous

La mairie de Saint-Hyacinthe organise une assemblée publique sur le thème du développement durable. Comme la mairie fait appel aux idées des membres de la communauté en ce qui concerne les problèmes locaux, vous décidez d'y aller avec votre bande de copains dans le but d'obtenir de plus amples informations.

AP® Étape 1: Regarder

Les organisateurs de l'assemblée publique commencent par montrer une vidéo des Nations unies. Regardez la vidéo qui parle des objectifs de développement durable.

Mon progrès communicatif

I can understand an informational video about sustainable development.

Étape 2: Écrire

À la fin de l'assemblée, les organisateurs font appel aux participants et leur demandent d'établir les besoins les plus urgents de la communauté et de suggérer quelques solutions. Vous vous inspirez de la vidéo des Nations unies et en particulier des thèmes abordés afin de compléter le formulaire distribué par les organisateurs.

Mon progrès communicatif

I can propose and justify a community project related to sustainable development.

AP® Étape 3: Parler

La mairie a retenu votre projet, mais vous devez lui fournir plus de détails en ce qui concerne votre projet communautaire.

Mon progrès communicatif

I can exchange information about sustainable development.

Allez sur Explorer pour trouver tous les documents nécessaires de ***J'avance***.

Synthèse de grammaire

1. Expressing What One Must Do: *Exprimer ce qu'il est nécessaire de faire*

Following expressions of necessity, such as ***il faut que*** and ***il est nécessaire que, le subjonctif*** will be used.

To form it for most verbs, drop the letters ***-ent*** from the ***ils/elles*** form of the ***présent*** of ***-er***, ***-ir***, and ***-re*** verbs and add the following endings:

-e	-ions
-es	-iez
-e	-ent

Il faut que nous **recyclions** chaque jour.

Il est nécessaire que vous **limitiez** le gaspillage alimentaire.

Three frequently-used verbs, ***aller***, ***faire***, and ***être***, are irregular in ***le subjonctif***.

aller	
aille	allions
ailles	alliez
aille	aillent

faire	
fasse	fassions
fasses	fassiez
fasse	fassent

être	
sois	soyons
sois	soyez
soit	soient

Il est nécessaire que tout le monde **aille** aux lacs non pollués.
It is necessary that everyone go to unpolluted lakes.

Il faut que nous **fassions** un effort pour soutenir le mouvement écologique.
It is necessary that we make an effort to support the ecological movement.

Il faut que les voitures **soient** plus écologiques.
It's necessary that cars be more eco-friendly.

2. Giving Instructions: *Donner des directives*

In ***EntreCultures 2***, you learned how to use ***l'impératif*** to make commands with regular verbs and that there are three conjugated forms of ***l'impératif***: ***tu***, ***nous*** and ***vous***.

Three frequently-used verbs, ***être***, ***avoir***, and ***vouloir***, have irregular command forms.

Être

Ne **soyez** pas en retard!
Don't be late!

Sois efficace et utilise les produits biodégradables.
Be efficient and use biodegradable products.

Avoir

Ayons un monde où on ne gaspille pas les ressources.
Let's have a world where we don't waste resources.

N'**aie** pas peur d'adopter des habitudes plus écologiques.
Don't be scared of adopting more environmentally-friendly habits.

Vouloir

Veuillez contribuer aux organisations vertes.
We ask that you contribute to green organizations.

Here are the three imperative forms of ***être***, ***avoir***, and ***vouloir***.

verbe	tu	nous	vous
être	sois	soyons	soyez
avoir	aie	ayons	ayez
vouloir	———	———	veuillez*

**This is the one imperative form that is regularly used.*

3. Expressing What and Whom We Know: *Exprimer ce que nous savons, ce que nous connaissons et qui nous connaissons*

In French, there are two different verbs you need to use to express knowing something or someone. Use ***savoir*** to express facts that we know and things we know how to do. It is commonly followed by ***que*** to express "to know that…," other question words (***qui, où, pourquoi,*** etc.), or an infinitive to express knowing how to do something.

je sais	nous savons
tu sais	vous savez
il/elle/on sait	ils/elles savent

Tu sais que nous allons au cinéma ce soir, n'est-ce pas?
On ne sait pas pourquoi ils ne recyclent pas.
Mes parents savent parler anglais.

Connaître is used to express the people we know and our familiarity with things and places. It's always followed by a noun.

je connais	nous connaissons
tu connais	vous connaissez
il/elle/on connaît	ils/elles connaissent

Je ne connais pas bien Montréal.
Mes amis et moi, **nous connaissons** le cousin de Paul.
Tu connais la musique de Céline Dion?

Vocabulaire

Comment dit-on? 1: Écocitoyenneté

Moi, j'agis!

le collecteur	*l'endroit (m.) où l'on dépose des objets réutilisables*
débrancher	*déconnecter d'une source d'électricité ou d'une autre source d'énergie*
les déchets (m. pl.)	*ce qui n'est plus nécessaire*
le déplacement	*le fait d'aller d'un endroit à un autre*
en charge	*être branché à une source d'électricité ou à autre source d'énergie*
éteindre	*mettre en position de non-utilisation; le contraire d'allumer*
favoriser	*préférer quelque chose ou quelqu'un*
le recyclage	*la réutilisation d'objets (au lieu de jeter ces objets)*
trier	*faire une sélection par catégories*
vider la corbeille	*supprimer définitivement des fichiers, photos ou e-mails dont on n'a plus besoin*

Nous agissons ensemble

agir	*faire quelque chose*
le développement durable	*le développement que l'on peut maintenir pour une longue durée*
le pilier	*un support vertical dans une construction; une idée essentielle*

Comment dit-on? 2: Notre impact individuel et collectif

Prendre conscience de son impact

l'assainissement (m.)	*la purification*
l'eau (f.) potable	*l'eau (f.) de qualité saine à consommer*
économiser l'énergie (f.)	*le contraire de dépenser l'énergie*
le logement	*l'endroit (m.) où l'on peut vivre (par ex., maison ou appartement)*
prévenir	*empêcher, informer*
le produit chimique	*l'article (m.) fabriqué, pas naturel*

Expressions utiles

au niveau (de/d')	*en ce qui concerne*
concernant	*à propos de/d'*

À nous maintenant!

avoir accès à	*qui permet d'aller à un endroit, à un événement*
le bruit	*le son créé par un objet ou une machine*
le changement climatique	*le réchauffement ou refroidissement des températures au cours du temps*
élire	*choisir ou voter pour quelqu'un ou quelque chose*
émettre	*polluer, produire*
se rendre compte de/d'...	*prendre conscience de/d'...*
l'usine (f.)	*l'endroit (m.) où on fabrique des objets ou des produits*

Comment dit-on? 3: Actions autour du monde

la faim	*la sensation d'avoir besoin de manger*
l'inégalité (f.)	*la situation où certain(e)s ont plus de droits ou de ressources que d'autres*
la paix	*le contraire de la guerre; l'état (m.) ou la période calme*
la pauvreté	*le manque d'argent*
promouvoir	*élever à un niveau supérieur; encourager*

Expressions utiles

sans doute	*probablement, vraisemblablement*
sans aucun doute	*certainement, sûrement*
...y compris...	*...inclus(e)...*

J'y arrive

Questions essentielles

- What is my role as an eco-friendly citizen?
- Why does sustainability matter and how do my actions impact the future?
- How are the beliefs of community members reflected in their actions regarding the environment in francophone communities and my own?

Un projet mondial pour le bien-être de tous

Vous organisez vos idées pour une réunion des Nations unies des lycéens où vous devrez persuader votre auditoire d'accepter votre idée pour avoir un impact positif dans votre communauté et dans le monde.

Avant de commencer **J'y arrive**, familiarisez-vous avec les critères d'évaluation sur Explorer.

Allez sur Explorer pour trouver tous les documents nécessaires de **J'y arrive**.

Interpretive Assessment

Informez-vous des initiatives de l'ONU

Vous lisez les dix-sept objectifs de développement durable sur la page web des Nations unies pour vous inspirer.

Interpersonal Assessment

Discutez-en pour développer votre idée

Discutez de vos choix avec un autre élève. Regardez ses choix et choisissez-en un ou deux. Enregistrez votre conversation sur Explorer.

Presentational Assessment

L'art de la persuasion

Le moment est venu de présenter votre projet responsable aux Nations unies du lycée. Il est nécessaire que votre essai soit précis, concret et persuasif.

UNITÉ 5
La quête de soi

Objectifs de l'unité

Exchange information about past experiences and other factors that affect personal identity.

Read, view, and listen to authentic texts, such as charts, infographics, videos, ads, and articles to gain insights into different facets of personal identity.

Create a short biography that includes important facets of your identity and present advice about making positive decisions.

Investigate how people in francophone cultures express their individuality and compare to your community.

Questions essentielles

What makes me unique?

How do people express their individuality in my community and in francophone communities?

How do the choices we make define who we are?

Pouvoir exprimer son identité personnelle librement au sein de sa communauté et ailleurs est un droit essentiel. De nombreux facteurs, y compris les décisions que nous prenons tous les jours, affectent qui nous sommes fondamentalement. Dans cette unité, Charles nous parle de son individualité et des différentes manières dont il l'exprime.

Nom: Charles

Langues parlées: français, anglais, espagnol

Origine: Nantes, France

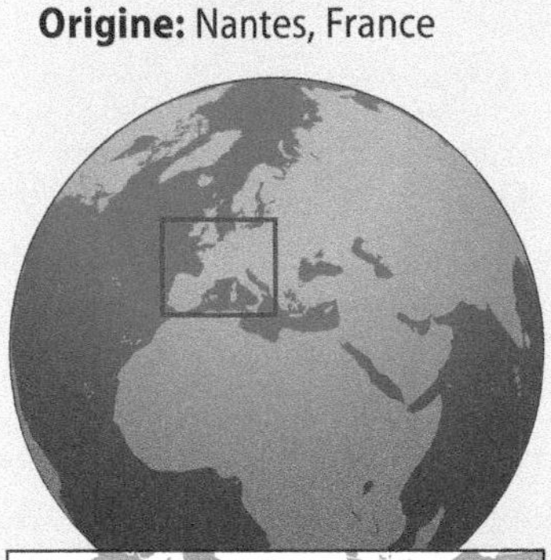

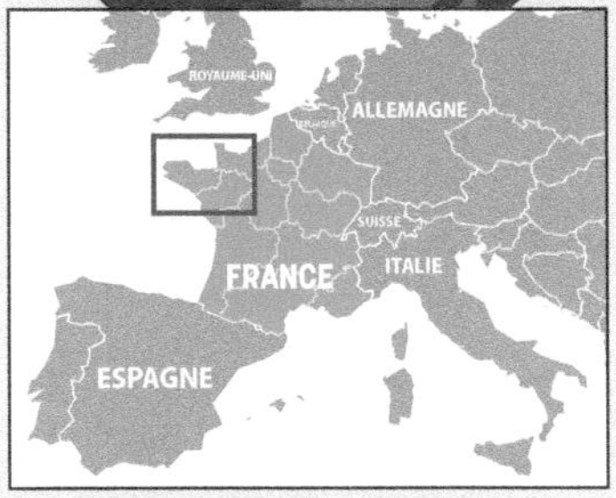

L'île de Nantes est une île située au centre de la ville de Nantes, capitale des Pays de la Loire.

Rencontre interculturelle

Nantes, capitale des Pays de la Loire, France

La ville de Nantes se situe en Loire-Atlantique, à 51 km de la côte atlantique. Se trouvant sur la rivière de la Loire, Nantes est connue non seulement pour ses paysages, ses galeries d'art, ses musées et ses châteaux, mais aussi pour ses 250 km de rivières et ruisseaux, ses 100 parcs et ses 485 km de pistes cyclables.

Élue capitale verte de l'Europe en 2013, la ville offre une qualité de vie exceptionnelle et continue de promouvoir le développement durable surtout en ce qui concerne les transports publics, la biodiversité, la gestion de l'eau et le climat.

Si vous avez la chance un jour de passer par cette ville magnifique, il faut absolument que vous visitiez les endroits suivants: les machines de l'île de Nantes - un endroit à la fois artistique et touristique, la cathédrale Saint-Pierre-et-Saint-Paul, ainsi que le Jardin des plantes.

Si vous en avez le temps, passez aussi par le Nid, situé au 32e étage de la Tour Bretagne, afin d'avoir une vue panoramique de la ville et de ses environs ou faites un petit tour au port de plaisance situé en plein cœur de la ville.

Vous pouvez aussi, si vous le voulez, tout simplement suivre la ligne verte, peinte à même le sol, qui vous emmènera voir tous les endroits pittoresques nantais (*of Nantes*).

Finalement, on ne peut pas parler de Nantes sans évoquer le Petit Beurre Lu inventé en 1886 par Louis Lefèvre-Utile. Depuis plus de 140 ans, ce biscuit est probablement le plus célèbre des biscuits français! Le biscuit est inspiré d'un napperon (*doily*) et contient plusieurs symboles:

- quatre coins (certaines personnes les appellent "oreilles") - un pour chaque saison;
- 52 dents - une pour chaque semaine de l'année; et
- 24 petits trous - un pour chaque heure de la journée.

Bonne visite!

Le château de Chenonceaux

Le Petit Beurre

Un projet artistique, culturel et touristique

Le château de Chambord

La ligne verte

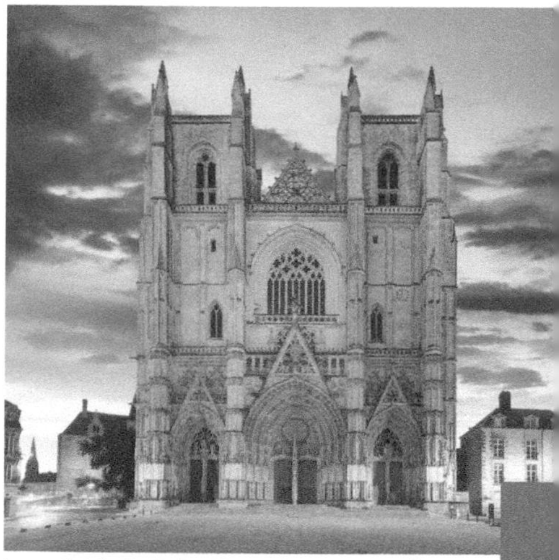
La cathédrale Saint-Pierre-et-Saint-Paul

Activité 1

À la découverte de Nantes!

Étape 1: Lire et écrire

Vous allez visiter les Pays de la Loire avec votre famille. Vous lisez la description de la **Rencontre interculturelle** pour suggérer des activités ou des endroits spécifiques selon ce qui intéresse chaque membre de votre famille.

- Votre père adore l'histoire. Vous lui suggérez de...
- Votre grand-mère s'intéresse à la botanique. Elle pourra aller...
- Vous aimez l'eau et les bateaux. Vous irez...
- Votre petit frère aime manger des sucreries. Vous lui suggérez d'acheter un paquet de...

Étape 2: Écrire

Après votre visite, vous avez téléchargé les photos que vous avez prises sur les réseaux sociaux. Écrivez quelques phrases qui résument votre visite ou illustrent vos photos.

Modèle

Altitude Drone / Alamy Stock Photo

Quelle visite mémorable! Ma famille et moi avons particulièrement apprécié de pouvoir voir Nantes du 32e étage de la Tour Bretagne!

Le Nid

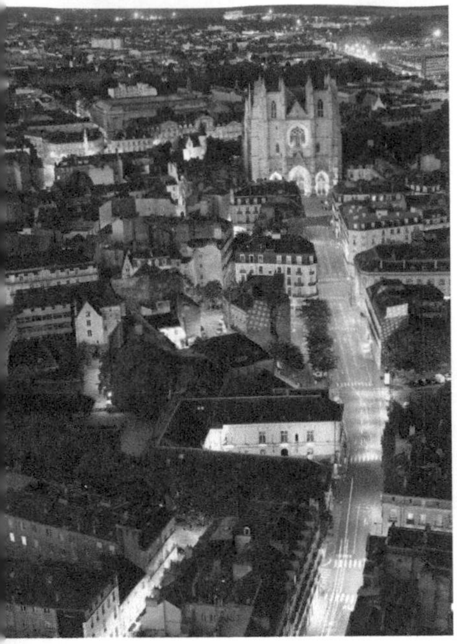

Activité 2

À la rencontre de notre blogueur!

Regardez la vidéo dans laquelle Charles nous parle de sa famille, de sa journée, de ses activités principales et de son école.

Étape 1: Écouter et décider

Choisissez l'image qui correspond à la famille de Charles. (Charles n'est pas dans la photo.)

A

B

C

D

E

Étape 2: Écrire

Écrivez les trois faits les plus importants de sa présentation.

1. Charles nous présente...
2. Après, il nous explique qu'...
3. Finalement, il nous parle de...

Salut, je m'appelle Charles.
Je fais du tennis depuis neuf ans.
J'ai deux sœurs.
J'habite à Nantes.

Charles a treize ans. Il habite en France avec ses deux sœurs et ses parents.

Charles et son père sont sportifs. Ils font du bateau à voile et ils jouent au tennis ensemble. La mère de Charles aime faire la cuisine et travailler.

Le tennis est l'activité principale de Charles. Il en fait depuis neuf ans. Il aime beaucoup ça et il compte bien continuer. Charles aime aussi le foot, la guitare et le ski.

Il y a vingt-huit élèves dans sa classe. Charles aime bien sa classe et ses professeurs, même s'ils sont sévères. Charles a de bons copains dans sa classe. Il aime aller à la piscine avec ses copains, aller chez eux ou faire des soirées pyjama.

Place Royale, Nantes

Nantes

Les Anneaux, symbole de l'abolition de l'esclavage

Le château d'Amboise

Activité 3

AP® Charles et la ville où il habite

Répondez aux questions suivantes d'après les informations dans le texte de la **Rencontre interculturelle** et la vidéo de Charles. Pour chaque question, choisissez la meilleure réponse et indiquez-la sur Explorer.

1. D'après sa description, Charles est plutôt...
   a. artistique
   b. musicien
   c. athlétique
   d. ambitieux

2. Le Petit Beurre, c'est ...
   a. un château médiéval
   b. un petit gâteau
   c. une galerie d'art nantaise
   d. un parc nantais

3. Pour visiter la ville de Nantes, on peut...
   a. suivre la ligne verte
   b. faire un tour en bateau
   c. aller au 32e étage de la Tour Bretagne
   d. visiter le château des ducs de Bretagne

4. Les professeurs de Charles sont...
   a. stricts
   b. compréhensifs
   c. accommodants
   d. charmants

5. Charles et ses copains aiment...
   a. faire des soirées pyjama
   b. étudier ensemble
   c. jouer au tennis
   d. faire du bateau à voile

Mon progrès interculturel

I can compare how a francophone teen and I choose to spend free time.

Réflexion interculturelle

Dans sa présentation, Charles nous parle de sa famille, de ses activités préférées, de ses professeurs et de ses amis. Il nous explique qu'il aime faire du bateau à voile avec son père, Frédéric. À votre avis, où Charles et Frédéric font-ils de la voile? Est-ce qu'il est possible de faire de la voile là où vous habitez? Pourquoi? Pourquoi pas? À part du bateau à voile, quel(s) autre(s) sport(s) nautique(s) peut-on probablement faire dans cette région? Pourquoi est-il important de faire du sport ou des activités avec ses parents ou avec ses amis?

Le château des ducs de Bretagne

Rappelle-toi

Activité 4

Devenir famille d'accueil bénévole

Vous recevez des informations sur la possibilité d'accueillir un(e) élève international(e) chez vous pendant un semestre. Vous considérez les caractéristiques idéales d'une famille d'accueil.

Devenir famille d'accueil bénévole : une expérience interculturelle unique.

Accueillir un lycéen étranger chez soi permet non seulement de découvrir une nouvelle culture mais également de partager la vôtre en retour. Devenir famille d'accueil est aussi l'occasion pour vos enfants d'être de véritables ambassadeurs de la culture française en faisant découvrir à leur frère ou soeur d'accueil nos traditions et nos coutumes. Préparer un repas, partir en excursion dans la région… tout devient une opportunité de partage et de redécouverte de votre propre culture. C'est ce que nous appelons l'effet AFS !

Une expérience de découverte

Accueillir un lycéen étranger chez soi c'est partager ses traditions et ses coutumes, puis redécouvrir son territoire à travers le regard d'une autre nationalité. Vous devenez de véritables ambassadeurs de la culture française !

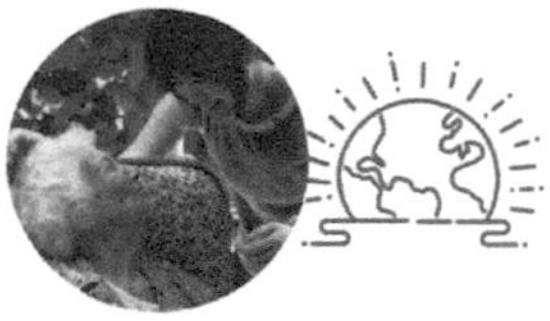

Une expérience internationale

Devenir famille d'accueil d'un étudiant étranger en immersion c'est aussi l'occasion de découvrir une autre culture, d'autres traditions et coutumes. Par cette expérience inoubliable, des liens se tissent avec avec de jeunes étrangers et leur famille. Vous devenez une famille du monde.

Une expérience humaine

Préparer un repas, partir en excursion, apprendre les subtilités de la langue française au quotidien : tout devient une opportunité de partage autour d'une expérience interculturelle qui reste inoubliable.

Répondez au questionnaire de l'organisation des familles d'accueil pour voir si vous comprenez bien les responsabilités. Indiquez si les phrases suivantes sont vraies ou fausses selon le document. Corrigez les phrases qui sont fausses.

1. Les familles d'accueil sont payées.
2. Notre organisation suggère aux familles de voyager dans la région et d'inviter l'élève international à participer à la préparation de repas.
3. La famille d'accueil apprend de nouvelles choses sur son pays grâce au jeune étranger.
4. Le jeune étranger et la famille apprennent beaucoup sur les aspects culturels et linguistiques des deux pays.
5. Il est nécessaire de parler la langue du lycéen que vous accueillez.

Détail linguistique

Les familles de mots

accueil

accueillir

accueillant(e)

Rappel

La possession

mon/ma/mes

ton/ta/tes

son/sa/ses

notre/nos

votre/vos

leur/leurs

Sylvette nous parle de sa région.

Rappel

Votre environnement

l'appartement (m.)

le climat

l'école (f.)

l'île (f.)

la maison

le pays

le quartier

la région

la rue

la ville

Rappel

Les caractéristiques

accueillant(e)

bilingue

compréhensif/compréhensive

fidèle

indépendant(e)

motivé(e)

organisé(e)

sociable

travailleur/travailleuse

Activité 5

Éléments avantageux pour accueillir

Il y a des éléments qui sont avantageux quand on veut accueillir un lycéen international. Notez quelques éléments que vous et les personnes dans votre vie possédez qui vous permettraient de bien accueillir quelqu'un.

Modèle

Notre maison est grande. Nous avons trois chambres et notre sœur est à l'université, alors l'élève étranger peut utiliser sa chambre.

Mon quartier est très sympa. Ma ville est petite et les gens sont très accueillants.

- vous
- vous et votre famille
- votre pote
- d'autres ami(e)s

Détail linguistique

Le subjonctif ou l'infinitif?

Il faut que tu **sois** sympathique.

Il est nécessaire que j'**aie** une bonne attitude.

Il faut **faire** des efforts pour trouver des activités intéressantes.

Activité 6

Éléments obligatoires pour accueillir

Il y a aussi des éléments qui sont absolument obligatoires pour réussir un accueil.

a. Parlez avec d'autres élèves des aspects de votre personnalité, de votre environnement ou de votre expérience comme voyageur qui seraient obligatoires si vous décidiez d'accueillir un élève international chez vous.

b. Choisissez quelques personnes de votre groupe ou de votre classe qui sont les mieux préparées pour accueillir.

Modèle

Il faut avoir une chambre pour le lycéen.

Il est nécessaire de faire des visites culturelles ensemble.

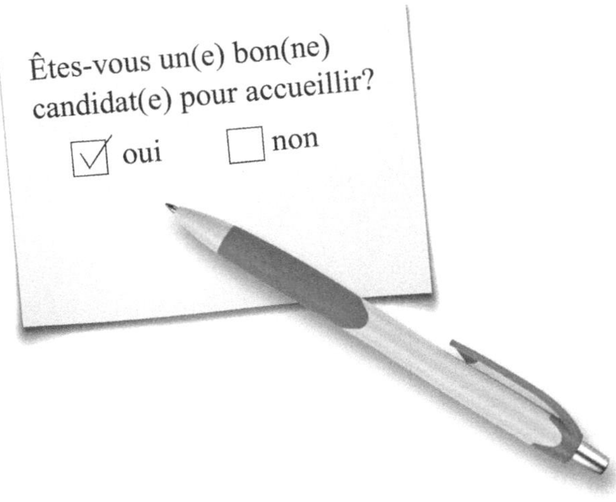
Êtes-vous un(e) bon(ne) candidat(e) pour accueillir?
oui
non

Rappelle-toi

Les défis quand on voyage

connaître
le défi
essayer
faire face à (quelque chose)
reconnaître
savoir (faire quelque chose)

Bien recevoir quelqu'un à la maison

accueillir
aider
apprendre
conseiller
déménager
découvrir
donner un coup de main
dynamique
énergique
garder l'esprit ouvert
gérer
identifier
s'intéresser
réaliser
réconforter
se sentir
soutenir
tenter de nouvelles choses

Notre environnement

l'appartement (m.)	le pays
le climat	le quartier
l'école (f.)	la région
l'île (f.)	la rue
la maison	la ville

Quelques caractéristiques

accueillant(e)
bilingue
compréhensif/compréhensive
fidèle
indépendant(e)
motivé(e)
organisé(e)
sociable
travailleur/travailleuse

C'est à qui?

mon/ma/mes	notre/nos
ton/ta/tes	votre/vos
son/sa/ses	leur/leurs

Expressions utiles

être en train de/d'...
c'est important de/d'...
il est important de/d'...
il faut (faire quelque chose)
il faut que/qu'...
il est nécessaire de/d' (faire quelque chose)
il est nécessaire que/qu'...
soyez le/la/les bienvenu(e)(s)

On peut aussi dire

Des convictions

agnostique
l'agnosticisme (m.)

athée
l'athéisme (m.)

bouddhiste
le bouddhisme

catholique
le catholicisme

chrétien(ne)
le christianisme

hindou(e)
l'hindouisme (m.)

humaniste
l'humanisme (m.)

musulman(e)
l'islam (m.)

orthodoxe
l'orthodoxie (f.)

juif/juive
le judaïsme

Communiquons

Comment dit-on? 1

Mon identité

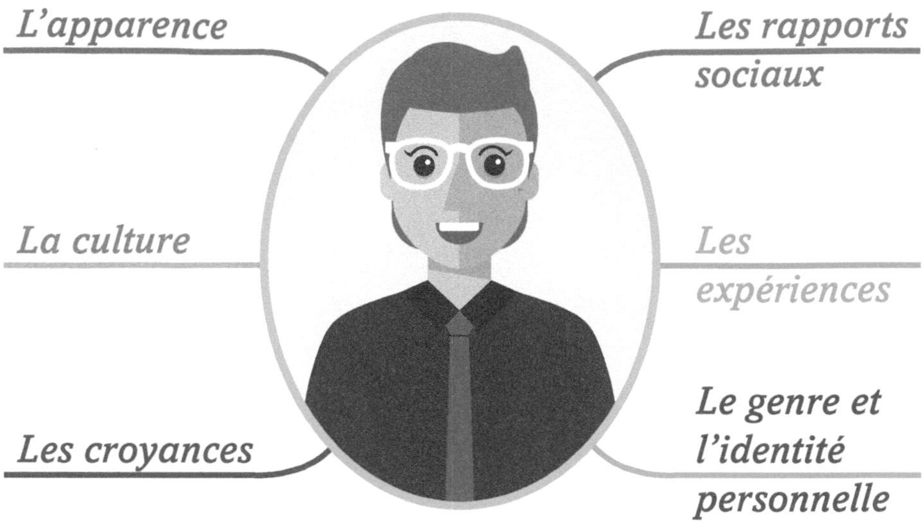

Les profs et les élèves de français de votre école veulent établir un jumelage (*sister school relationship*) avec une école en France. Pour créer ce lien entre les deux écoles, il faut faire un programme de correspondants. Les profs vous ont envoyé cet article et ils vous ont demandé de réfléchir sur votre identité.

Qui êtes-vous?

Il y a beaucoup de façons de **s'exprimer**. Mais comment cette expression de votre identité se manifeste-t-elle? À votre avis, quels sont vos **atouts** les plus importants?

Comment établissez-vous votre identité? Voici quelques domaines de l'identité.

L'apparence

La façon dont vous vous habillez est une expression de votre identité. Avez-vous un style **décontracté** ou **discret** ou préférez-vous porter des **tenues à la mode**?

Que pensez-vous des **tatouages** ou des **piercings**?

La culture

Les traditions de votre culture ont un impact important sur votre identité.

Ce que vous mangez et ce que vous faites au quotidien découlent normalement de votre identité culturelle mais aussi des normes de la société dans laquelle vous habitez.

Les langues que vous parlez ou que vous apprenez ont un impact important sur votre identité, car elles permettent aux gens de communiquer entre eux.

Où vous habitez affecte aussi votre identité. Habitez-vous en ville, à la campagne ou **en banlieue**?

Finalement, votre famille fait partie intégrante de votre identité.

*Les **croyances***

Le système de **croyances** change la façon dont on interprète le monde. La **religion** est très importante pour certaines personnes et moins importante pour d'autres.

Votre **point de vue** est distinct de celui des autres. Et les croyances politiques sont importantes aussi. Vous pouvez devenir membre d'un **parti politique conservateur** ou **progressiste**. Ou vous pourriez être un/une **militant(e)** qui **s'engage** pour soutenir une campagne qui vous passionne.

*Les **rapports sociaux***

Les personnes avec lesquelles on passe du temps sont une partie essentielle de l'identité. Passez-vous beaucoup de temps avez votre copain/copine ou préférez-vous passer du temps avec vos potes?

Il y a souvent des communautés auxquelles on **appartient**. Jouez-vous de la musique ou à un sport? Appartenez-vous à un club de l'école ou de la ville? Les amis que vous faites dans ces groupes ont un grand impact sur votre identité.

Les expériences

Le passé influence votre présent et votre avenir. Les expériences de l'enfance influencent le développement des adolescents et le mode de vie à l'âge adulte.

Il faut **s'habituer** aux changements de la vie: quand on doit changer d'école ou déménager, cela peut être **dur**.

Certaines expériences peuvent quand même être très positives! Un voyage, un spectacle, un livre, un concert, un cours: toutes ces expériences peuvent vous **mener** à une vie meilleure.

*Le **genre** et l'identité personnelle*

Le moyen d'exprimer votre **genre** (homme, femme ou non-binaire) est un aspect important de votre identité. Préférez-vous être plus masculin(e), féminin(e) ou non-binaire?

Le type d'individu que vous aimez est également important. Peut-être que vous êtes membre de la **communauté** LGBT+?

Mon progrès communicatif

I can understand when someone describes personal identity.

Activité 7

Qu'est-ce qui nous fait nous?

Un podcast diffuse un programme dans lequel on interviewe les gens pour comprendre les événements ou les qualités qui sont très importants pour leur identité. Écoutez chaque personne parler de certains aspects de son identité puis choisissez le domaine de l'identité qui correspond le mieux à chaque anecdote.

Expressions utiles

À mon avis...

C'est pareil (différent) pour moi.

Je suis d'accord.

Le plus (moins) important pour moi, c'est...

Qu'en penses-tu?

Tu as raison (tort).

Activité 8

Les choix de l'identité

Comme vous l'avez vu, il y a beaucoup de manières dont on établit son identité. Certains critères sont plus importants pour certaines personnes que pour d'autres.

Étape 1: Lire et répondre

Relisez le document *Qui êtes-vous?* puis classez les domaines de l'identité par ordre d'importance pour vous personnellement. Lesquels ont le plus d'influence sur vous?

	Domaine de l'identité
1er	
2e	

Mon progrès communicatif

I can discuss important aspects of personal identity.

Étape 2: Parler

Partagez votre liste avec un petit groupe. Avez-vous des listes similaires? Pouvez-vous partager des exemples de domaines dans votre vie? Rappelez-vous: partagez seulement les informations avec lesquelles vous êtes à l'aise (confortables).

Nantes

Activité 9

La religion en France

Comme vous allez créer des liens importants avec une autre culture, votre prof vous a demandé de faire des recherches au sujet des convictions importantes des Français. Vous avez trouvé ce document sur internet.

Dénominations religieuses selon le lien à la migration					
	Immigrés	Descendants de deux parents immigrés	Descendants d'un parent immigré	Population majoritaire	Population en France métropolitaine
Sans religion	19	23	48	49	45
Catholiques	26	27	39	47	43
Orthodoxes	3	1	0	0	0,5
Protestants	4	1	1	1,5	2
Musulmans	43	45	8	1	8
Juifs	0,5	1	2	0,5	0,5
Bouddhistes	2,5	1	0,5	0,5	0,5
Autres	2	1	1	0,5	0,5
Total	100	100	100	100	100

Source • Enquête *Trajectoires et Origines*, INED-INSEE, 2008.
Champ • Personnes de 18 à 50 ans.
Lecture • 19 % des immigrés ont déclaré ne pas avoir de religion et 26 % se sont déclarés de religion catholique.

© Chris Beauchemin et al (2010), "Dénominations religieuses selon le lien à la migration", Récupéré de https://www.ined.fr/fichier/s_rubrique/19558/dt168_teo.fr.pdf.

Étape 1: Lire et répondre

Lisez les données puis répondez aux questions.

1. Quelle conviction est la plus commune en France?
2. Quelle est la deuxième conviction la plus courante?
3. Inversement, quelles convictions sont les moins courantes en France?
4. Ces données vous surprennent-elles ou pas? Expliquez.

Étape 2: Parler

Après avoir lu les données sur la religion en France, comparez en quelques phrases les situations religieuses en France à celles que vous connaissez, dans votre communauté ou dans un endroit que vous avez visité. Enregistrez vos commentaires sur Explorer.

Mon progrès communicatif

I can present information comparing statistics about the practice of religion in France and my community.

A VOTÉ
A VOTÉ
SCRUTIN
RÉPUBLIQUE FRANÇAISE

Activité 10

Les femmes dans la politique française

Les élections vont bientôt avoir lieu en France et vous cherchez à en savoir un peu plus sur la politique. Vous avez découvert un article qui explique un petit peu l'histoire des droits des femmes en France, un sujet dont les hommes et les femmes politiques parlent souvent pendant cette période d'élections.

Du droit de vote des femmes aux lois dites de parité

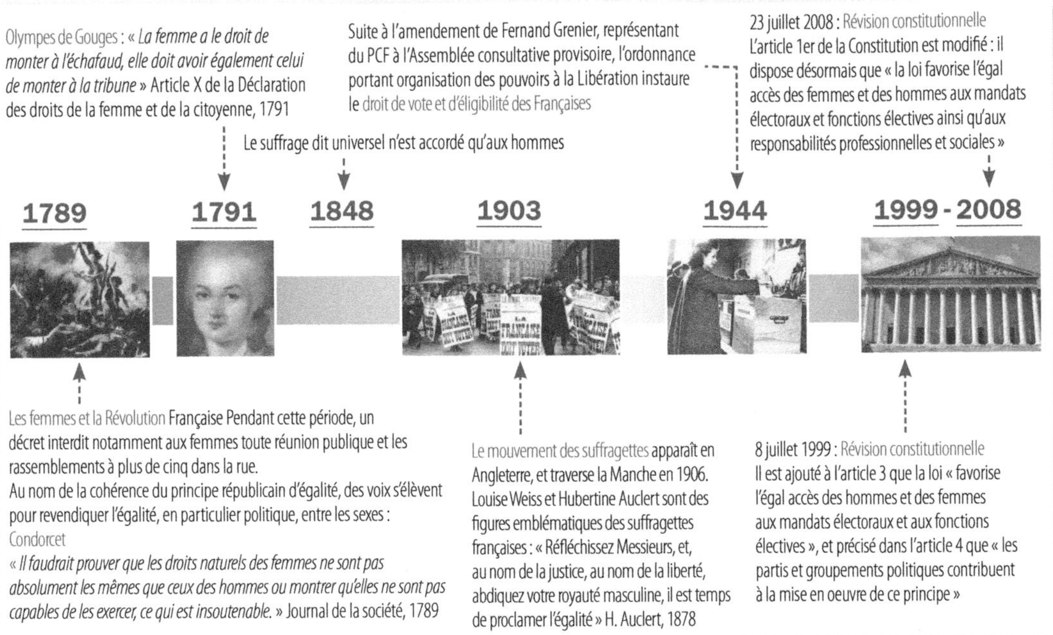
Olympes de Gouges : « *La femme a le droit de monter à l'échafaud, elle doit avoir également celui de monter à la tribune* » Article X de la Déclaration des droits de la femme et de la citoyenne, 1791
Suite à l'amendement de Fernand Grenier, représentant du PCF à l'Assemblée consultative provisoire, l'ordonnance portant organisation des pouvoirs à la Libération instaure le droit de vote et d'éligibilité des Françaises
Le suffrage dit universel n'est accordé qu'aux hommes
23 juillet 2008 : Révision constitutionnelle
L'article 1er de la Constitution est modifié : il dispose désormais que « la loi favorise l'égal accès des femmes et des hommes aux mandats électoraux et fonctions électives ainsi qu'aux responsabilités professionnelles et sociales »
1789
1791
1848
1903
1944
1999 - 2008
Les femmes et la Révolution Française Pendant cette période, un décret interdit notamment aux femmes toute réunion publique et les rassemblements à plus de cinq dans la rue.
Au nom de la cohérence du principe républicain d'égalité, des voix s'élèvent pour revendiquer l'égalité, en particulier politique, entre les sexes : Condorcet
« *Il faudrait prouver que les droits naturels des femmes ne sont pas absolument les mêmes que ceux des hommes ou montrer qu'elles ne sont pas capables de les exercer, ce qui est insoutenable.* » Journal de la société, 1789
Le mouvement des suffragettes apparaît en Angleterre, et traverse la Manche en 1906. Louise Weiss et Hubertine Auclert sont des figures emblématiques des suffragettes françaises : « Réfléchissez Messieurs, et, au nom de la justice, au nom de la liberté, abdiquez votre royauté masculine, il est temps de proclamer l'égalité » H. Auclert, 1878
8 juillet 1999 : Révision constitutionnelle
Il est ajouté à l'article 3 que la loi « favorise l'égal accès des hommes et des femmes aux mandats électoraux et aux fonctions électives », et précisé dans l'article 4 que « les partis et groupements politiques contribuent à la mise en oeuvre de ce principe »

Les Françaises n'ont obtenu le droit de vote et d'éligibilité qu'en 19441[1].

L'accès des femmes à ce droit essentiel n'a pas entraîné une représentation égale des deux sexes dans les différentes assemblées politiques françaises. Ainsi, à l'Assemblée constituante en 1945, elles ne représentent que 5,6% des député.e.s. En 1993, elles sont 5,9%, à peine plus qu'en 1945. La proportion de femmes à l'Assemblée nationale dépasse enfin, et seulement, les 10% en 1997. En 2012, elles ne sont encore que 26,9%.

Étape 1: Lire et répondre

Lisez l'article puis associez l'état des droits des femmes en France à chaque période historique.

1. Tous les hommes peuvent voter.
2. Les femmes obtiennent le droit de vote.
3. Les femmes ne peuvent ni assister à des réunions publiques, ni se rassembler en groupes de plus de cinq.
4. La France approuve des lois qui établissent le rôle de la parité dans le gouvernement et le travail.
5. Les femmes descendent dans la rue et elles manifestent contre l'inégalité.

Étape 2: Parler

Avec un petit groupe, parlez des questions suivantes. Lisez de nouveau l'article avec votre groupe si nécessaire.

1. Les femmes ont-elles obtenu le droit de vote plus tôt ou plus tard dans votre communauté?
2. Quelle proportion de l'Assemblée nationale les femmes occupent-elles? Ces chiffres sont-ils comparables à ceux de votre pays? Ceux de votre État?

Stratégies

Les ressources linguistiques

1. Trouvez des applications utiles.
2. Familiarisez-vous avec des abréviations dans les dictionnaires.
3. Utilisez des enregistrements audio pour apprendre la prononciation.
4. Informez-vous de la qualité des ressources.

Zoom culture

Pratique culturelle: Les prénoms, un aspect de notre identité

Connexions

Notre prénom est une facette importante de notre identité et peut-être même de notre personnalité. Quelle est la signification de votre prénom? Est-ce que vous en connaissez l'origine?

Le choix d'un prénom pour un nouveau-né est une des décisions les plus importantes que les parents doivent prendre. Certains parents préfèrent choisir un prénom classique, d'autres préfèrent un prénom à la mode, composé ou original. Avant, on nommait souvent un enfant d'après un membre de la famille, de nos jours, ce n'est plus vraiment le cas. Il y a définitivement une mode en ce qui concerne les prénoms et il y a eu nombre de changements au fil du temps.

Saviez-vous, par exemple, que l'artiste Camille Claudel, née au 19ᵉ siècle, portait un prénom typiquement masculin? De nos jours, Camille est un prénom plus souvent féminin que masculin. Au Moyen-Âge, les prénoms Anne, Tiphaine et Ambre étaient des prénoms masculins. Ce sont maintenant des prénoms exclusivement féminins. Il y a aussi le cas des prénoms mixtes ou ceux dont la prononciation est la même au masculin et au féminin, comme par exemple, les prénoms Dominique et Claude.

Frédéric(que), Gabriel(le), Pascal(e), Michel(le) se prononcent exactement de la même manière pour une fille ou pour un garçon. Ne soyez pas surpris d'apprendre que certains prénoms changent de genre selon la langue dans laquelle ils sont utilisés.

Laurence est un prénom typiquement féminin en français tandis qu'en anglais, c'est un prénom masculin.

Alexis, prénom d'origine russe, est un prénom masculin en russe et en français. Aux États-Unis, c'est un prénom féminin.

Comment est-ce possible? C'est tout simplement une question d'ignorance ou de méconnaissance de l'histoire ou de la langue qui ont permis ce genre de changement.

De nos jours, il y a de plus en plus de prénoms mixtes. En voici quelques-uns: Morgann, Noa, Anaël et Gwenn. Qu'est-ce que vous en pensez?

Réflexion

Quelles sont les tendances en ce qui concerne le choix des prénoms des enfants dans votre langue et culture? Citez des exemples de prénoms traditionnels et des exemples de prénoms contemporains. Certains prénoms n'ont fait que récemment leur apparition. À votre avis, à quoi cela est-il dû? Quel impact le fait d'avoir un prénom classique, moderne ou mixte peut-il avoir sur la personnalité de quelqu'un?

Noa Cameron Thaïs Sacha Dominique Sidney Yaël Claude Maël Morgan Andréa Lou Maxence Charlie Camille Marley Alix

The History Collection / Alamy Stock Photo

Camille Claudel, sculptrice et peintre du 19ᵉ et du 20ᵉ siècles.

Godong / Alamy Stock Photo

L'Âge mûr, une œuvre de Camille Claudel au Musée d'Orsay à Paris.

Lebrecht Music & Arts / Alamy Stock Photo

Camille Saint-Saëns est un compositeur français de l'époque post-romantique.

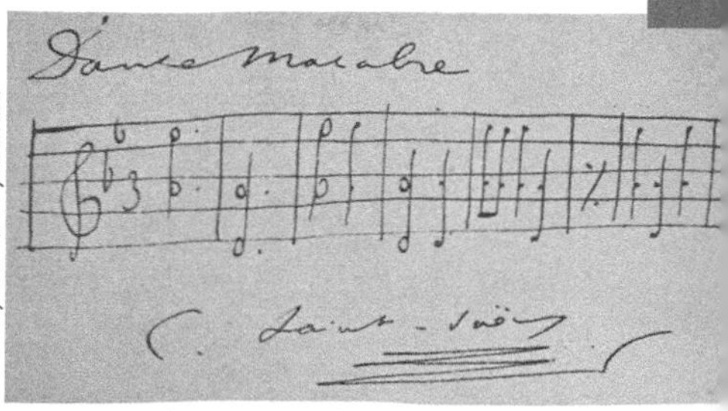

World History Archive / Alamy Stock Photo

Danse macabre est un poème symphonique composé en 1874 par Camille Saint-Saëns.

Mon progrès interculturel

I can compare practices for choosing names in francophone cultures and in my community.

Mon progrès communicatif

I can express my individuality in a short poem.

Réflexion interculturelle

Comment les nouveaux parents dans votre famille choisissent-ils le prénom d'un nouveau-né? Existe-t-il certaines traditions en ce qui concerne le choix des prénoms? Avez-vous un(e) ami(e) qui a un prénom mixte ou un prénom originaire d'une langue ou d'une culture différente de la vôtre? Quel est son prénom? En ce qui concerne le choix des prénoms des enfants, comparez les traditions de votre famille à celles des familles dans des pays francophones.

Activité 11

Mon poème

Pour vous préparer à vous présenter à votre école jumelée, le club de français a des réunions après la journée scolaire. Pendant cette réunion, on vous a demandé d'écrire un petit poème acrostiche pour vous présenter aux autres. Choisissez un mot de l'encadré et utilisez-le pour écrire votre poème. Ajoutez des mots si vous voulez.

unique	ma vie	identité	moi-même	ce que je suis
caractère	distinction	différent(e)		

Modèle

Unique:

Une jeu**N**e fille **I**ntelligente **Q**ui jo**U**e au bask**E**t

Les Machines à Nantes

Découvrons 1

Exprimer des généralités et des opinions (1re partie)

LE CV EN INFOGRAPHIE

Ce qui permet au candidat d'exprimer ses motivations, ses intérêts et son individualité

Il est essentiel de privilégier l'aspect visuel et la concision des informations.

Compétences

Il est important de mentionner ses atouts académiques et technologiques.

Langues

Il est bon d'indiquer quelles langues on parle et écrit et à quel niveau.

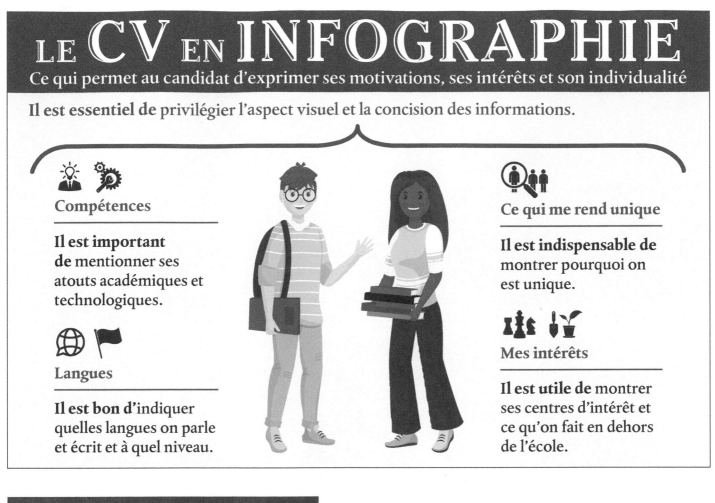

Ce qui me rend unique

Il est indispensable de montrer pourquoi on est unique.

Mes intérêts

Il est utile de montrer ses centres d'intérêt et ce qu'on fait en dehors de l'école.

Découvertes

Réfléchissez à ce que vous observez et répondez aux questions suivantes dans la représentation schématique sur Explorer.

1. Lisez l'infographie et regardez les mots en caractères gras.
2. Voyez-vous des expressions similaires à celles que vous connaissez déjà? Lesquelles?
3. Qu'est-ce qu'il y a directement après chaque expression en caractères gras?
4. À qui s'adressent les directives de l'infographie?
5. Partagez vos observations avec un(e) partenaire. Que remarquez-vous d'autre dans ces citations et que pouvez-vous ajouter aux observations de votre partenaire?

Expressions utiles

Il est ...

- (a)normal
- dommage
- (im)possible
- obligatoire
- préférable
- urgent

Détail linguistique

C'est ou *Il est*?

On utilise souvent «c'est» avec un nom:
C'est un atout.
C'est un beau tatouage.

On utilise souvent «il est» avec un adjectif et pour exprimer une généralité:
Il est discret.
Il est indispensable d'étudier une langue.

«C'est» est utilisé pour exprimer une opinion ou faire un commentaire:
C'est bon!
C'est bien!
C'est fou!
C'est pratiquement impossible!

Mon progrès communicatif

I can write a short biography or CV that includes important facets of my identity.

Détail grammatical

Exprimer l'importance d'une action

On peut utiliser les expressions impersonnelles et «il faut que» pour indiquer le degré d'importance d'une action.

👍 Il est bien de parler plusieurs langues.

👍👍 Il est important de parler plusieurs langues.

👍👍👍! Il faut parler plusieurs langues.

Activité 12

Je planifie mon infographie

Vous réfléchissez à votre CV en infographie. Servez-vous de l'infographie de **Découvrons 1** et du **Détail grammatical** comme modèle.

Étape 1: Écrire

Écrivez quelques idées qui correspondent aux attributs de votre personnalité.

Modèle

Il est important de montrer des instruments de musique parce que c'est un talent qui me représente.

Il est...

Étape 2: Parler

Partagez vos idées avec d'autres élèves en leur posant des questions ou en leur faisant des suggestions.

Activité 13

Je crée mon CV en infographie

Étape 1: Écrire et dessiner

Après avoir réfléchi aux aspects importants de votre infographie, créez-la.

Étape 2: Présenter

Faites une vidéo où vous présentez votre CV en infographie à votre professeur. Expliquez les aspects qui sont importants, indispensables et utiles pour les personnes qui la regardent. Enregistrez-la sur Explorer.

J'avance 1

Les correspondants de notre école jumelée

Votre école vient d'avoir un élève d'échange de la France et maintenant vous voulez établir une relation entre son école et la vôtre dans laquelle les élèves qui étudient le français (ou l'anglais) peuvent correspondre pour améliorer leur langue et connaître des jeunes à l'étranger.

Étape 1: Écrire

Écrivez une petite biographie sur le formulaire que vous pourrez envoyer en France à votre école jumelée. Cette biographie doit expliquer un petit peu votre identité et cela aidera à faire les groupes de deux qui seront des correspondants.

Étape 2: Écouter

Écoutez les messages des trois élèves de votre école jumelée puis remplissez le tableau qui résume leurs détails personnels.

Étape 3: Parler

Relisez les petites biographies des élèves de votre école (et votre biographie personnelle!). Ensuite, travaillez avec un(e) autre élève pour grouper les élèves de votre école avec ceux de votre école jumelée. Utilisez les notes que vous avez prises dans l'**Étape 2** pour justifier votre décision. Enregistrez votre discussion sur Explorer.

Allez sur Explorer pour trouver tous les documents nécessaires de **J'avance**.

Mon progrès communicatif

I can write a short biography or CV that includes important facets of my identity.

Mon progrès communicatif

I can understand when someone describes personal identity.

Mon progrès communicatif

I can discuss important aspects of personal identity.

Le Biot, Haute-Savoie, France

Langues parlées: kinyarwanda, kirundi, français, anglais

Origine: Nyarutarama, Rwanda

Pays habités: le Rwanda, la France, les États-Unis

Comment dit-on? 2

Je m'exprime ici et ailleurs

À l'occasion de la Journée internationale des migrants, une initiative des Nations unies, votre école publie un entretien avec une ancienne élève qui a vécu deux déménagements sur trois continents. Voici un extrait écrit de son histoire.

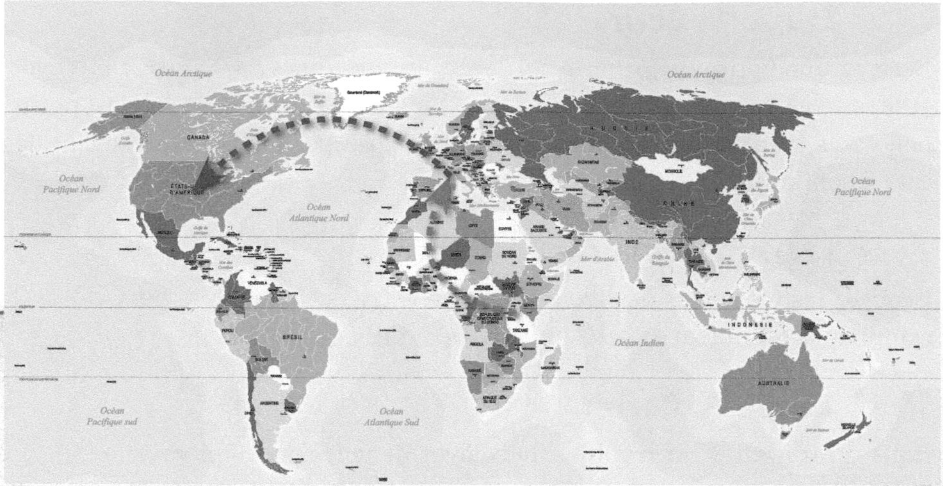

Bonjour, je m'appelle Ariane. Je vais parler de mes expériences pendant mes **déménagements** de pays à pays. Quand je réfléchis ou quand je pense à mon identité, je vois qu'elle a changé chaque fois que j'ai déménagé. Quand j'étais au Rwanda en Afrique, j'étais jeune, un peu enfant donc je ne pensais pas beaucoup à mon identité.

Mais quand je suis arrivée en France, c'était un peu différent parce que j'étais adolescente. J'avais les cheveux courts. Je n'avais pas de boucles d'oreille et les gens pensaient que j'étais un garçon. Quand on partait au marché avec ma mère, les gens m'appelaient "Garçon". Les garçons voulaient jouer avec moi parce qu'ils pensaient aussi que j'étais un garçon. Ma mère a fini par me percer les oreilles pour que je ressemble un peu aux filles en attendant que mes cheveux repoussent.

Une autre chose qui s'est passée, c'était quand je remplissais le dossier pour ma demande de nationalité. Je voulais changer mon nom en un nom américain pour trouver du travail sans qu'il y ait de **préjugés** contre mon nom. Plus tard, j'ai pris la décision de ne pas faire ça et j'ai **renoncé à** changer mon nom. J'ai eu ma nationalité, je suis **devenue** américaine il y a un an et demi et je me sens bien avec mon nom.

Lors des déménagements, j'ai rencontré des difficultés et j'ai **relevé des défis**. Je devais apprendre une nouvelle langue, m'habituer aux écoles et aux **habitudes** des autres parce que quand on est adolescent ou quand on arrive dans un autre pays, on doit s'accoutumer à leur façon de vivre. Ce n'est pas très facile parce qu'on est en train de découvrir sa propre identité et **assumer** sa personne en même temps qu'on est en train d'apprendre la culture des autres.

Activité 14

Le parcours d'Ariane

Après avoir lu l'extrait de l'histoire d'Ariane, vous avez l'idée de partager son histoire car vous connaissez d'autres personnes qui ont vécu des déménagements.

Étape 1: Lire

Notez si Ariane mentionne ou non chaque aspect dans la représentation schématique sur Explorer. Si elle mentionne un aspect, écrivez une courte description de ce qu'elle dit.

l'histoire d'Ariane	oui ou non	Si oui, notez ce que vous lisez
nouvelles cuisines ou vêtements		
épreuves significatives		
changements d'habitude		
moments bouleversants		
sentiments		
décision de s'assimiler		

Étape 2: Lire

Décidez si elle dirait ou non les affirmations suivantes.

1. «Déménager n'est pas trop difficile. Tout le monde m'a acceptée et je n'ai changé aucune habitude.»
2. «Il est important parfois de s'adapter quand on déménage.»
3. «Il faut essayer de rester fidèle à soi-même et à sa propre identité.»
4. «Changer de nom ne change pas son identité.»

Activité 15

S'adapter à un nouvel environnement

Avez-vous déjà dû vous adapter à un nouvel environnement? Comment vous sentiez-vous? Parlez à un(e) autre élève de vos expériences et sentiments. À tour de rôle, posez des questions et répondez-y. Inspirez-vous de l'histoire d'Ariane et des idées suivantes:

- vos émotions
- vos épreuves
- vos adaptations

Modèle

Avez-vous déjà changé d'environnement?

Mon progrès communicatif

I can understand when someone describes past experiences and their effect on personal identity.

Détail linguistique

Exprimer les sentiments

se sentir + adjectif

ressentir + nom

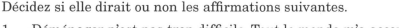

Mon progrès communicatif

I can answer questions about past experiences that affected my identity.

Activité 16

Comprendre d'autres perspectives

Étape 1: Lire et répondre

Vous allez sur le site web de votre lycée pour voir quels clubs vous intéressent. Vous êtes curieux/curieuse quand vous tombez sur une annonce. Lisez l'annonce et expliquez dans un e-mail au président du club pourquoi cela suscite votre intérêt.

lyceeentrecultures.com

Venez nombreux!

- *Aimeriez-vous faire la connaissance d'élèves qui viennent d'autres pays?*
- *Aimez-vous parler d'autres langues et apprendre d'autres coutumes?*
- *Voulez-vous déguster des plats d'autres cultures et partager les vôtres?*
- *Aimez-vous organiser des événements et des activités?*

Si vous avez répondu «oui» à une de ces questions, venez à notre prochaine réunion à 15h30 dans la salle 204.

À la réunion, vous ferez la connaissance d'élèves qui viennent de pays étrangers et aussi d'ambassadeurs pour apprendre de leur expérience.

Venez nous aider à accueillir chaleureusement ces nouveaux élèves! À bientôt!

Modèle

Monsieur le Président,

Je viens de lire votre annonce et ça m'intéresserait beaucoup d'être ambassadeur parce que…

Étape 2: Regarder et parler

À la réunion vous apprenez, à travers une vidéo d'Ariane, qu'il est important qu'on comprenne les perspectives variées des élèves et qu'on sache parler de l'importance de rester fidèle à son identité.

a. Écoutez la vidéo d'Ariane. Avec quelle partie faites-vous une connexion? Notez vos réponses.

b. Avec un(e) partenaire, échangez les moments de l'enregistrement avec lesquels vous avez fait une connexion. Comparez et commentez vos choix et parlez des périodes de vie où vous avez pris la décision de garder votre identité.

On peut aussi dire

période de vie

rejeter

Détail linguistique

Les familles de mots

s'adapter-adaptation

s'assimiler-assimilation

s'intégrer-intégration

bouleverser-bouleversement

Mon progrès communicatif

I can understand an announcement for a volunteer position.

Mon progrès communicatif

I can understand when someone describes challenges related to personal identity and the importance of remaining true to oneself.

Zoom culture

Pratique culturelle: Les choix d'expression personnelle

Connexions

Notre apparence fait partie intégrante de notre identité et aide à exprimer notre individualité et notre personnalité. Dans quelle mesure le choix de vêtements, piercings, tatouages et d'autres formes d'expression des autres personnes nous influence-t-il?

Le choix de ce que l'on porte, la décision de se faire percer (les oreilles, le nez, le nombril, etc.) ou se faire tatouer est une expression personnelle d'identité. Qui vous influence et vous inspire? La famille? Les amis? Les stars? Et à quel âge vous êtes-vous laissé influencer? Remémorez-vous votre jeunesse. Que portiez-vous, qui prenait ces décisions et pourquoi?

En grandissant, on se sent de plus en plus libre de faire ses propres choix d'expression qui reflètent la personnalité. Pour choisir son style, se faire percer ou tatouer, on parle souvent aux amis ou on regarde parfois sur internet et sur les réseaux sociaux pour voir ce que portent les stars. La décision de se faire tatouer par exemple peut représenter un moment significatif, un moment personnel, la famille, un amour, ou une épreuve surmontée. Il est intéressant de constater que l'intérêt de se faire tatouer augmente en France - 10% des Français en 2010, 14% en 2017. En outre, 27% des moins de 35 ans sont tatoués et 80% des jeunes de 18-24 ans considèrent le tatouage comme une expression artistique.

Les décisions qu'on prend à propos de son style ont des conséquences variées. Elles peuvent déterminer le groupe d'amis qu'on fréquente et les jugements qu'on porte sur les autres parce que la première impression dure et on est parfois vite jugé sur son "look". Les ados d'aujourd'hui pensent aussi à l'empreinte écologique qu'ils font en achetant des vêtements en ligne - ils disent qu'il faut considérer le coût environnemental de se faire expédier les achats. D'autre part, grâce aux progrès technologiques, certains tissus coûtent moins cher donc les marques les plus populaires et le prêt-à-porter réussissent à rendre les vêtements plus abordables. De nos jours, les jeunes ont un plus grand choix de vêtements parce qu'ils paient moins les tissus qu'auparavant.

Réflexion

Pensez-vous qu'il faut toujours s'habiller avec un certain style? Qui vous influence et qui vous inspire? Est-ce que la façon dont vous vous habillez détermine votre groupe d'amis? À part les vêtements, comment exprimez-vous votre identité?

Echantillon de 1002 personnes de 18 ans et plus. La représentativité a été assurée par la méthode des quotas (sexe, âge, profession de la personne interrogée) après stratification par région et catégorie d'agglomération. Les interviews ont eu lieu par questionnaire auto-administré en ligne du 15 au 16 novembre 2016.

Réflexion interculturelle

Quelles sont les similarités et différences entre la façon dont les Français pensent à la mode vestimentaire et la vôtre? Faites une recherche sur la mode vestimentaire des adolescents dans les autres pays francophones. Le choix de vêtements des autres nous influence-t-il? Dans quelle mesure devrait-on penser à l'empreinte écologique que nos achats ont sur l'environnement?

Expressions utiles

avoir tendance à

il s'agit de

Détail linguistique

Partir, quitter ou sortir?

partir (de)

quitter + personne; lieu

sortir (de)

Chaque individu s'habille selon ses goûts qui peuvent être inspirés, quelque part, par le milieu social d'origine, les tendances de son époque ou pour certains par leur attirance pour une mode particulière.

Mon progrès interculturel

I can compare how people express their individuality through personal appearance in francophone cultures and in my community.

Activité 17

Changer ou non son «look»

Votre amie, qui passe le week-end chez son amie Auré, vous envoie un e-mail et quelques croquis. Ces dessins vous surprennent un peu parce que ce n'est pas son style. Lisez son e-mail et répondez pour lui poser des questions et pour partager votre opinion avec elle.

À: fringuesvie@lyceechanel.fr
Objet: Conseil mode svp?

Coucou! Regarde ces fringues (vêtements)! C'est Auré qui pense que je devrais changer de style pour ressembler plus à notre nouveau groupe d'amis avec lequel on vient de faire du shopping. Tu sais que j'ai toujours eu un style décontracté et que je porte normalement des tee-shirts, des sweats et des jeans. Qu'en penses-tu?

Modèle

À:
Objet:

Coucou! Quel changement de mode!...

Découvrons 2

Exprimer des généralités et des opinions (2e partie)

ARIANE RACONTE SON HISTOIRE ET DONNE DES CONSEILS

Ariane partage son histoire avec vous en décrivant deux déménagements lorsqu'elle était plus jeune.

Ariane vous donne quelques conseils pour vivre des changements.

*...J'étais très jeune et **il était important que** je **sois** courageuse. **Il était essentiel que** je leur **parle** beaucoup pour exprimer mes émotions.*

*Pendant une période de changement, **il est naturel que** tu **sois** nerveux. **Il est normal que** tu **aies** peur.*

*Pour mes parents et moi, il **était urgent que** nous **déménagions** aux États-Unis. **Il était idéal que** je **fasse** des études universitaires et **que** j'**étudie** dans une université américaine.*

*J'ai des conseils à vous donner tous. Mes amis, **il est indispensable que** vous **exprimiez** qui vous êtes et **que** vous **ayez** de bons amis. **Il est important que** vous **restiez** calme. En fait, il est préférable **que** nous **soyons** positifs à tout moment!*

Découvertes

Réfléchissez à ce que vous observez et répondez aux questions suivantes dans la représentation schématique sur Explorer.

1. Lisez ce qu'Ariane dit et regardez les mots soulignés et en caractères gras.
2. Avez-vous déjà vu des expressions similaires?
3. Quelle forme de verbe utilise-t-on avec ces structures?
4. Partagez vos observations avec un(e) partenaire. Que remarquez-vous d'autre dans ces citations et que pouvez-vous ajouter aux observations de votre partenaire?

Mon progrès communicatif

I can express my opinion about what I consider essential for each facet of personal identity.

Activité 18

Ce qui est essentiel dans ma vie

Vous avez entendu et vu ce qui est essentiel dans la vie d'Ariane et vous êtes inspiré(e) par ce qu'elle dit. Et vous? Qu'est-ce qui est essentiel que vous fassiez ou que vous soyez dans votre vie? Pensez aux domaines de la vie présentés dans ***Comment dit-on? 1*** et mentionnés dans la liste.

a. Écrivez vos idées dans la représentation schématique sur Explorer; puis

b. Enregistrez votre réponse sur Explorer.

l'apparence	les rapports sociaux	la culture
les expériences	les croyances	le genre

Activité 19

Ce qui est important pour quelqu'un d'autre

Avec votre professeur et en tant que classe,

a. Choisissez plusieurs personnes célèbres ou connues (par ex., dans l'école, dans le cinéma, dans le monde politique, etc.). Considérez les aspects importants de leur identité.

b. Écrivez une ou deux phrases dans le forum de discussion en vous servant d'une expression de la liste qui correspond à une personne sur votre liste.

c. Lisez les phrases des autres élèves, puis devinez de qui ils parlent dans leurs phrases.

Expressions utiles

C'est correct.

Ce n'est pas correct.

C'est ça!

Je comprends ta réponse, mais...

Pas du tout!

Tout à fait!

Modèle

-Il est essentiel qu'elle soit accueillante tous les matins à la porte de l'école.

-Mme DeBord

-Oui!

-Il est important qu'il considère les problèmes de tout le pays.

-le Président

-C'est ça!

J'avance 2

Bienvenue dans notre école

Un(e) élève francophone vient d'arriver dans votre école. Comme vous parlez français, on vous invite à devenir un membre du club des ambassadeurs pour pouvoir lui souhaiter la bienvenue et l'aider pendant ses premiers jours. Vous lisez des informations sur ce que font les ambassadeurs, parlez avec le président du Club des ambassadeurs et écrivez un e-mail pour exprimer votre intérêt.

AP® Étape 1: Lire et répondre

Lisez le document et choisissez la meilleure réponse aux questions.

AP® Étape 2: Écouter et parler

Parlez au président du Club des ambassadeurs en réfléchissant aux questions posées dans l'annonce.

Étape 3: Écrire

Maintenant, organisez vos idées et écrivez un e-mail au président en répondant aux questions suivantes.

Allez sur Explorer pour trouver tous les documents nécessaires de **J'avance**.

Mon progrès communicatif

I can understand an announcement for a volunteer position.

Mon progrès communicatif

I can answer questions about past experiences that affected my identity.

Mon progrès communicatif

I can describe my experiences and qualifications for a volunteer position.

Expressions utiles

au besoin

donner son opinion

en lien avec

laisser plus de temps de parole

laisser prendre

laisser vivre

les "pour" et les "contre"

Détail linguistique

Le pluriel

Le pluriel se forme généralement en ajoutant un -s à la fin d'un mot.

Observez ces deux exemples. Ils ne suivent pas la règle du pluriel, pourquoi?

Dans le cas du mot «choix», comme il se termine en -x, il ne change pas au pluriel.

Dans le cas de l'expression les «pour» et les «contre», pour et contre ne changent pas.

Mon progrès communicatif

I can understand advice about making positive decisions.

Comment dit-on? 3

Je prends de bonnes décisions

Lors de leur dernière réunion, les membres de la Société honoraire de français ont discuté de la manière dont les étudiants peuvent **s'entraider** lorsqu'ils doivent prendre des décisions importantes. Voici les notes prises pendant la discussion.

Comment s'entraider à prendre de bonnes décisions? Comment **s'entourer** de bons amis?

Voici quelques conseils d'un(e) ami(e) à un(e) autre.

- Laisser plus de temps de parole à l'autre personne qu'à nous-mêmes. C'est SA réflexion et SA décision!
- **Établir**, avec l'autre personne, la liste des **critères** d'une bonne décision.
- Aider l'autre personne à réfléchir aux **conséquences** de la décision (les «pour» et les «contre»).
- Discuter des **valeurs** en lien avec la décision. Demander à l'autre personne d'exprimer ses valeurs et lui parler des nôtres.
- Au besoin, expliquer nos **réserves** et nos **craintes** face à une situation.
- Donner notre opinion, mais laisser l'autre personne prendre sa décision (sans lui **faire pression**).
- **Adopter** une **attitude d'ouverture**, **éviter** de **juger**.
- Laisser l'autre personne vivre les conséquences de ses **choix**.

Activité 20

Comment prendre de bonnes décisions?

Suite à la discussion, la Société honoraire de français a décidé de concevoir une campagne publicitaire sur le thème des décisions.

Étape 1: Lire et annoter

En préparation de la prochaine réunion, vous relisez les dernières notes. Ensuite, vous les annotez avec les symboles suivants:

Important ou surprenant	J'aime	Je fais une connexion	Idée principale	J'ai une question

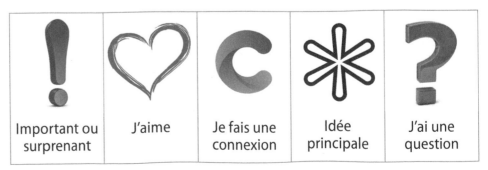

Étape 2: Parler

Pendant la réunion, vous comparez vos annotations avec les autres membres de la Société honoraire. À tour de rôle, vous posez des questions et répondez aux questions qu'on vous pose.

Modèle

Moi, je crois qu'il est vraiment important que nous laissions la parole à nos amis. Qu'est-ce que vous en pensez?

Mon progrès communicatif

I can share my ideas and comment on the ideas of others.

Activité 21

Valeurs et perspectives

Étape 1: Écouter et écrire

Pour vous préparer à participer à la réunion de la Société honoraire, regardez la vidéo de Saif, un élève international dans votre école. Il parle de ses expériences comme nouvel élève et il espère que ce qu'il dit vous aidera à formuler vos pensées.

a. Écrivez deux ou trois de ses idées principales en ce qui concerne l'amitié.

b. Partagez ce que vous avez entendu avec votre partenaire.

c. Notez ce que dit votre partenaire de différent.

ce que dit Saif	ce que dit votre partenaire

Étape 2: Réfléchir et écrire

Saif parle d'une expérience avec ses amis. Pensez à une expérience où vos valeurs ont influencé votre décision. Notez vos idées pour pouvoir les partager à la réunion.

Activité 22

Une petite note pour mes ami(e)s

Vous savez que certain(e)s de vos ami(e)s vont soumettre leur candidature à la Société honoraire nationale dans les prochains jours. Vous voulez les encourager et vous leur écrivez un petit message que vous collez sur leur casier.

Modèle

Il faut que tu exprimes tes valeurs et il est essentiel que tu donnes ton opinion! Tu vas y arriver!

Jean Racine, dit Racine, dramaturge du 17e siècle. Dans cet extrait d'*Athalie*, «Armez-vous d'un courage et d'une foi nouvelle» (*Athalie, Scène II*), Racine semble suivre l'accord de proximité. Le mot «nouvelle» s'accorde avec le mot «foi». Quel serait l'accord de nos jours?

Zoom culture

Produit culturel: Le français, une langue sexiste?

Connexions

Il existe de nombreux exemples dans la langue française qui pourraient nous faire croire que le français est une langue sexiste, mais est-ce bien vrai? Qu'est-ce que vous en pensez?

Comme beaucoup de langues romanes, le français est une langue qui reconnaît deux genres: le masculin et le féminin. Mais les deux genres sont-ils égaux?

La grande majorité des francophones se souviennent sans aucun doute de certaines règles de grammaire qu'ils ont dû mémoriser dès l'école primaire... «Le masculin l'emporte (*trumps*) sur le féminin» ou encore «Quand il y a plusieurs noms de genre différent, l'accord se fait au masculin». De nos jours, on peut se poser quelques questions face à ce genre de règles grammaticales.

Depuis 2015, le Haut Conseil à l'égalité entre les femmes et les hommes explique que «La langue reflète la société et sa façon de penser le monde». Mais est-ce bien le cas pour le français?

Depuis quelques années, quelques modifications dans le langage courant font discrètement leur apparition...on peut à présent voir des exemples tels que «Êtes-vous prêt·e·s?» «Iel est allé·e» ou encore «Iel est heureuxe.» Mais c'est encore controversé.

On entend aussi parler d'écriture inclusive, c'est-à-dire une écriture neutre qui est fondée sur trois grandes idées:

1. L'accord des titres et des professions selon le genre de la personne, par exemple le président/la présidente, le directeur/la directrice, le professeur/la professeure.
2. L'utilisation d'expressions neutres, par exemple au lieu de dire «Les droits de l'homme,» dire «Les droits humains»
3. L'utilisation des deux formes grammaticales ou l'utilisation du point médian, ou point milieu, par exemple le candidat et la candidate ou encore les lecteur·rice·s

L'écriture inclusive est loin de faire l'unanimité et certains la trouvent même ridicule.

Et vous, qu'est-ce que vous en pensez?

Réflexion

Que pensez-vous de la règle grammaticale selon laquelle "le masculin l'emporte sur le féminin"? Pouvez-vous citer quelques exemples de phrases qui illustrent cette règle? À votre avis, l'écriture inclusive va-t-elle devenir la norme dans la langue française? Pourquoi ou pourquoi pas? Parmi les trois grands concepts de l'écriture inclusive, lequel vous paraît le plus important ou le plus facile à appliquer? Expliquez votre point de vue.

Réflexion interculturelle

Peut-on dire d'une langue qu'elle est sexiste? Expliquez votre réponse. Comparez ce qui se passe en français à d'autres langues que vous connaissez en ce qui concerne l'écriture inclusive et la représentation égale des genres. Quelles sont les différences ou les similarités?

Mon progrès interculturel

I can identify examples of both sexist and inclusive language use in French and other languages.

Découvrons 3

Exprimer la possession

Félix et Océane discutent de leurs projets pour l'été prochain et de ce qu'ils voudraient faire.

Je n'ai pas encore fait de projets pour cet été. Et toi?
J'ai un ou deux projets en tête. Mes projets pourraient t'intéresser...Veux-tu discuter **des miens**?
Oui, parlons **des tiens**, cela m'inspirera peut-être!
D'abord, je voudrais travailler à la boulangerie de notre voisin. De toutes les boulangeries, **la sienne** est la meilleure en ville. Quelques-uns des meilleurs souvenirs de mon enfance sont les odeurs et les saveurs des différents pains.
Quelle bonne idée! Mais, d'habitude, ta famille passe du temps à Biarritz en été, n'est-ce pas?
Oui, c'est un lieu spécial depuis mon enfance et c'est là que j'ai appris à nager. Comme tu le sais bien, j'adore nos vacances en famille. **Les nôtres** sont toujours intéressants.
J'ai failli oublier! Ma famille passera du temps au chalet de nos cousins dans le Jura. **Le leur** est énorme et charmant. Il y a de la place pour une douzaine de personnes au moins.
Alors, tu as des projets et j'espère que **les tiens** seront aussi amusants que **les miens**!

Images licensed courtesy of Vyond™

Découvertes

Réfléchissez à ce que vous observez et répondez aux questions suivantes dans la représentation schématique sur Explorer.

1. Lisez la conversation entre Félix et Océane et regardez les mots en caractères gras.
2. Avez-vous déjà vu des expressions similaires?
3. Quelle est la différence entre les formes que vous connaissez déjà et ces formes-ci?
4. Quels sont les mots représentés par les mots en caractères gras?
5. Partagez vos observations avec un(e) partenaire. Que remarquez-vous d'autre dans ces citations et que pouvez-vous ajouter aux observations de votre partenaire?

Images licensed courtesy of Vyond™

Activité 23

Des décisions du temps libre

Vous écoutez quelques-un(e)s de vos ami(e)s qui décident de ce qu'ils/elles vont faire pendant leur temps libre. Complétez chaque phrase avec la bonne expression.

1. Après l'école, j'aime jouer aux jeux vidéo sur mon ordi mais...
2. Généralement, j'adore regarder les matchs à notre stade, mais pour les trois prochains mois...
3. Pour me détendre l'après-midi, j'aime lire à la bibliothèque de notre village, mais...
4. Sylvie, tu sais que je me passionne pour le cyclisme, mais mon vélo est en panne, alors...
5. Mon petit frère a cassé ma raquette de tennis, alors...

A. la nôtre est réservée pour un programme de lecture pour les jeunes.
B. serait-il possible d'emprunter le tien?
C. le mien ne marche pas bien.
D. le nôtre est fermé pour rénovation.
E. est-ce que je peux utiliser la tienne?

Tour de France en Paris

Activité 24

Les possessions

Des camarades de classe partagent des photos de certaines possessions. Choisissez parmi les expressions suivantes pour répondre à ces questions.

le mien	la mienne	le/la nôtre
le tien	la tienne	le/la vôtre
le sien	la sienne	le/la leur

1. Quel vélo est le plus moderne? Mon vélo à gauche ou celui de mon frère à droite?

 ____

2. Quel stade est le plus grand - notre stade à gauche ou celui de la ville voisine?

 ____

3. Quel félin est le moins féroce? Ton chat ou le tigre du zoo?

 ____

4. Quelle maison est la plus vieille? Ma maison à gauche ou celle de mes cousins à droite?

 ____

5. Quelle voiture est la plus ancienne? Ma voiture à gauche ou celle de notre voisin à droite?

 ____

Détail linguistique

Les pronoms démonstratifs

Celui, *celle*, *ceux* et *celles* sont les pronoms démonstratifs en français. On peut les utiliser pour remplacer *ce*, *cette* ou *ces* + nom. Il faut les accorder avec le genre et le nombre du nom.

	singulier	pluriel
masculin	celui	ceux
féminin	celle	celles

Tu veux acheter ce gâteau-ci ou **celui-là**?
*Do you want to buy this cake or **that one**?*

Les livres de ton cours de littérature sont moins longs que **ceux de mon cours.**
*The books for your English class are less long than **the ones for my class.***

Quelles voitures préférez-vous? **Celles qui sont grandes** ou **celles qui sont petites**?
*Which cars do you prefer? **Ones that are big** or **ones that are small?***

Activité 25

Discussion sur l'avenir

Votre ami Richard et vous discutez de votre vie après l'école secondaire par texto. Pour chaque question de Richard, écrivez une réponse en faisant une phrase complète qui contient un pronom possessif comme le mien, la tienne, etc.

Mon progrès communicatif

I can respond to text messages about my developing identity.

Modèle

Richard

Parlons de notre vie politique. Auras-tu une attitude progressiste comme moi ou, au contraire, une attitude plus conservatrice comme celle de mes parents?

Vous

J'aurai une attitude comme ***la tienne*** parce que mon point de vue soutient la liberté d'expression.

Richard

Imagines-tu une vie avec beaucoup de rapports sociaux comme celle de nos parents ou une vie comme celle de notre ami François qui communique rarement avec les autres sauf sur les réseaux sociaux?

Vous

...

Fidèles à leurs convictions, mes parents s'engagent énergiquement dans leur communauté mais moi, je préfère mener une vie plus privée. Laquelle de ces conduites préfères-tu?

...

Le tatouage est sans aucun doute un choix personnel. Comptes-tu décorer ton corps comme le frère de notre copain Alain ou éviter le tatouage et avoir un corps sans tatouage comme moi?

...

Dans dix ans, penses-tu avoir une vie assez tranquille comme celle de nos parents ou une vie plutôt active comme celle de ma sœur aînée?

...

J'avance 3

Exprimons nos convictions personnelles

Vous comptez postuler à la Société honoraire de français pour améliorer votre français et pour rencontrer d'autres francophiles (élèves qui adorent la langue française). Mais vous manquez d'inspiration pour exprimer une conviction personnelle qui explique pourquoi vous êtes un(e) candidat(e) idéal(e).

Étape 1: Écouter

Vous entendez par hasard une publicité faite par une spécialiste de la motivation. Elle donne des conseils aux jeunes qui comptent postuler à un poste. Notez les idées principales pour les incorporer dans votre candidature.

Mon progrès communicatif

I can understand advice about making positive decisions.

Étape 2: Écrire

Vous faites partie d'un groupe privé sur un réseau social avec d'autres élèves qui, comme vous, aimeraient faire partie de la Société honoraire de français. Vos amis et vous essayez d'établir ce qui est important et nécessaire de faire comme membre de la Société honoraire de français.

a. Partagez vos idées avec vos ami(e)s dans le forum de discussion sur Explorer;

b. Faites des commentaires sur les leurs; et

c. Posez-leur quelques questions.

Inspirez-vous des phrases de la publicité de la spécialiste de la motivation.

Mon progrès communicatif

I can share my ideas and comment on the ideas of others.

Étape 3: Parler

Laissez un message vocal à un(e) des ami(e)s qui fait partie de votre groupe privé sur le réseau social pour exprimer quelques-unes de vos convictions personnelles.

Allez sur Explorer pour trouver tous les documents nécessaires de **J'avance**.

Mon progrès communicatif

I can present some personal objectives for joining an organization.

Synthèse de grammaire

1. Expressing Generalities and Opinions: *Exprimer des généralités et des opinions (1re partie)*

In ***EntreCultures 1*** and **2**, you used adjectives to describe people, places, and things. The next step is to use those adjectives to express generalities and opinions.

We have already described situations in expressions.
Ma famille est **essentielle à mon bonheur**.
My family is essential to my happiness.

We can then use an adjective to describe a generality or opinion.
Il est essentiel d'avoir des convictions sincères.
It is essential to have sincere beliefs.

By using a formula such as ***Il est adjectif de/d' + infinitive***, we are able to express generalities.

Il est important de s'exprimer clairement en classe.
It is important to express yourself clearly in class.

Il est obligatoire d'aller à l'école jusqu'à l'âge de seize ans en France.
It is mandatory to go to school until the age of sixteen in France.

Il est préférable d'éviter de juger les autres.
It is preferable to avoid judging others.

The adjectives showcased in these sentences represent a small fraction of a larger group of adjectives that are used in impersonal expressions.

2. Expressing Generalities and Opinions: *Exprimer des généralités et des opinions (2e partie)*

In ***1re partie***, we expressed generalities and opinions using the formula ***Il est <adjectif> de/d' + infinitif***. Now we will follow those adjectives with the expression ***que/qu'*** and a subject and verb in the subjunctive. Using this pattern allows us to go from a general statement to one that is more personalized.

Let's see both variations of these sentences with adjectives:

Il est urgent **de faire** un effort pour protéger l'environnement.
It is urgent to make an effort to protect the environment.

Il est urgent **que vos amis fassent** un effort pour protéger l'environnement.
It is urgent that your friends make an effort to protect the environment.

In the second example, the formula was ***Il est <adjectif> que/qu' + sujet + verbe au subjonctif***.

Here are more examples of the use of adjectives with the subjunctive:

Il est obligatoire **qu'on s'entoure de sa famille et de ses amis**.
It is mandatory (that) we surround ourselves with family and friends.

Il est possible **que nous réussissions** à réduire la pollution dans notre communauté.
It is possible (that) we will succeed in reducing pollution in our community.

Il est dommage **que tous les membres de la communauté ne s'entraident pas**.
It is a pity that all the members of the community do not help each other.

3. Expressing What is Mine, Yours, His, Hers, Ours, Theirs: *Exprimer la possession*

You are familiar with expressing possession by adding the appropriate possessive determiners in front of nouns. Here are the possessive adjectives you already know:

mon, ma, mes	notre, nos
ton, ta, tes	votre, vos
son, sa, ses	leur, leurs

Mon frère et **ma** sœur sont plus âgés que moi.
My brother and my sister are older than me.

Votre père aime vraiment s'occuper de sa nouvelle voiture.
Your father truly likes to take care of his new car.

We can express possession with a set of possessive pronouns whose form is determined by the noun they are replacing.

J'aime la tablette de mon ami, mais **la mienne** a un écran plus grand.
I love my friend's tablet, but mine has a bigger screen.

Leurs choix sont positifs mais **les nôtres** sont meilleurs.
Their choices are positive, but ours are better.

Les jeux vidéo de mes cousins sont excellents, mais je préfère **les tiens**!
My cousins' video games are excellent, but I prefer yours.

In these examples, the possessive pronoun replaced the noun in red. Notice how these possessives matched the gender and number of the replaced noun. Here are all of the possessive pronouns:

English	**masculine singular**	**feminine singular**	**masculine plural**	**feminine plural**
mine	le mien	la mienne	les miens	les miennes
yours (***tu***)	le tien	la tienne	les tiens	les tiennes
his, hers, its	le sien	la sienne	les siens	les siennes
ours	le nôtre	la nôtre	les nôtres	les nôtres
yours (***vous***)	le vôtre	la vôtre	les vôtres	les vôtres
theirs	le leur	la leur	les leurs	les leurs

Vocabulaire

Comment dit-on? 1: Mon identité

appartenir à	*faire partie de/d'*
l'atout (m.)	*l'avantage (m.)*
la banlieue	*la partie de la ville en dehors du centre-ville*
la communauté	*le groupe d'habitants d'un village ou d'une ville*
conservateur/conservatrice	*le contraire de réformiste ou de progressiste*
la croyance	*ce que l'on croit (religion, philosophie, politique)*
décontracté(e)	*à l'aise, contraire de coincé(e)*
discret/discrète	*qui n'attire pas l'attention*
dur(e)	*difficile*
s'engager	*participer à une action ou à un événement*
s'exprimer	*se faire comprendre; communiquer ses sentiments*
le genre	*l'identité (f.) masculine, féminine ou non-binaire*
s'habituer à	*s'adapter à*
mener	*emmener une personne (animal ou chose) à un lieu*
militant(e)	*activiste*
le parti politique	*le groupe de personnes qui partagent des opinions politiques*
le piercing	*le trou dans la peau où on porte un bijou*
le point de vue	*la perspective, l'opinion (f.)*
progressiste	*libéral(e)*
les rapports (m. pl.) sociaux	*les relations (f. pl.) entre personnes*
la religion	*l'ensemble (m.) de croyances*
le tatouage	*le dessin permanent sur la peau*
la tenue à la mode	*le groupe de vêtements portés ensemble au goût du jour*

Expressions utiles

À mon avis...	*D'après moi...*
C'est pareil (différent) pour moi.	*Il n'y a pas de (il y a une) différence pour moi.*
Je suis d'accord.	*Je suis de la même opinion.*
Le plus important pour moi, c'est...	*La priorité pour moi, c'est...*
Le moins important pour moi, c'est...	*Ce qui n'est pas prioritaire pour moi, c'est...*
Qu'en penses-tu?	*Quelle est ton opinion?*
Tu as raison.	*Ton avis est correct.*
Tu as tort.	*Ton avis est incorrect.*

Comment dit-on? 2: Je m'exprime ici et ailleurs

s'assumer	*s'accepter, se prendre en charge*
le déménagement	*le changement de maison ou d'environnement*
devenir	*évoluer au cours du temps*
l'habitude (f.)	*quelque chose que l'on fait régulièrement*
le préjugé	*l'opinion (f.) négative établie à l'avance*
relever un défi	*surmonter un obstacle*
renoncer à	*décider de ne plus faire quelque chose*

Expressions utiles

avoir tendance à	*faire généralement*
il s'agit de/d'	*c'est au sujet de/d'*
Tout à fait!	*Exactement!*

Comment dit-on? 3: Je prends de bonnes décisions

adopter	*prendre, choisir*
l'attitude (f.) d'ouverture	*le point de vue sans contraintes*
le choix	*la possibilité*
la conséquence	*le résultat*
la crainte	*la peur, l'appréhension*
le critère	*l'aspect (m.)*
s'entourer	*avoir quelqu'un ou quelque chose autour de soi*
s'entraider	*se soutenir mutuellement*
établir	*commencer, fonder*
éviter	*ne pas faire*
faire pression	*donner du stress*
juger	*avoir des opinions, tirer une conclusion*
la réserve	*ce que l'on garde*
les valeurs (f. pl.)	*les vertus (f. pl.) qui guident quelqu'un*

Expressions utiles

au besoin	*si nécessaire*
donner son opinion	*offrir son point de vue*
en lien avec	*par rapport à*
laisser plus de temps de parole	*donner la possibilité de parler*
laisser prendre	*donner la possibilité d'avoir*
laisser vivre	*donner la possibilité d'exister*
les "pour" et les "contre"	*les avantages et les inconvénients*

J'y arrive

Questions essentielles

- What makes me unique?
- How do people express their individuality in my community and in francophone communities?
- How do the choices we make define who we are?

La Société honoraire de français

La Société honoraire de français d'une école voisine a reçu un prix décerné par l'Alliance nationale des enseignants de français! Le prix reconnaît les écoles ou les groupes qui ont mis en place des programmes qui facilitent l'intégration et qui créent un environnement accueillant pour tous.

Vous voulez fonder une Société honoraire de français à votre école. Il faut donc que vous présentiez une déclaration de mission qui inclut des buts pour la société pour présenter à l'Alliance nationale. L'Alliance demande chaque année que les Sociétés honoraires de français présentent une mission qui souligne leurs buts et leurs activités prévues.

Avant de commencer **J'y arrive**, familiarisez-vous avec les critères d'évaluation sur Explorer.

Allez sur Explorer pour trouver tous les documents nécessaires de **J'y arrive**.

Interpretive Assessment

Nous déclarons notre mission

Pour établir une Société honoraire de français dans votre école, vous avez fait une recherche sur le programme de l'école voisine et vous avez trouvé sa déclaration de mission.

Interpersonal Assessment

AP® Contact verbal

Vous contactez le président de la Société honoraire de français de l'autre école pour en apprendre davantage sur sa déclaration de mission et pour partager vos idées sur la mission de votre école.

Presentational Assessment

Et maintenant nous présentons

En tant que représentant de la Société honoraire de français dans votre école, vous écrivez un e-mail à l'Alliance nationale des enseignants de français pour présenter les buts et les activités prévues et quelques aspects essentiels de votre mission.

UNITÉ 6
L'art et la vie

Objectifs de l'unité

Exchange information and opinions about what constitutes art and the value of art.

Read, view, and listen to authentic texts such as interviews, videos, ads, and articles to gain insights into the role of art in our lives.

Express personal beliefs and opinions about art and works of art, explain why something should or should not be considered art, and present justifications for supporting the arts.

Investigate how people in francophone cultures view art and compare to your community.

Questions essentielles

What is art? How do we define it?

What is the value of art?

How is art expressed in my community and in francophone cultures?

L'art est omniprésent dans notre vie quotidienne. On peut citer de nombreux exemples de sculptures, de bâtiments, de tableaux, de films, de pièces de théâtre, de chansons, ou de poèmes connus mais peut-on aussi facilement définir ce qui est ou n'est pas de l'art? Dans cette unité, Nickar nous parle de la valeur de l'art ainsi que des différentes influences artistiques dans son pays, le Laos.

Rencontre interculturelle

Vientiane, Laos

Nom: Panyphorn

Surnom: Nickar

Langues parlées: lao, français, anglais

Origine: Vientiane, Laos

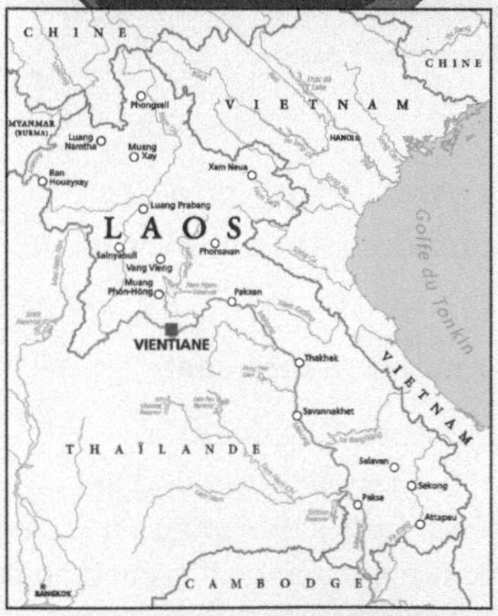

Le Parc du Bouddha près de Vientiane

Bonjour tout le monde!

Vous voulez vous changer les idées? Je vous invite au Laos: un pays d'eau, de plaines, de montagnes, de temples et monastères bouddhiques et de forêts centenaires!

Le Laos est situé au milieu de l'Asie du Sud-Est. Une des trois anciennes colonies françaises en Indochine, le pays a acquis son indépendance de la France le 19 juillet 1949.

Le pays est enclavé, c'est-à-dire qu'il est complètement entouré d'autres pays: la Thaïlande à l'ouest, le Vietnam à l'est, la Birmanie et la Chine au nord et le Cambodge au sud-ouest.

C'est un pays au climat tropical influencé par deux saisons: la saison sèche entre novembre et mars et la saison humide entre avril et octobre. Le Laos, surnommé le "pays du million d'éléphants" est traversé du nord au sud par le Mékong, un des plus grands fleuves d'Asie du Sud-est.

Pendant votre visite, il faut absolument que:

- vous visitiez Luang Prabang, ancienne capitale du Laos, classée au Patrimoine mondial de l'Humanité par l'UNESCO, qui est connue pour ses nombreux temples bouddhiques. N'oubliez pas de passer par le Centre des arts traditionnels et de l'ethnologie.
- vous vous arrêtiez au sanctuaire des ours lorsque vous êtes en route vers les chutes d'eau de Kuang Si.
- vous fassiez une croisière sur le Mékong.
- vous louiez un vélo ou une moto et partiez à la découverte des villages ethniques, des marchés locaux, des rizières et des lagons et surtout du plateau des Bolovens.
- vous passiez quelques jours à Vientiane, capitale du Laos, et preniez le temps de visiter ses temples, le Parc du Bouddha, le Pha That Luang, le Patuxai, le musée du textile ou le musée national du Laos.

Et finalement, terminez votre séjour avec un peu de repos aux 4 000 îles... Faites du kayak, un pique-nique sur la plage, allez voir les dauphins d'eau douce ou la plus large cascade au monde: les chutes de Khone.

Bon amusement,

Nickar

Le Laos en un clin d'œil

Capitale: Vientiane

Langue officielle: le lao

Monnaie officielle: le kip

Devise: Paix, Indépendance, Démocratie, Unité et Prospérité

Population: plus de sept millions d'habitants (7 234 171 hab.)

Drapeau: 

Le Pha That Luang ou stupa suprême est entièrement recouvert d'or. Il est situé à Vientiane

Vue de la ville de Vientiane

Détail linguistique

Le genre de certains pays

En général, les pays dont le nom se termine par un *-e* sont du genre féminin, comme par exemple la Suisse ou la Guinée. Il existe cependant quelques exceptions comme, entre autres, le Cambodge ou le Mexique.

Album/Alamy Stock Photo

Marguerite Duras, femme de lettres, dramaturge, scénariste et réalisatrice française du XXe siècle. Elle obtient en 1984 le prix Goncourt pour son livre *L'amant* qui décrit son adolescence en Indochine dans les années 1930.

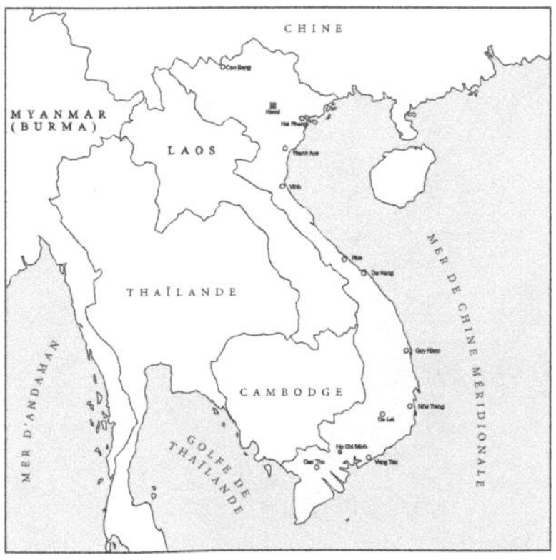

Quand on parle de l'Indochine française, on fait référence à un territoire de l'ancien empire colonial français qui comprenait trois pays: le Cambodge, le Laos et le Vietnam. De nos jours, quand on parle de l'Indochine ou de la péninsule indochinoise, on fait référence à une péninsule du continent asiatique située au sud de la Chine et à l'est de l'Inde.

Activité 1

Je vous présente le Laos

Étape 1: Lire et écrire

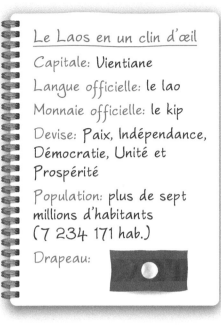

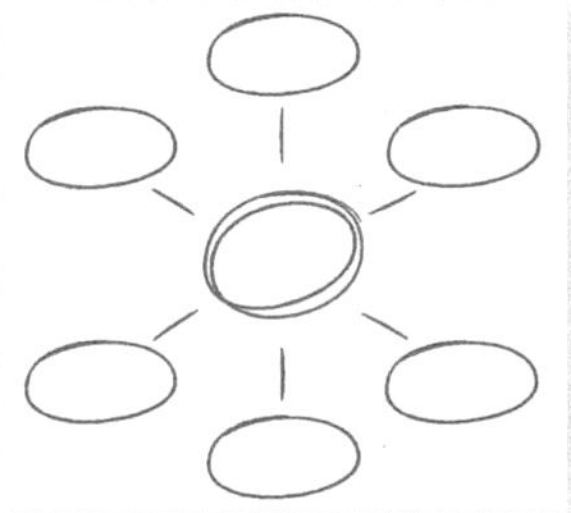

Pour votre cours de français, vous devez préparer un compte-rendu sur le Laos. Vous venez de lire la lettre de la **Rencontre interculturelle** et vous commencez par choisir un autre surnom pour le pays.

a. Écrivez le nouveau surnom au centre du remue-méninges sur Explorer.

b. Écrivez un fait important ou intéressant dans chaque ovale.

Étape 2: Discutez

a. Comparez votre remue-méninges à celui d'un(e) autre élève de la classe en lui posant des questions.

b. Répondez aux questions de votre partenaire à l'aide de votre remue-méninges.

c. Réagissez aux réponses de votre partenaire.

Modèle

Élève A: À ton avis, quel est le fait le plus important à propos du Laos?

Élève B: Je crois qu'il est important de savoir que le Laos est un pays enclavé.

Élève A: Je suis d'accord avec toi! Et il est aussi nécessaire de savoir que le pays est traversé par le Mékong.

Vang Vieng, Laos

Activité 2

Notre bloggeuse: Nickar!

Regardez la vidéo dans laquelle Nickar nous parle de sa famille, de l'école, de ses activités préférées et de son pays, le Laos. Cochez (✔) les images qui représentent des faits mentionnés par Nickar dans la vidéo.

15
16
7
¿HABLAS ESPAÑOL?
VIETNAM
Chine

Je suis laotienne.
J'ai 15 ans.
J'ai deux petits frères.
J'aime le français, la musique et la photographie.

Nickar a 15 ans. Elle habite à Vientiane, la capitale du Laos. Elle a deux petits frères.

Nickar est très active, elle fait de nombreuses activités artistiques et sportives pendant son temps libre. Elle aime écouter de la musique, chanter, prendre des photos, créer des clips vidéo qu'elle publie sur les médias sociaux et faire du taekwondo.

Nickar est en 2e dans la classe bilingue au lycée de Vientiane où elle suit des cours en français et en lao (appelé aussi laotien). Le français est très important pour Nickar, non seulement parce que le français est utilisé comme langue diplomatique et commerciale et est également étudié par plus d'un tiers des étudiants au Laos, mais aussi parce que Nickar aimerait faire ses études universitaires en France.

Activité 3

AP® Salut, Nickar!

Répondez aux questions suivantes d'après les informations dans le texte de la **Rencontre interculturelle** et dans la vidéo de Nickar. Pour chaque question, choisissez la meilleure réponse et indiquez-la sur Explorer.

1. Le Laos est situé…
   a. près de la France.
   b. près du Cambodge.
   c. dans le nord de l'Asie.
   d. dans l'ouest de l'Asie.
2. Le grand fleuve qui traverse le Laos s'appelle…
   a. Louang Prabang.
   b. Patuxai.
   c. Kuang Si.
   d. Mékong.
3. Le monument laotien qui ressemble à l'Arc de triomphe s'appelle…
   a. Vientiane.
   b. Parc du Bouddha.
   c. Patuxai.
   d. Khone Pha Pheng.
4. Nickar aimerait…
   a. étudier en France.
   b. devenir chanteuse.
   c. faire une carrière dans la diplomatie.
   d. gagner un concours de taekwondo.
5. En Asie du Sud-Est, on parle aussi français…
   a. en Thaïlande.
   b. au Vietnam.
   c. en Chine.
   d. en Birmanie.

Le Patuxai, monument emblématique de la ville de Vientiane

Louang Prabang

Réflexion interculturelle

Nickar suit ses cours dans une école bilingue. Existe-t-il des programmes bilingues là où vous habitez? Si oui, quelles langues peut-on étudier dans ces programmes?

À votre avis, est-il important d'être bilingue de nos jours? Pourquoi?

Nickar aimerait étudier en France. Et vous, aimeriez-vous aller étudier ailleurs? Où et pourquoi?

Mon progrès interculturel

I can compare opportunities for developing bilingualism in a francophone country and my community as well as describe some advantages of learning another language.

Rappelle-toi

Activité 4

Les événements importants au Laos

Étape 1: Lire et répondre

Nickar va visiter votre école. Elle aimerait partager le calendrier des événements de son pays pour vous montrer ce que les gens y font à différentes périodes de l'année.

Une jeune femme se promène dans les champs de riz au Laos.

Un pont à Vang Vieng, Laos.

Commémorations et Événements

Le 8 mars : La journée internationale des droits de la Femme est particulièrement importante au Laos où elle est fériée.

Le 22 mars : Le jour du Parti du Peuple Lao, successeur du parti communiste d'Indochine créé le 22 mars 1955.

Le 28 mars 2020 : *Earth Hour* ; à l'initiative du WWF, *World Wildlife Fund for Nature*, de 20H30 à 21H30 ; toutes les lumières s'éteignent pour une pensée particulière pour la préservation de notre planète.

Le 1er mai : la fête du travail.

Le 1er juin : La journée internationale des enfants et la journée nationale de la plantation des arbres ; au Laos, ces deux célébrations sont volontairement associées afin de montrer que la préservation des arbres est étroitement liée à l'avenir de nos enfants. Chacun des élèves des écoles, accompagné de leurs professeurs et de personnalités politiques, plante ce jour-là un arbre. Après des années de déforestation, le Laos a mis en œuvre une politique ambitieuse de reboisement et ambitionne de recouvrir 70 % de sa superficie en forêt.

Le 2 décembre : La fête nationale commémorant l'instauration de la République Populaire Lao en 1975.

Le 31 octobre 2020 : Boun Pha That Luang

Se déroulant à Vientiane, au That Luang, le stupa le plus vénéré du Laos, c'est à la fois une fête religieuse et une grande foire se déroulant sur une semaine.

Elle rassemble des milliers de moines, de pèlerins et des exposants venus de toute l'Asie du Sud-Est : processions, offrandes de guirlandes de fleurs et de nourritures aux moines, épreuves sportives, expositions commerciales et artistiques...

Elle débute par un impressionnant défilé au flambeau au Vat Simuang, le temple abritant le pilier central de la ville. Elle se termine par un grand feu d'artifice.

Les pèlerins du Laos et de Thaïlande viennent nombreux recevoir les bénédictions et participer à la foire au son de la musique traditionnelle et au rythme des danses et des compétitions sportives.

Le 31 décembre : Nouvel an international

Au Laos comme partout sur la planète, on marque la nouvelle année internationale. Les sapins de Noël et les costumes de père Noël, plus présents qu'on ne pourrait le penser en Occident, donnent une ambiance festive un peu décalée sous le beau soleil du Laos.

Après avoir lu le calendrier,

a. notez des informations qui correspondent à chaque catégorie de la représentation schématique; puis
b. écrivez ce que vous pouvez apprendre de la culture du Laos grâce aux informations.

événements qui ressemblent à ceux de ma communauté	**événements qui sont différents de ceux de ma communauté**

Qu'est-ce que vous pouvez apprendre de la culture du Laos grâce aux informations sur le calendrier?

Le festival Boun Pha That Luang à Vientiane, Laos.

Étape 2: Discuter

Parlez avec un(e) partenaire des activités offertes au Laos pour pouvoir partager vos idées avec Nickar pendant sa visite. À tour de rôle, posez-vous des questions et répondez-y. Inspirez-vous des points suivants pour guider votre conversation. Servez-vous de la liste de vocabulaire à la fin du **Rappelle-toi** si nécessaire.

- Les événements qui vous intéressent le plus;
- Les raisons pour lesquelles les événements vous semblent intéressants;
- Ce que vous avez appris de nouveau sur le Laos; et
- Ce que vous aimeriez savoir en plus.

Une jeune femme portant des vêtements traditionnels laotiens.

Activité 5

Les activités culturelles ici

Étape 1: Écrire

Comme vous l'avez vu dans la **Rencontre interculturelle**, Nickar aime participer à une variété d'activités sportives et artistiques. Répondez au message qu'elle a envoyé à votre école.

a. Expliquez-lui quelles activités sportives, artistiques ou culturelles vous ferez dans les semaines qui viennent.

b. Expliquez-lui pourquoi vous choisissez ces activités.

c. Envoyez-lui votre adresse sur une appli de messagerie spontanée pour pouvoir communiquer plus facilement après.

De: nickarpany@mail.la
Objet: Ma visite!

Bonjour les élèves,

Je m'appelle Nickar et je suis laotienne. Je visiterai votre école et votre ville dans quelques semaines. J'ai hâte! J'aime beaucoup participer à des activités sportives et à des événements artistiques et culturels. Est-ce que vous pouvez me dire quelles activités auront lieu pendant mon séjour? Est-ce que je peux vous accompagner à quelques activités? Je suis curieuse de voir quelles activités vous sont offertes à l'école et lesquelles vous faites après l'école et le week-end. À votre avis, quelles activités ou quels événements est-il important de faire ou de voir? J'aimerais bien les faire avec vous! Je voudrais vous connaître et apprendre quelles activités vous choisissez et pourquoi.

Amicalement,

Nickar

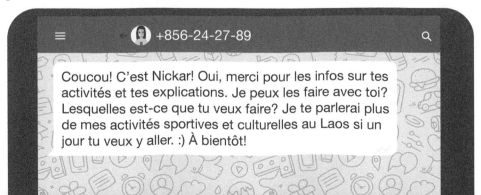

Étape 2: Parler

Nickar a bien reçu votre e-mail et vous envoie un message sur l'appli de messagerie spontanée. Répondez-y dans un message vocal car vous êtes pressé(e).

+856-24-27-89

Coucou! C'est Nickar! Oui, merci pour les infos sur tes activités et tes explications. Je peux les faire avec toi? Lesquelles est-ce que tu veux faire? Je te parlerai plus de mes activités sportives et culturelles au Laos si un jour tu veux y aller. :) À bientôt!

Rappelle-toi

Les endroits et les événements

le concert	la place
l'exposition (f.)	le quartier
le festival	la rue
la fête foraine	la soirée
le musée	le spectacle
le parc	le théâtre

Les visites

le billet d'entrée
partager
le site historique
le tarif
du temps libre
tenter de nouvelles choses

Les activités

s'amuser
chercher quelque chose
le ciné-club
le club théâtre
danser
le dessin
dessiner
la fanfare
flâner
inviter quelqu'un
jouer (au sport, d'un instrument)
l'orchestre (m.)
passer du temps
la sortie

Les personnes

l'artiste (m./f.)
l'athlète (m./f.)
le chanteur/la chanteuse
le musicien/la musicienne

Les émotions et caractéristiques

ambitieux/ambitieuse
artistique
compréhensif/compréhensive
courageux/courageuse
créatif/créative
dynamique
énergique
fascinant(e)
fidèle
généreux/généreuse
gentil(le)
isolé(e)
motivé(e)
organisé(e)
positif/positive
sérieux/sérieuse
sportif/sportive
travailleur/travailleuse

Expressions utiles

Ça te/vous dit de...?
Je t'/vous invite à...
Je (te/vous) propose...

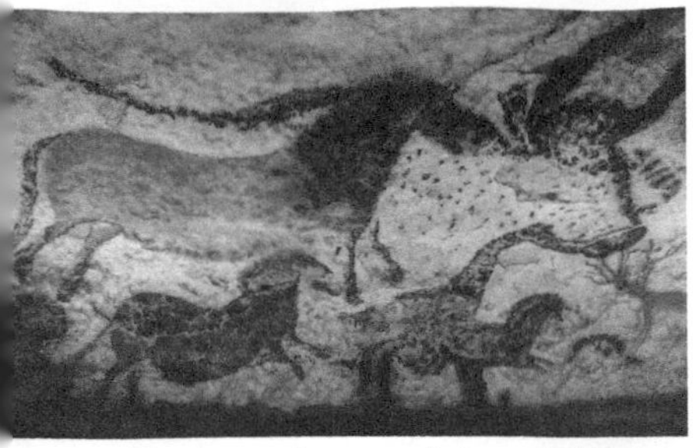

Les plus anciennes peintures de France se trouvent dans des grottes. Ici, la grotte de Lascaux en Dordogne.

Stratégies

Comment aborder une lecture plus longue

1. Décomposez le texte en passages plus petits.
2. Lisez attentivement chaque passage pour trouver l'idée principale.
3. Prêtez attention aux mots et aux structures que vous connaissez déjà.
4. Identifiez les mots ou les structures que vous ne connaissez pas encore et essayez d'utiliser le contexte pour deviner leur sens.

Molière (1622-1673) est un dramaturge français très important. Ses pièces de théâtre sont toujours très souvent jouées en France et partout dans le monde.

Communiquons

Comment dit-on? 1

Qu'est-ce que l'art?

Votre classe de français va aller à un festival d'art dans votre ville car il y a plusieurs artistes francophones qui y exposent leurs **œuvres**. En cours, vous lisez un article sur les différents types d'art avant d'y aller.

SEPT DOMAINES DE L'ART

LES ARTS VISUELS

La peinture et le dessin sont deux membres de cette catégorie. Quand on pense aux arts, beaucoup de personnes réfléchissent aux grands **peintres** comme Van Gogh, Monet ou Picasso. Ces œuvres d'art expriment les sentiments des artistes et montrent la façon dont ils comprennent le monde.

LA SCULPTURE

La **pierre** est une **matière brute** souvent utilisée par les sculpteurs. La transformation de cette matière en une œuvre d'art est impressionnante. Les sculpteurs peuvent impressionner le public par la grande **taille** ou les petits détails d'une sculpture.

L'ARCHITECTURE

C'est l'art qui a beaucoup d'influence sur notre vie quotidienne. Les **édifices** expriment les valeurs culturelles d'une société à travers le temps. En se promenant dans une ville, on peut voir les différents styles qui définissent une période historique. L'architecture est aussi l'art le plus lié aux connaissances mathématiques et scientifiques.

LA MUSIQUE

Quand on combine le rythme et la tonalité des sons, on fait de la musique. Pour la faire, on peut utiliser la voix, le corps ou un instrument. La musique provoque fréquemment des **sentiments**, comme par exemple la joie, la tristesse ou l'inquiétude. Écouter la musique peut être une activité qu'on fait seul(e) ou en groupe quand on va à un concert par exemple.

LA LITTÉRATURE

Quand les auteurs s'expriment en utilisant des mots, on fait de la littérature. Les écrivains ont plusieurs formes pour transmettre leurs **pensées**: La **poésie** utilise les vers, le rythme et les rimes. Le **roman** raconte une histoire fictive assez longue. La pièce de théâtre utilise le dialogue pour montrer les relations entre les personnages.

LES ARTS DE LA SCÈNE

La danse et le théâtre font partie de cet art. Les autres domaines artistiques en font aussi partie, car il faut de la musique pour danser et il faut un texte pour jouer une pièce de théâtre ou une comédie musicale. Les **spectateurs** regardent cette expression, souvent en groupe, pour avoir une expérience émotionnelle partagée.

LE CINÉMA

Le plus moderne de ces domaines artistiques, le cinéma fait aussi appel à beaucoup d'autres domaines: les films utilisent les arts visuels, la musique, le texte et les arts de la scène pour faire une œuvre unique qui peut être transmise dans une salle de cinéma ou plus récemment sur internet.

Mais il n'y a pas que ces sept arts! La photographie, **la bande dessinée** (le dessin souvent avec l'écriture), le **stylisme** (le design des vêtements) et les **arts culinaires** sont reconnus aujourd'hui comme faisant partie du monde des arts.

Activité 6

C'est l'art qui...

Vous parlez sur internet au sujet de vos artistes préférés avec d'autres élèves francophones. Lisez ces messages puis classez les artistes dans l'un des domaines artistiques de l'article précédent.

Modèle

Molière a écrit beaucoup de pièces de théâtre qui sont toujours importantes dans la culture.

La littérature

1. Eugène Delacroix a peint des toiles magnifiques. On peut voir certains de ses tableaux au musée du Louvre à Paris.
2. En 1831, Victor Hugo a publié son roman *Les Misérables*. Environ 150 ans plus tard, son roman a inspiré une comédie musicale portant le même titre.
3. Auguste Rodin a créé des statues impressionnantes (comme *Le Penseur*) en utilisant la pierre et d'autres matières brutes.
4. Agnès Varda a fait des films et des documentaires dans un style très original.
5. Le ballet de l'Opéra national de Paris est la troupe de danseurs la plus ancienne en France.
6. Gustave Eiffel a fait construire sa tour magnifique entre 1887 et 1889 mais au début, elle n'était pas populaire.
7. Amadou et Mariam sont deux musiciens aveugles du Mali qui font des chansons en français et en bambara.
8. Coco Chanel a fait des vêtements qui ont changé le style des femmes pour toujours.

Activité 7

Moi, j'aime...

Vous expliquez vos préférences artistiques à de nouveaux membres de votre communauté. Dans de petits groupes, expliquez les œuvres que vous aimez le plus dans chaque catégorie et expliquez pourquoi.

1. le cinéma
2. le roman
3. le théâtre
4. la musique populaire
5. la bande dessinée
6. l'architecture

Le musée national d'Art moderne de la France est dans le Centre Pompidou à Paris. Le centre a ouvert ses portes en 1977.

Des visiteurs étudient *La Petite Danseuse de quatorze ans* (1880) du sculpteur français Edgar Degas (1834–1917).

Détail linguistique

Le vocabulaire emprunté dans les arts

On trouve beaucoup de vocabulaire emprunté au français dans les domaines de l'art: dans le ballet on parle de *pas de deux, pas de chat* et *plié*, et dans la cuisine *au jus, au gratin* et *sauté*. Pouvez-vous pensez à d'autres mots de vocabulaire venant du français dans les arts?

Mon progrès communicatif

I can tell others why I like a work of art.

On peut aussi dire

Des artistes

l'architecte (m./f.)

le chef/la chef(fe) d'orchestre

le compositeur/la compositrice

le/la dramaturge

l'écrivain (m.)/l'écrivaine (f.)

le metteur/la metteur(e) en scène

le réalisateur/la réalisatrice

le romancier/la romancière

le sculpteur/la sculptrice

Expressions utiles

Ça me rend...

C'est une œuvre de...

Je trouve ça beau/moche/créatif/artistique/intéressant.

...me plaît.

Activité 8

Tu le trouves comment?

Vous écoutez un podcast sur les événements artistiques dans votre communauté. Écoutez les commentaires puis notez l'événement artistique auquel la personne a assisté et si la personne l'a aimé.

Modèle

Vous entendez:

–Qu'est-ce que tu as pensé de l'exposition de stylisme à la mairie?

–C'était très bien fait. Je ne savais pas que ces couturiers avaient tellement d'influence sur la mode quotidienne!

Vous écrivez: Une exposition de stylisme, oui

Activité 9

L'art de la cuisine

L'atelier

De 10h à 20h

Un repas gastronomique et artistique, parfait pour votre visite au musée

Pourquoi avoir un restaurant dans un musée?

Cette question m'a aidé à créer les plats, la carte et l'ambiance de notre restaurant.

Les expositions d'un musée montrent la diversité de notre monde. Elles donnent l'occasion de réfléchir et d'essayer de nouvelles expériences. Pourquoi pas le restaurant du musée aussi?

Nous vous proposons des plats de plusieurs traditions culinaires —des recettes traditionnelles et modernes. Nous vous invitons à réfléchir et à goûter un nouveau plat. Imaginez que notre carte est la salle d'exposition et que vous avez l'opportunité de choisir ce que vous voudriez explorer plus profondément.

Pour planifier les plats de notre restaurant, j'ai invité plusieurs artistes culinaires du monde entier à faire une collaboration. Dans cette carte, vous trouverez les noms de ces grand(e)s artistes. Ils ont choisi les goûts, les arômes, les couleurs et les formes de chaque plat. Vous pourrez faire un tour du monde dans lequel vous vous familiarisez avec le style de chaque artiste ou vous ferez une étude profonde d'un(e) artiste. C'est à vous de décider.

Néanmoins, la cuisine, ce n'est pas que les plats. C'est aussi l'expérience de partager la nourriture et les histoires ensemble dans une espace unique. Pour faire les décors et les meubles de notre restaurant, nous avons invité des architectes d'intérieur pour faire le design de nos trois salles à manger: la salle contemporaine, la salle rouge et la salle néo-rococo. Veuillez indiquer votre préférence de salle à notre personnel en faisant votre réservation.

L'art est l'émotion et la communication. Notre cuisine aussi.

L'art est une mosaïque de petits détails pour faire une œuvre parfaite. Notre cuisine aussi.

L'art est une expérience partagée. Notre cuisine aussi.

Bon appétit!

Chef Rémi Desjardins

Étape 1: Lire et écrire

Vous aidez votre école à planifier un voyage en France et la professeure de cuisine et le professeur d'art de l'école vous ont demandé de trouver un restaurant où l'art est important. Pendant vos recherches, vous avez trouvé ce site web. Parcourez (*browse*) le site, utilisez la représentation schématique et identifiez les aspects qui pourraient convaincre les profs de dîner à ce restaurant.

1. Quels sont les mots et les phrases de ce site qui montrent l'importance de l'art? Quels domaines artistiques représentent-ils?
2. Quels sont les aspects les plus notables de ce restaurant? Pourquoi sont-ils intéressants?

Étape 2: Parler

Vous essayez de convaincre les profs d'aller à ce restaurant pendant le voyage. Vous leur envoyez un mémo vocal pour présenter ce que vous avez trouvé. Utilisez ce que vous avez lu dans votre réponse. Enregistrez votre réponse sur Explorer.

Expressions utiles

Convaincre quelqu'un

Car…

Il est important/essentiel…

Il faut…

On devrait…

Parce que…

Vang Vieng, Laos

Charlotte Perriand, architecte d'intérieur française (1903-1999).

Une exposition des meubles de Charlotte Perriand au Grand Palais (Paris).

L'architecte burkinabé Francis Kéré (1965-présent)

Zoom culture

Produit culturel: L'art du quotidien

Connexions

Le design d'un produit influence-t-il votre décision d'acheter un produit? Comment? Avez-vous déjà acheté un produit parce que vous avez aimé son design? Lequel?

L'art joue un rôle important dans notre vie quotidienne. Les produits qu'on consomme et qu'on utilise sont conçus par des designers, qui doivent choisir la forme et les couleurs du produit. La chaise sur laquelle vous vous asseyez a été dessinée par une artiste. Ensuite, avant de fabriquer la chaise, quelqu'un a dû choisir les meilleurs matériaux pour pouvoir la produire.

Charlotte Perriand (1903-1999) était une grande architecte d'intérieur française. Ses meubles (y compris ses chaises et ses fauteuils) ont été exposés dans beaucoup de musées, notamment dans le musée des Arts décoratifs à Paris et dans la Fondation Louis Vuitton à Paris. Avec ses designs, elle s'est concentrée sur les besoins des gens dans leur vie quotidienne. Elle a travaillé souvent avec Le Corbusier (1885-1965), un architecte franco-suisse qui a révolutionné le domaine de l'architecture avec ses idées modernes et parfois radicales.

L'architecte burkinabé Francis Kéré (1965-présent) continue la tradition de planifier les espaces pour le bien-être des gens. Au Burkina-Faso, il a conçu les bâtiments de plusieurs écoles. Il utilise les sciences et l'architecture pour réduire le réchauffement de la structure pour que les élèves puissent apprendre mieux dans un espace plus confortable sans utiliser la climatisation.

Francis Kéré a conçu le lycée à Dano, Burkina-Faso en 2007.

Réflexion

Qu'est-ce qui est plus important, la forme ou la fonction?

Mon progrès interculturel

I can give examples of how art influences daily life in francophone cultures and in my community.

Réflexion interculturelle

Comment l'art influence-t-il la vie quotidienne? Donnez quelques exemples de votre vie et de la vie dans les communautés francophones. Quel impact le climat ou la localisation géographique peuvent-ils avoir sur l'art en général et l'architecture en particulier?

Découvrons 1

Exprimer des opinions et des croyances

www. avisarts.com

fanadart

Marcel Duchamp définit l'art ainsi: «Je **crois que** l'art est la seule forme d'activité par laquelle l'homme en tant que tel se manifeste comme véritable individu.»

Et vous, les artistes, j'aimerais savoir si vous **croyez que** c'est vrai. Quelle est votre définition de l'art?

fouduballet

En tant que danseur qui fait de l'art avec son corps, je **crois** certainement **que** ça a un effet affectif chez les spectateurs - c'est magique! **Penses**-tu **que** tous les arts aient un effet pareil (*the same*)?

pro-graphiste

Mes collègues et moi **croyons que** l'art numérique représente de la créativité autant que les autres arts visuels et les arts de la scène.

gourmandine

Mon père, chef de cuisine, me dit toujours qu'il **croit que** l'art de la table affecte les cinq sens, que ça dépasse le plaisir de manger. Il **ne pense pas qu'**il soit uniquement une question de goût.

toujoursphilo

Crois-tu **que** l'art aille plus loin que l'esprit?

kelbote

Oui, tout à fait! La prochaine fois que vous serez au musée, demandez aux spectateurs - ils **croient que** c'est le cas!

pourslesfans

Vous, les spectateurs, **pensez**-vous **que** l'art soit la plus belle manière pour comprendre la vie?

Découvertes

Réfléchissez à ce que vous observez et répondez aux questions suivantes dans la représentation schématique sur Explorer.

1. Lisez les commentaires des artistes ou des connaisseurs d'art et regardez les mots soulignés et en caractères gras.
2. Qu'est-ce que vous remarquez? Avez-vous déjà vu des expressions similaires?
3. Quelle forme verbale utilise-t-on avec ces structures?
4. Pourquoi pensez-vous qu'il y a une différence dans la forme verbale dans les deux cas?
5. Partagez vos observations avec un(e) partenaire. Que remarquez-vous d'autre dans ces citations et que pouvez-vous ajouter aux observations de votre partenaire?

Activité 10

Ce que les artistes ont écrit

Avec un(e) autre élève dans votre classe, vous lisez le blog où les artistes ont écrit des commentaires pour voir si vous comprenez le ton de ce qu'ils disent.

1. Les artistes qui ont fait des commentaires sur le blog, se respectent-ils en général?
2. Quelles déclarations des artistes sont des faits (*facts*) selon eux?
3. Lesquelles sont seulement possibles ou hypothétiques?

Mon progrès communicatif

I can express my opinion about art.

Activité 11

Qu'est-ce qu'ils pensent?

Vous avez fait un petit sondage en cours des beaux-arts et vous présentez maintenant les résultats avec un(e) autre élève mais il/elle fait souvent des fautes. D'abord, une personne doit choisir une expression de chaque encadré pour faire une phrase complète qui explique ce que les autres personnes pensent. Ensuite, l'autre personne dit le contraire. Après ça, changez de rôles pour faire une nouvelle phrase. Continuez jusqu'à ce que vous utilisiez toutes les expressions de l'encadré jaune et de l'encadré violet.

Modèle

Élève A: Moi, je crois que les impressionnistes sont les meilleurs peintres.

Élève B: Non, je ne suis pas d'accord. Je ne crois pas que les impressionnistes soient les meilleurs peintres.

Moi, je...	croire que/qu'	l'art moderne n'est pas important
Toi, tu...	penser que/qu'	les impressionnistes sont les meilleurs peintres
La majorité des élèves...	ne pas croire que/qu'	l'art joue un rôle important dans la vie quotidienne
La professeure...	ne pas penser que/qu'	on va visiter des musées cet été
Nous...		les élèves de notre école savent faire de la musique
Vous...		on ne doit pas avoir de cours d'art ou de musique dans les écoles
Les critiques...		les pièces de théâtre sont ennuyeuses
Mes amis...		on lit rarement des romans par plaisir

Expressions utiles

Ce n'est pas correct.

Je ne suis pas d'accord.

Je ne suis pas de ton avis.

Je pense que tu as mal compris.

Tu as tort.

Tu n'as pas raison.

Activité 12

Le tag, la prochaine exposition au musée?

Étape 1: Lire et écrire

Le musée d'art moderne dans votre communauté pense à lancer une nouvelle exposition de graffitis et on vous a demandé de rechercher si c'est une bonne idée. Vous avez trouvé cet article en ligne. Lisez-le puis comparez la liste de faits à ce qui est dit dans le texte. Si une phrase ne correspond pas au texte, corrigez-la.

graffeursartistes.la

> Le tag a-t-il sa place au musée? Éternel débat. *Libération* a demandé à trois artistes de la culture graffiti ce qu'ils en pensaient: le Franco-Américain Jonone, le punk RCF1, et Onet - ce dernier ayant refusé de participer à l'exposition «Le T.A.G. au Grand Palais».

Onet

«Le tag au musée, pourquoi pas ? Mais ça dépend surtout de la manière dont on le présente. Là, je n'y vois aucune intelligence. On met en avant le collectionneur, enfin plutôt une personne qui a découvert le graffiti récemment et qui collectionne des noms. Il a imposé un thème, un format. L'exact contraire du graffiti.

«Notre mouvement est encore jeune, ses pionniers sont vivants. C'est encore trop tôt pour pouvoir juger s'il s'agit d'art ou pas. Certains graffiti-artists ont envie de montrer des choses intelligentes. Mais cette exposition ressemble à un fast-food, une sorte de cour des miracles où tout est possible mais où rien n'est esthétisant. Ceux qui ont vraiment du talent vont se retrouver noyés au milieu de plein d'autres.»

Mon progrès communicatif

I can understand an article about the pros and cons of street art.

1. Onet croit qu'il est possible de faire une bonne exposition de tags.
2. Onet ne croit pas que cette exposition soit bien organisée.
3. Onet pense que la façon d'organiser une exposition doit changer pour une exposition de graffitis.
4. Onet croit que tous les artistes de graffitis sont de bons artistes.
5. Onet ne pense pas qu'on doive exposer autant d'artistes que possible.

Étape 2: Écrire

Après avoir fait vos recherches, vous envoyez ce que vous avez trouvé à l'administration du musée. Écrivez un email qui explique ce que vous pensez et ce que vous ne croyez pas au sujet de la possibilité d'une exposition de graffitis au musée.

Mon progrès communicatif

I can express my opinion about whether something is art.

Mon progrès communicatif

I can understand an article about the pros and cons of street art.

Mon progrès communicatif

I can exchange opinions about whether something is art.

Mon progrès communicatif

I can express my opinion about art.

J'avance 1

L'art de la rue - Qu'en penses-tu?

Il y a des avis différents sur l'art de la rue dans votre ville. Vous vous informez et puis participez à la conversation.

Étape 1: Lire

Lisez un message sur le réseau social de la ville qui critique l'art de la rue.

Étape 2: Parler

Vous parlez à un(e) ou deux ami(e)s de ce que vous pensez de la critique que vous avez lue. Expliquez si vous êtes d'accord ou non avec les opinions exprimées dans le message. À tour de rôle, posez-vous des questions sur vos opinions et demandez les opinions de tout le monde.

Étape 3: Écrire

Vous allez sur le site de la mairie pour exprimer vos opinions. Remplissez et soumettez le formulaire.

Allez sur Explorer pour trouver tous les documents nécessaires de **J'avance**.

Luang Prabang, Laos

Comment dit-on? 2

L'importance de l'art

Votre tante, une artiste, vient bientôt vous rendre visite. Elle adore visiter les musées, aller aux concerts et au théâtre. En vous parlant (*while talking*) de l'art la semaine passée, elle vous a demandé «Quel est le **but** de l'art pour vous?». Vous faites des recherches sur internet et trouvez un blog qui vous intrigue.

Emilie

Quand je **contemple** une œuvre d'art, que ce soit une peinture, un poème, une chanson, une sculpture, une pièce de théâtre, ou une comédie musicale, non seulement je questionne l'œuvre mais aussi je m'interroge. Comment est-ce que je **réagis** à une œuvre? Est-ce que je me sens joyeuse? Fâchée? Ennuyée? Me permet-elle de **rêver** d'une culture différente, ou bien d'un autre lieu que je ne connais pas? Y a-t-il plusieurs buts de l'art ou un but universel? Comment est-il possible que vous puissiez **admirer** une œuvre d'art mais que la même œuvre **laisse froid** votre ami(e)? Ce dont je suis certaine, c'est que l'art me permet de contempler mes émotions et la vie et quelquefois de **me calmer**.

Marc

On peut aussi imaginer que l'art est une façon de **s'échapper de** la vie réelle, un voyage, une introspection. Pour **le lecteur**, **l'auditeur** ou le spectateur, l'art peut être une simple invitation à quitter la monotonie du quotidien pour se réfugier dans un monde parallèle où l'imagination est le chef d'orchestre; où les seules limites sont celles que nous posons.

Séverine

Le but de l'art? Je dirais **secouer** quelque chose à l'intérieur de celui qui regarde.

Dominique

La question est bonne, mais la réponse ne peut pas l'être de nos jours. Le but de l'art est une recherche spirituelle. Dans le passé, l'art était utilisé pour représenter les dieux ou des déités adorées à cette période. Le but de l'art maintenant est de **choquer** ou inventer quelque chose de nouveau et faire de l'argent.

Luc

Peut-être que justement il n'a pas de but.

Frederic

La principale vocation de l'art est de rendre la vie plus **légère**.

laisser froid

s'échapper

lecteur/lectrice

auditeur/auditrice

secouer

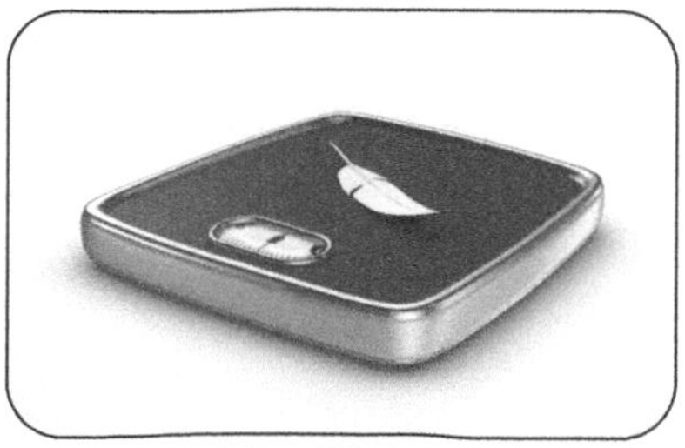
léger/légère

Rappel

Ça me fait réfléchir à...

s'interroger

rêver de

se demander

Détail linguistique

Les familles de mots

contempler-contemplation

interagir-interaction

réagir-réaction

Activité 13

Et vous?

Un blog nous permet de lire des réponses courtes aux questions souvent compliquées. Lisez les réponses à la question «Quel est le but de l'art?».

a. Mettez le(s) nom(s) approprié(s) de chaque blogueur à côté de chaque «but»; puis

b. Écrivez les mots du blog qui justifient votre réponse.

le but c'est de/d'...	nom du blogueur	les mots qui justifient votre réponse
nous surprendre		
nous calmer		
évoquer un sentiment religieux		
nous faire penser		
nous faire imaginer		
nous faire ressentir une émotion		
ne pas penser à la réalité		
découvrir quelque chose sur soi-même		

Activité 14

Comment interagir avec l'art?

Étape 1: Choisir et écrire

Après avoir lu les réponses des blogueurs, vous commencez à penser à vos propres interactions avec des œuvres d'art. Choisissez le blog auquel vous vous identifiez le plus et écrivez une réponse au blogueur ou à la blogueuse.

Dans votre réponse, expliquez pourquoi vous vous identifiez au blogueur ou à la blogueuse en parlant de vos expériences personnelles avec l'art. Vous pouvez mentionner les réactions que vous avez eues aux peintures et aux sculptures dans un musée, à une chanson préférée, à votre film favori, à une pièce de théâtre ou une comédie musicale préférée, ou un bâtiment admiré, par exemple.

Modèle

Chère Emilie,

Je m'identifie le plus à votre blog parce que...

Mon progrès communicatif

I can read and respond to posts about the value of art.

Étape 2: Réfléchir et partager

Considérez vos interactions et vos sentiments avec les œuvres d'art dont vous avez parlé dans votre réponse. Choisissez une œuvre à laquelle vous avez eu une réaction forte, soit positive, soit négative.

a. D'abord, organisez vos idées, vos sentiments et vos interactions sur une feuille de papier; puis

b. À tour de rôle, partagez avec votre partenaire ce que vous avez écrit.

c. Réagissez à votre partenaire en lui donnant votre opinion, un conseil ou un commentaire.

Activité 15

Une artiste nous parle!

L'art qui vous intéresse le plus en ce moment, c'est la bande dessinée. En cherchant (*while looking for*) des informations sur les artistes, vous trouvez cet entretien avec l'artiste Séverine Colmet-Daâge (SEV). Elle répond de son atelier (*studio*) personnel à la question «Quel est le but ou l'importance de l'art?».

Étape 1: Faire des recherches

Avant d'écouter la réponse de SEV, faites des recherches avec un(e) partenaire sur les bandes dessinées francophones. En connaissez-vous?

Étape 2: Réfléchir et prédire

Avec un(e) partenaire, réfléchissez à ce que vous pensez que SEV va dire. Quel est le but de l'art pour quelqu'un qui fait des BD?

Étape 3: Écouter et répondre

Écoutez cet extrait d'un entretien avec SEV.

a. Si elle dit quelque chose que vous avez prédit (*predicted*), cochez (✔) la boîte à côté de votre remarque sur votre représentation schématique;

b. Ajoutez ce qu'elle a dit que vous n'avez pas prédit sur la représentation schématique; puis

c. Écrivez deux à trois phrases de réflexion.

Détail linguistique

Penser à* vs *penser de

On utilise *penser à* si on pense à quelqu'un ou quelque chose. On utilise *penser de* pour exprimer une opinion sur quelqu'un ou quelque chose.

Je pense à ma grand-mère quand j'entends cette chanson.

Que penses-tu de cette nouvelle peinture dans l'entrée de l'école? (On cherche une opinion.)

Mon progrès communicatif

I can use French to learn about francophone comics or graphic novels.

Plus de 6 millions de visiteurs au musée du Louvre à Paris voient La Joconde.

Détail grammatical

Deux actions simultanées

On utilise le gérondif (préposition *en* + participe présent) pour parler d'une action qui se passe en même temps qu'une autre. On enlève *-ons* du verbe conjugué à l'indicatif présent, puis on ajoute la terminaison *-ant*. Il n'y a pas de sujet. On voit dans le premier exemple ci-dessous que l'on conjugue le verbe discuter = nous discutons = puis on enlève *-ons* et on ajoute *-ant*.

En discutant de la Joconde avec ma tante, je me suis rendu compte que je ne connaissais pas du tout cette œuvre d'art.

J'ai fait mes devoirs **en regardant** la télé.

Mon progrès communicatif

I can present a work of art to be included in an exhibition.

Expressions utiles

Ça me fait imaginer.

Ça me fait penser à ma famille, à mon ami(e)...

Qu'en penses-tu?

Activité 16

Présenter l'œuvre d'art de votre choix

Vous proposez aux autres élèves de votre cours de français de former des groupes et de créer de petits musées. Dans chaque musée, les membres du groupe présenteront une œuvre d'art qu'ils/elles ont choisie.

Étape 1: Choisir et réfléchir

D'abord, individuellement, trouvez un objet d'art que vous admirez pour le proposer à votre groupe. Utilisez la représentation schématique pour organiser vos idées avant de les présenter.

Étape 2: Présenter, écouter et répondre

a. En groupes de trois ou quatre, à tour de rôle, partagez et défendez votre œuvre d'art. Prenez des notes sur la représentation schématique quand vos partenaires présentent leurs objets. Posez au moins une question à chaque membre de votre groupe.

b. Choisissez en tant que groupe une œuvre pour votre musée.

c. Comment votre groupe veut-il organiser votre exposition? Donnez un nom à votre musée.

Étape 3: Présenter

À tour de rôle, visitez les autres musées dans la classe. Choisissez deux œuvres d'art des autres musées et commentez-les sur votre représentation schématique. Présentez votre œuvre quand les autres groupes visitent votre musée.

Zoom culture

Produit culturel: Les bandes dessinées

Connexions

Aimez-vous toutes sortes de littérature? Quand vous choisissez quelque chose à lire, qu'est-ce que vous choisissez? Pourquoi?

Si vous cherchez une histoire de western (*Lucky Luke*), d'aventure (*Les Aventures de Tintin, Astérix* ou *Spirou et Fantasio*), ou humoristique (*Titeuf* ou *L'Élève Ducobu*), vous pouvez sans aucun doute trouver une bande dessinée (BD) qui vous plaira. Similaire aux buts d'un peintre, d'un cinéaste, ou d'un romancier, l'auteur d'une BD vise à nous choquer, à nous faire rire, à nous relater une histoire d'amour. Cependant, les BD se différencient d'un roman traditionnel car il y a aussi des images qui remplacent les longues descriptions des romans. L'auteur permet donc au lecteur d'interpréter l'histoire lui-même rendant l'histoire parfois plus vivante. En lisant une BD, on trouve un moyen de s'échapper de la vie réelle, de rêver, ou d'explorer une culture différente de la nôtre.

L'importance et la popularité de la BD francophone ne doivent jamais être sous-estimées et il n'est pas du tout surprenant que les Français considèrent la BD comme le neuvième art.

Savez-vous que les films populaires tels que *Spiderman*, *Batman*, *Joker*, *X-Men* ou *Avengers* étaient à l'origine des bandes dessinées créées juste avant la Seconde Guerre mondiale aux États-Unis? En fait, la toute première BD Marvel a été vendue en 2019 pour 1,26 millions de dollars - alors qu'elle coûtait seulement 10 cents en 1939!

Réflexion

À votre avis, pourquoi les bandes dessinées sont-elle aussi populaires chez les jeunes, les adolescents et les adultes? Lisiez-vous des comics ou des mangas (noms donnés aux BD d'Amérique du Nord et du Japon respectivement) quand vous étiez jeune? Si oui, lesquelles? Est-ce qu'il y en avait une que vous avez préférée?

Noël sera-t-il jaune ?

Saint-Valentin vs PSG

Réflexion interculturelle

Comment les comics, les bandes dessinées, les romans graphiques, ou les mangas communiquent-ils les messages dans votre culture? Quels titres les adultes lisent-ils? Et les enfants? Les adolescents? Les BD en France et en Belgique sont-elles aussi populaires que les comics en Amérique du Nord?

Mon progrès interculturel

I can compare the popularity of comics and graphic novels in francophone cultures and in my community.

Les chutes de Kuang Si

Découvrons 2

Exprimer des désirs et des émotions

Vous continuez à regarder l'entretien de l'artiste, Séverine Colmet-Daâge, où elle donne des conseils et exprime son point de vue en tant qu'artiste professionnelle. Elle parle aussi de ses émotions et de ses désirs.

Je suis ravie de parler aux futurs artistes de notre métier. **Je ne suis pas étonnée que** vous me posiez des questions. Artiste, c'est un beau métier.
Je désire avoir la liberté de créer. **Voulez-vous** être curieux? **Voulez-vous** accentuer la beauté dans le monde? Si oui, **je veux que** vous soyez mon collègue!
Un petit conseil pour le futur artiste: **je veux que** vous attendiez un peu avant de faire ce métier à plein temps.
Je veux plaire, oui, **je veux que** le public soit obligé de regarder le monde différemment. En général, **les spectateurs veulent que** l'artiste réussisse, mais il y en a d'autres qui **préfèrent** critiquer.
Je suis triste de vous quitter, mais **je suis heureuse que** vous me fassiez confiance avec vos questions.

Découvertes

Réfléchissez à ce que vous observez et répondez aux questions suivantes dans la représentation schématique sur Explorer.

1. Lisez ce que dit SEV dans les bulles et regardez les mots soulignés et en caractères gras. Qu'est-ce que vous remarquez? Elle parle de qui et de quoi?
2. Quelles sont les différences dans la structure lorsqu'elle parle de ses propres (*own*) désirs et émotions et ceux des autres?
3. Pourquoi pensez-vous qu'il y a une différence dans la forme verbale dans les deux cas?
4. Partagez vos observations avec un(e) partenaire. Que remarquez-vous d'autre dans ces citations et que pouvez-vous ajouter aux observations de votre partenaire?

Images licensed courtesy of Vyond™

Activité 17

Ce qu'elle veut pour elle-même, pour vous et pour le public

Vous avez lu les conseils et les désirs de Séverine. Qu'est-ce qu'elle veut pour elle-même et qu'est-ce qu'elle veut pour vous, les futurs artistes? Comme vous avez un sens artistique, vous voulez prendre en compte ce qu'elle dit. Notez vos réponses dans la représentation schématique sur Explorer.

Activité 18

Et si je ne veux pas y aller?

Votre tante a acheté deux billets pour une comédie musicale. Vous ne voulez pas y aller sans votre meilleur ami, mais vous recevez un message vocal dans lequel il décline votre invitation par manque d'intérêt.

a. Écoutez le message de votre ami.

b. Organisez bien votre réponse avant de lui répondre. Enregistrez votre réponse. Essayez de le convaincre d'y aller en lui donnant votre opinion sur la comédie musicale. Que pensez-vous de cette forme d'art?

Modèle

Je veux que tu m'accompagnes (que tu viennes avec moi) parce que…

Activité 19

L'importance des arts plastiques à l'école

Après les visites aux musées avec votre tante et après avoir écouté une artiste parler de ses expériences, vous vous intéressez plus à l'enseignement des arts plastiques à l'école. Un(e) de vos ami(e)s vous dit que sa sœur et son professeur ont filmé un message d'intérêt public (*public service announcement*) qui parle de l'importance de l'enseignement des arts à l'école.

Étape 1: Regarder

Regardez l'entretien et complétez la représentation schématique.

Étape 2: Écrire

Écrivez une lettre à un professeur d'un cours d'art - les arts plastiques, la musique, le théâtre, etc. Parlez-lui de ce dont vous vous souvenez de l'expérience. Êtes-vous reconnaissant(e) de l'expérience? Pourquoi?

Rappel

Quelques émotions

content(e)

désolé(e)

étonné(e)

heureux/heureuse

ravi(e)

triste

Mon progrès communicatif

I can convince someone to attend an artistic event.

Mon progrès communicatif

I can understand a message about the importance of art.

Mon progrès communicatif

I can present justifications for supporting arts programs.

Mon progrès communicatif

I can understand a message about the importance of art.

Mon progrès communicatif

I can read and respond to posts about the value of art.

Mon progrès communicatif

I can present justifications for supporting arts programs.

J'avance 2

Se battre pour les arts

Après avoir pris le petit déjeuner, vous lisez les nouvelles de votre communauté en ligne. Vous voyez une annonce (un message d'intérêt public) des parents qui s'inquiètent des réductions budgétaires potentielles de votre école, qui affecteront les programmes scolaires tels que l'enseignement de l'art.

Étape 1: Lire

Lisez l'annonce qui parle des réductions budgétaires de votre école.

Étape 2: Lire et écrire

Lisez quelques réponses à l'annonce et répondez-y.

Étape 3: Parler

Créez une vidéo pour convaincre les directeurs de ne pas réduire l'argent dédié à l'enseignement des arts à l'école. Parlez non seulement des raisons personnelles pour lesquelles vous valorisez cet enseignement mais aussi d'autres raisons convaincantes.

Allez sur Explorer pour trouver tous les documents nécessaires de **J'avance**.

Comment dit-on? 3

L'art et la culture entrelacés

Artistes ou vandales?

Récemment, il y a eu quelques cas de vandalisme dans votre école. Certains élèves pensent que les graffitis ne sont pas un signe de vandalisme, mais plutôt une expression artistique. Suite à ces événements, votre professeur de français décide d'organiser une discussion en classe. Vous commencez par lire un texte sur l'art dans la vie quotidienne.

L'art au quotidien

Jetez un coup d'œil autour de vous, que voyez-vous? À la maison, dans la rue, à l'école, on peut voir de nombreux objets qui **contiennent** un élément artistique ou qui sont **exposés** comme objets d'art. Ces objets font partie intégrale de notre vie, nous en avons besoin pour des **usages** quotidiens. L'art est tout autour de nous!

L'utilisation la plus **commune** de l'art est de transmettre des idées ou des émotions. Quand on s'intéresse aux différentes branches artistiques comme le théâtre, les arts plastiques, la danse, le chant, la musique, la photographie, on **s'enrichit** à travers les concepts et les sentiments **profonds** que d'autres personnes ont développés ou **dévoilés** à travers leurs créations.

L'art est tout autour de nous: dans nos quartiers, sur les **bâtiments**, dans les transports en commun. Il est souvent utilisé afin de rendre un **lieu** plus **attrayant** pour les petits comme pour les grands.

L'art représente un **témoignage** du temps passé et parfois **lointain**. Un temps où la communication n'existait pas encore, un temps où la **capacité** d'écrire n'était pas encore établie.

L'art est tout autour de nous! C'est un **moyen d'aide** qui nous permet de réfléchir à travers un autre langage: parfois musical, parfois théâtral et parfois **gestuel**. C'est un langage universel et éternel. Nul besoin d'un livre pour l'apprendre, laissez l'art vous emporter, tout simplement!

On peut aussi dire

le besoin

l'écriture (f.)

s'enrichir

le fonctionnement

le moyen d'aide à

Détail linguistique

Nul(le)

Le mot *nul(le)* a plusieurs significations:

- C'est **nul** = Cela n'a aucune qualité ou cela a zéro qualité.
- **Nul** n'est certain de son avenir = personne n'est certain de son avenir.
- **Nulle** part ailleurs = à aucun endroit
- Match **nul**! Un match où les deux adversaires ont le même score

Mon progrès communicatif

I can understand and summarize key ideas.

Le Mékong

Activité 20

Qu'est-ce qui est important?

Étape 1: Lire et organiser

Après avoir lu le texte, vous commencez par organiser vos idées. Complétez le remue-méninges sur Explorer avec les points les plus importants de l'article.

Étape 2: Parler

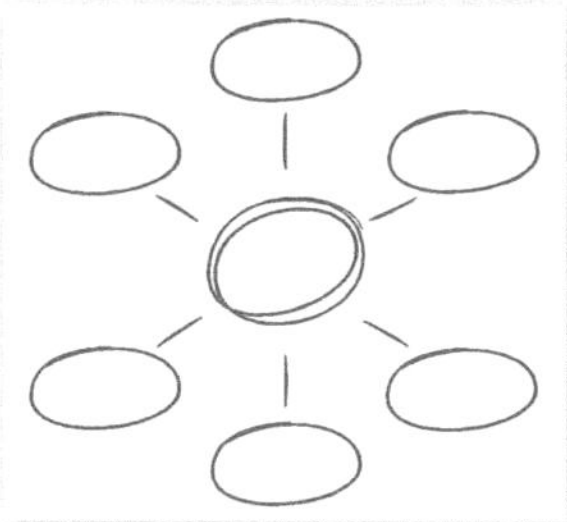

Vous comparez votre remue-méninges à celui d'un(e) autre élève. Choisissez un de vos concepts et exprimez votre opinion. Demandez ensuite à votre partenaire de réagir.

Modèle

Élève A: Moi, je crois que l'art est très important et qu'il nous permet d'exprimer nos émotions et nos sentiments. Qu'est-ce que tu en penses?

Élève B: Je suis contente de savoir que nous sommes d'accord. Je pense qu'il faut que l'école nous permette d'exprimer notre créativité. L'art est partout, pourquoi pas sur les murs de l'école? Tu es d'accord?

Élève A: ...

Étape 3: Écrire

Le débat approche, vous résumez votre discussion avec votre partenaire en trois points. Soutenez vos idées avec des exemples concrets adaptés à l'environnement scolaire.

Concept du texte		Exemple concret adapté à l'environnement scolaire
Modèle *L'art est partout, dans les jardins, dans les parcs, sur les bâtiments de la ville.*	→	*Je pense qu'il faut créer des endroits dans l'école où les élèves peuvent s'exprimer librement.*
	→	
	→	
	→	

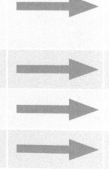

Activité 21

Sois convaincant(e)!

Le débat suite au vandalisme continue. S'agit-il vraiment d'un acte de vandalisme ou s'agit-il plutôt d'un acte d'expression artistique qui est allé un peu trop loin?

Vous en discutez pendant le cours de français avec un(e) partenaire que vous essayez de convaincre.

Modèle

Élève A: Je crois que les graffitis dévoilent des sentiments très profonds et que c'est un moyen pour l'artiste de nous les montrer de manière attrayante.

Élève B: Alors là, je ne suis absolument pas d'accord avec toi. Je pense que le responsable, par ses actions, a rendu notre école moins attrayante.

Mon progrès communicatif

I can share my point of view about a work of art.

Activité 22

C'est de l'art, ça?

Le débat continue en classe, votre professeur de français a choisi cinq images différentes. Vous êtes plus que jamais décidé(e) à défendre les arts et vous créez une brochure avec deux des images ci-dessous.

a. Choisissez une image représentant une expression artistique et une autre représentant un acte de vandalisme; puis

b. Expliquez dans votre brochure quelle image représente de l'art et laquelle représente un acte de vandalisme.

On peut aussi dire

déjà vu

en s'éloignant

l'essor (m.)

fait(e) maison

laisser à penser

métissé(e)

Où suis-je? En France ou au Laos?

Chaque année, les professeurs d'histoire-géo et les professeurs de français enseignent une unité pluridisciplinaire. Cette année, ils focalisent sur l'influence des colonies dans le monde. Votre professeur de français a choisi de lire un texte du journal intime d'une amie sur le Laos.

AVENTURE FRANCOPHONE AU LAOS

Aujourd'hui je suis partie à la découverte du **patrimoine** culturel de la capitale du Laos, Vientiane, et à la recherche du petit déjeuner parfait. Je l'ai trouvé en me promenant dans les jolies **ruelles** du centre-ville et en suivant l'odeur qui **se dégageait** d'une boulangerie. Je me suis tout de suite crue en France. Je connaissais un peu l'histoire coloniale du Laos, mais j'ai été surprise (dans le bon sens!) par ce que j'ai trouvé dans ce petit commerce de Vientiane, un boulanger qui **fabrique** des baguettes tous les matins et des **viennoiseries** – quelle merveille! Croissants, pains au chocolat, chaussons aux pommes, chouquettes – un choix difficile!

une baguette

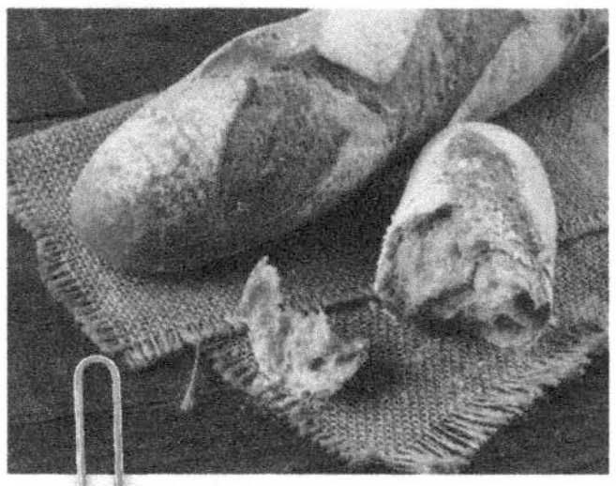

Après avoir mangé, j'ai emprunté l'avenue Lang Xang et, de loin, j'ai vu un monument massif qui **se dressait** devant moi. Cette image d'un énorme arc au milieu d'une grande avenue me rappelait une autre capitale et un autre monument dans une autre avenue. Je n'en croyais pas mes yeux! Un Arc de Triomphe **orientalisé, bordé** de feuilles de lotus et **surmonté** de quatre petits tours. C'était le Patuxai. En lao, patu veut dire «la porte» et xai «la victoire». Triomphe – victoire, coïncidence? Je crois que non!

Je ne **cesse** de penser à cette belle journée où j'ai vu deux cultures en une.

Patuxai

Activité 23

Je découvre le Laos

Après avoir lu le texte «Aventure francophone au Laos» du journal intime, quelles images pouvez-vous associer aux mots suivants?

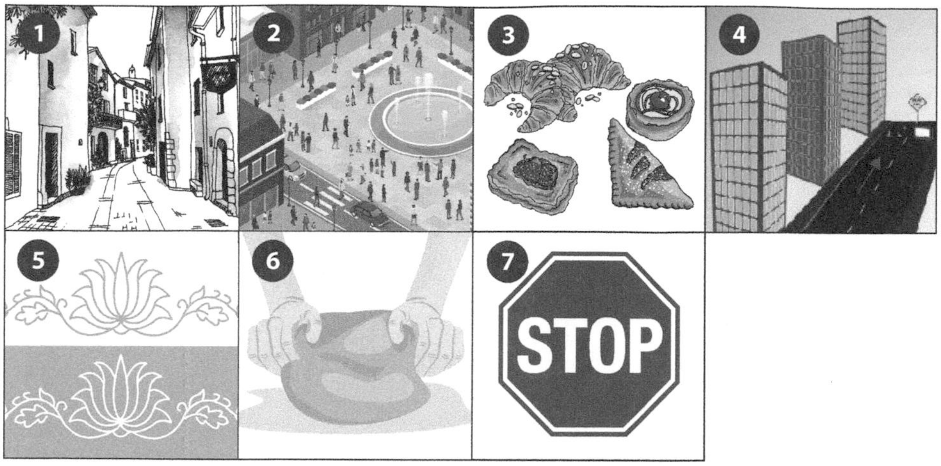

A. au bout de	D. être bordé(e) de	G. le centre-ville
B. cesser de	E. le patrimoine	H. des viennoiseries
C. fabriquer	F. les ruelles	I. se dresser

Activité 24

L'influence coloniale

Votre professeur de français vous demande de réfléchir à ce que vous avez lu. Qu'avez-vous remarqué?

Étape 1: Lire, regarder et écrire

D'après ce que vous avez lu et vu, quels exemples concrets d'héritage colonial reconnaissez-vous facilement? Faites une liste.

Étape 2: Écrire

Choisissez un de vos exemples et expliquez pourquoi c'est un exemple d'héritage colonial.

Modèle

Je crois que l'architecture du Patuxai copie un monument très connu du patrimoine français. Je reconnais la structure du bâtiment, même si la version du Laos est orientalisée. Ce sont deux bâtiments magnifiques!

Étape 3: Parler

L'influence française fait partie intégrale de la vie de tous les jours au Laos. Existe-t-il d'autres endroits dans le monde où l'influence d'une autre culture est visible? Discutez-en avec un(e) partenaire.

Détail linguistique

Amener, emmener, apporter ou emporter?

Dans quelle situation peut-on utiliser ces quatre verbes?

apporter/emporter + objet qu'il faut porter

amener/emmener + personne/animal qui peut bouger par elle/lui-même.

Mon progrès communicatif

I can understand main ideas and key details in a personal journal about how cultures influence one another.

Mon progrès communicatif

I can share my opinion about the value of art from different cultures.

Découvrons 3

Éviter la répétition avec *me, te, nous, vous, le, la, les, lui, leur*

Charlie fait du bénévolat dans une galerie où elle travaille comme guide-accompagnatrice. Ce stage **lui** donne l'occasion de présenter des artistes avant les spectacles, de parler des œuvres d'art et d'expliquer aux gens ce que la galerie **leur** offre comme services.

Bienvenue à tous! Je m'appelle Charlie, je suis votre guide-accompagnatrice pour la visite guidée. Je veux que vous, le public, sachiez que nous **vous** proposons des concerts, des spectacles et des expositions. En plus, nous **vous en** proposons certains gratuitement! Il y **en** a beaucoup!

Nous avons un studio de danse - **le** voici. Dedans il y a un endroit où les parents s'installent pour regarder les spectacles. Je **vous le** montre.

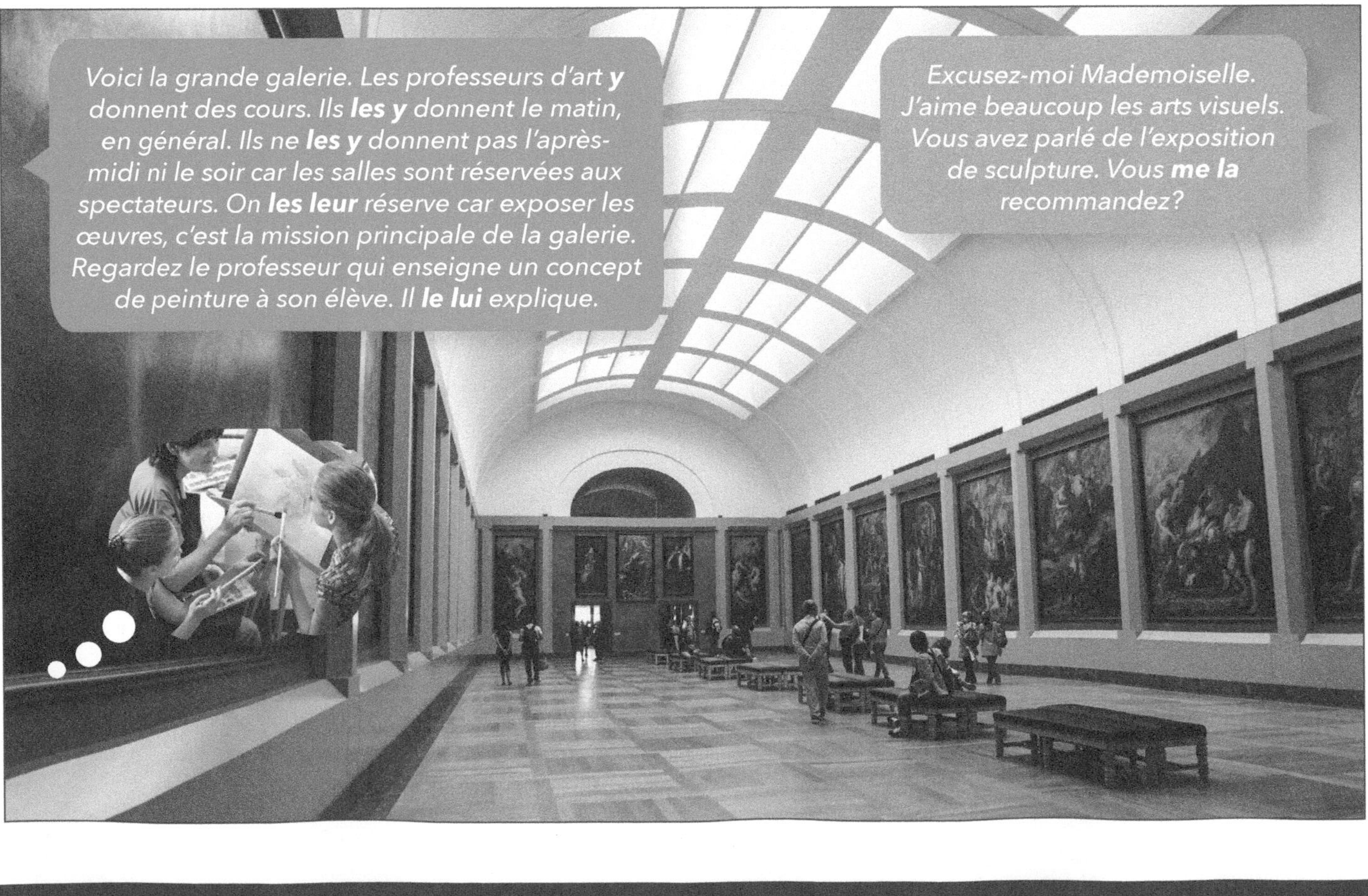

Voici la grande galerie. Les professeurs d'art **y** donnent des cours. Ils **les y** donnent le matin, en général. Ils ne **les y** donnent pas l'après-midi ni le soir car les salles sont réservées aux spectateurs. On **les leur** réserve car exposer les œuvres, c'est la mission principale de la galerie. Regardez le professeur qui enseigne un concept de peinture à son élève. Il **le lui** explique.
Excusez-moi Mademoiselle. J'aime beaucoup les arts visuels. Vous avez parlé de l'exposition de sculpture. Vous **me la** recommandez?

Découvertes

Réfléchissez à ce que vous observez et répondez aux questions suivantes dans la représentation schématique sur Explorer.

1. Lisez ce que Charlie et les visiteurs disent et regardez les mots en caractères gras. Qu'est-ce que vous remarquez? Connaissez-vous déjà ces mots? Dans quels contextes les avez-vous vus?
2. Pourquoi emploie-t-on les mots en caractères gras?
3. Qu'est-ce que vous remarquez concernant l'ordre des mots dans chaque phrase? Où se trouvent les mots en caractères gras par rapport aux autres mots?
4. Concernant les mots en caractères gras, avez-vous remarqué dans quel ordre ils apparaissent (*appear*) s'il y en a deux? Lesquels apparaissent toujours en première position? En deuxième position?
5. Partagez vos observations avec un(e) partenaire. Que remarquez-vous d'autre dans ces citations et que pouvez-vous ajouter aux observations de votre partenaire?

Activité 25

Elle le leur a dit?

Votre prof d'art a entendu que vous avez déjà visité la galerie. Elle vous demande ce que la guide vous a dit pendant la visite guidée.

Modèle

...vous a montré l'endroit où les parents s'installent pour regarder les spectacles.

Elle nous l'a montré.

Votre prof vous demande si la guide...	ce qui est arrivé
...vous a parlé des événements musicaux ou culturels.	Elle...
...vous a donné une visite guidée de plusieurs endroits dans la galerie.	Elle...
...vous a dit si les profs d'art donnent des cours à la galerie et quand.	Oui, les profs d'art...
...vous a dit quand la galerie réserve les salles d'exposition uniquement aux spectateurs.	Oui, la galerie...

Détail grammatical

Les verbes et doubles pronoms objets

apporter
demander
donner
écrire
montrer
offrir
présenter
prêter
proposer
réciter
recommander
vendre

} quelque chose à quelqu'un

Activité 26

Raconte-moi la visite!

Votre amie n'a pas pu aller voir la galerie avec vous. Elle vous a laissé un message avec quelques questions au sujet de votre visite. Enregistrez vos réponses à ses questions sur Explorer.

Zoom culture

Produit culturel: Les crêpes autour du monde

Connexions

À votre avis, les arts culinaires mériteraient-ils de faire partie officiellement des arts? Pourquoi ou pourquoi pas? La cuisine est-elle importante pour vous? Expliquez votre réponse. Quel genre de cuisine préférez-vous? Pourquoi?

Bien qu'ils ne fassent pas officiellement partie de la liste des sept grandes disciplines artistiques, les arts culinaires méritent toutefois une mention plus qu'honorable.

En effet, la cuisine d'un pays est le miroir de son histoire, de sa géographie, de sa culture et de bien d'autres facteurs. Chaque pays, chaque culture a développé au cours du temps, une cuisine bien spécifique. Cependant, certains éléments semblent avoir traversé le temps et la distance. Un des exemples les plus flagrants est la présence de crêpes ou de mets semblables à des crêpes à travers différentes cuisines.

Selon les historiens, la crêpe serait apparue aux environs du 12e siècle. Faite à l'origine à base de sarrasin (*buckwheat*) et d'eau, elle n'était cuite que d'un seul côté et accompagnait d'autres mets comme de la soupe, des œufs ou de la viande. Au fil du temps, la recette a évolué et de nos jours, on utilise généralement de la farine de blé, des œufs et du lait. De plus, la crêpe est plutôt considérée comme un dessert.

Mais la crêpe n'existe pas seulement dans la culture francophone. Avez-vous déjà entendu parler de *blini*, de *roti*, d'*injera*, ou même de *banh chiao*? Quelles images se trouvant sous le globe pouvez-vous identifier? Auxquelles avez-vous déjà goûté?

Selon la culture, ces différentes variétés de crêpes peuvent être plutôt salées ou plutôt sucrées selon les occasions.

Réflexion

Avez-vous déjà mangé une crêpe salée ou sucrée? Comment l'avez-vous trouvée? Si vous n'avez pas encore mangé de crêpe, aimeriez-vous en goûter une? Quel type de crêpe vous tente (*tempts*) le plus?

Injera, cuisine éthiopienne

Blini au saumon et au caviar

Roti, cuisine indienne

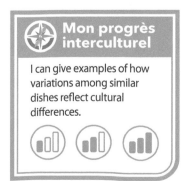

Banh Chiao, cuisine cambodienne

Réflexion interculturelle

Quel(s) autre(s) exemple(s) de «crêpes» connaissez-vous? Quelle est l'origine et le nom de cette variété? Est-elle plutôt sucrée ou salée? Pouvez-vous citer d'autres exemples de plats qui semblent avoir «traversé» les cultures et les frontières? Lesquels?

Mon progrès interculturel

I can give examples of how variations among similar dishes reflect cultural differences.

Détail linguistique

Pour prononcer deux pronoms ensemble

Dans une phrase avec deux pronoms, la voyelle *e* à la fin des pronoms *me* et *te* peut disparaître pour que la phrase se prononce d'une manière plus fluide et en moins de syllabes.

Tu me les donnes. ⟶ "tu m'les" donnes
(le *e* du mot *me* disparaît)

Je te les présente. ⟶ "je t'les" or "j'te les" présente
(le *e* du mot *te* disparaît ou le *e* du mot *je* disparaît)

Vous connaissez un phénomène similaire dans la phrase «je ne sais pas» qui est plus souvent prononcé en trois syllabes au lieu de quatre (le *e* du mot *ne* disparaît).

Activité 27

On vous en propose

Vous tchattez sur internet avec Nickar et vous parlez de nourriture. Elle connaît les «crêpes» du Cambodge, un des pays à côté du Laos. Elle vous dit que les gens y mangent des crêpes et qu'elle aimerait vous poser quelques questions à ce sujet.

panylaos | elevecultivee

En Asie on mange des crêpes! Et en Europe? Et au Mexique?

...

Chez toi, tu manges des crêpes?

...

Sinon, quels plats proposez-vous aux invités?

...

Pour quelles raisons est-ce que vous leur proposez ces plats?

...

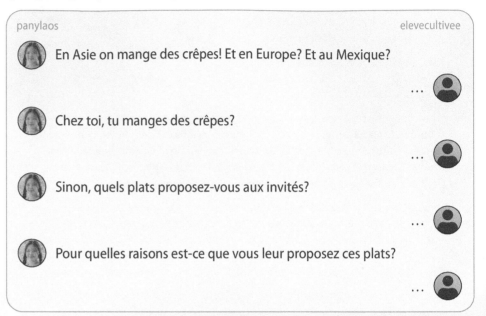

Des rizières au Laos.

J'avance 3

Une exposition virtuelle

Chaque année, votre école organise une exposition multimédia pour mettre en valeur les nombreux talents des élèves. Cette année-ci, il y aura en plus une exposition virtuelle de jeunes artistes du monde entier car le thème de l'exposition est «L'influence de l'art à travers le monde».

Étape 1: Lire

Vous avez l'occasion, pendant votre cours de français, de lire un post d'une des jeunes artistes qui participera à l'exposition. Vous lisez attentivement ce que Nickar présente dans son blog.

Étape 2: Écrire

Suite à la rencontre virtuelle avec Nickar, vous créez une brochure pour inviter les membres de la Société honoraire de français à participer ou aller à l'exposition. Vous vous concentrez sur les diverses influences de l'art dans les pays francophones et vous répondez à des questions.

AP® Étape 3: Parler

Vous discutez de l'exposition à venir avec une de vos connaissances qui espère y participer. Elle vous parle de ce qu'elle compte exposer. Vous lui posez des questions.

Allez sur Explorer pour trouver tous les documents nécessaires de **J'avance**.

Mon progrès communicatif

I can understand and summarize key ideas.

Mon progrès communicatif

I can share my opinion about the value of art from different cultures.

Mon progrès communicatif

I can share my point of view about a work of art.

Synthèse de grammaire

1. Expressing Opinions and Beliefs: *Exprimer des opinions et des croyances*

Expressing your opinion is an essential skill that frequently features two verbs that have the meaning of *to think* or *to believe* - ***penser*** and ***croire***. By following these verbs with the expression ***que***, you can then express an opinion or belief.

Je pense que les meilleurs romans français viennent du dix-neuvième siècle.
I think that the best French novels come from the nineteenth century.

Je crois que la cuisine française est aussi populaire que la cuisine italienne.
I believe that French cuisine is as popular as Italian cuisine.

These two examples featured actions that the subject believed were realities. If the subject believes that the action is hypothetical or is not a reality, the verbs ***penser*** and ***croire*** will be in the negative form and the following verb in the subjunctive.

Mon père **ne pense pas** que le cinéma moderne **soit** aussi bien fait que le cinéma de sa jeunesse.
My father does not think that modern cinema is as well-made as the cinema of his youth.

If you are asking someone a question with ***penser*** or ***croire***, the verb that follows will be in the subjunctive.

Crois-tu que notre musée d'art **doive** avoir une exposition de tag?
Do you believe that our art museum should have an exhibition of graffiti?

2. Expressing Desires and Emotions: *Exprimer des désirs et des émotions*

To talk about one's own desires and emotions, use an expression of desire or emotion followed by an infinitive.

Je veux étudier l'architecture à l'université.
I want to study architecture in college.

Ma sœur voudrait écouter de la musique classique pour se détendre.
My sister would like to listen to classical music in order to unwind.

Add ***de*** following many expressions of emotion before using the infinitive.

Je suis heureux d'aller à une exposition de photographie avec mes copains.
I am happy I'm going to a photography exhibit with my friends.

Suzanne a hâte de voir cette nouvelle comédie musicale.
Suzanne can't wait to see that new musical.

To express emotional reactions towards others or what a subject wants someone else to do, use the subjunctive.

Je suis triste que Paul ne vienne pas avec nous pour voir la pièce de théâtre.
I am sad that Paul is not coming with us to see the play.

Ma prof d'arts plastiques veut que j'aille souvent au musée pour pratiquer le dessin.
My art teacher wants me to go to the museum often to practice drawing.

3. Avoiding Repetition: *Éviter la répétition avec me, te, nous, vous, le, la, les, lui, leur*

You have already learned how to use object pronouns to replace people and things.

Je voudrais bien lire **le dernier roman** de mon auteur préféré.
I would really like to read the latest novel by my favorite author.

Je voudrais bien **le** lire.
I would really like to read it.

There are often situations where not just one, but two nouns, can be replaced by pronouns.

Je vais donner **les dessins à Christine** ce soir.
I am going to give the drawings to Christine this evening.

Je vais **les lui** donner ce soir.
I am going to give them to her this evening.

In the second sentence, the object ***les dessins*** was replaced by ***les*** and the person reference ***à Christine*** was replaced by ***lui***. Use the chart below to determine the correct order of multiple pronouns.

me te nous vous	before	le la l' les	before	lui leur	before	y	before	en

La guide expliquera **la peinture à notre groupe**.
The guide will explain the painting to our group.

La guide **nous l'**expliquera.
The guide will explain it to us.

Est-ce qu'il y a de bons musées à Montréal? Oui, il **y en** a beaucoup.
Are there good museums in Montreal? Yes, there are a lot of them.

Vocabulaire

Comment dit-on? 1: Qu'est-ce que l'art?

l'architecture (f.)	*l'art de la conception et la construction de bâtiments*
les arts (m. pl.) culinaires	*les arts attribués à la cuisine y compris la préparation et la présentation de plats et de desserts*
les arts (m. pl.) de la scène	*l'ensemble (m.) des manifestations artistiques exécutées sur une scène*
les arts (m. pl.) visuels	*les pratiques (f. pl.) de recherche et de création en peinture, sculpture, dessin, arts textiles, photographie, et toute autre forme d'expression de même nature*
la bande dessinée	*le genre de narration illustré*
l'édifice (m.)	*le bâtiment surtout en parlant d'église, de palais, de temple et d'autres grands bâtiments*
la matière brute	*le produit naturel que l'on peut transformer*
l'œuvre (f.)	*la création artistique*
le/la peintre	*la personne qui crée une peinture*
la peinture	*la représentation d'une image ou d'un sentiment sur toile ou papier*
la pensée	*n'importe quelle opération de l'intelligence*
la pierre	*la matière rocheuse*
la poésie	*le genre littéraire dans lequel un ouvrage est écrit en vers*
le roman	*le livre écrit en prose*
la sculpture	*l'art (m.) de créer un objet à partir de pierre, de bois ou de métaux*
le sentiment	*la faculté de recevoir des impressions ou des émotions*
le spectateur/la spectatrice	*la personne qui regarde un spectacle*
le stylisme	*le travail consistant à imaginer et dessiner des modèles vestimentaires destinés à être portés*
la taille	*la mesure en longueur, largeur ou hauteur d'un objet ou d'une personne*

Expressions utiles

Ça me rend...	*Ça me fait...*
car...	*parce que/qu'...*
C'est une œuvre de/d'...	*C'est une création artistique de/d'...*
Ce n'est pas comme ça.	*Ça n'est pas le cas.*
Ce n'est pas correct.	*C'est incorrect*
Il est important de/d'...	*Il est essentiel de/d'...*
Il faut...	*Il est nécessaire de/d'...*
Je ne suis pas d'accord.	*Je ne le vois pas comme ça.*
Je pense que tu as mal compris.	*Je pense que tu as eu des problèmes de compréhension.*
Je trouve ça beau/moche/créatif/artistique/intéressant.	*Je juge ça beau/moche/créatif/artistique/intéressant.*
...me plaît.	*j'aime...*
On devrait...	*Il faudrait...*
parce que/qu'...	*car...*
Tu as tort.	*Ton idée est mauvaise.*
Tu n'as pas raison.	*Je ne suis pas de ton avis.*

Comment dit-on? 2: L'importance de l'art

admirer	*regarder et apprécier*
l'auditeur (m.)/ l'auditrice (f.)	*la personne qui écoute*
le but	*l'objectif*
se calmer	*s'apaiser*
choquer	*heurter*
contempler	*admirer, considérer*
s'échapper (de/d')	*s'enfuir (de/d'), sortir (de/d')*
laisser froid	*rendre indifférent(e)*
le lecteur/la lectrice	*la personne qui lit*
léger/légère	*contraire de lourd(e)*
réagir	*répondre*
rêver	*avoir des images et des idées en tête pendant le sommeil*
secouer	*remuer*

Expressions utiles

Ça me fait imaginer.	*Ça provoque la représentation d'une image dans mon esprit.*
Ça me fait penser à ma famille, à mon ami(e)...	*Ça provoque en moi des pensées à propos de ma famille, de mon ami(e)...*
Qu'en penses-tu?	*Quelle est ton opinion?*

Comment dit-on? 3: L'art et la culture entrelacés

Artistes ou vandales?

attrayant(e)	*attractif, attractive*
le bâtiment	*la construction, l'édifice*
la capacité	*l'aptitude (f.)*
commun(e)	*collectif/collective*
contenir	*retenir dans sa capacité*
dévoiler	*révéler*
s'enrichir	*devenir plus riche, s'améliorer*
exposer	*montrer*
gestuel/gestuelle	*relatif aux mouvements du corps, notamment des bras et des mains*
le lieu	*l'endroit (m.)*
lointain(e)	*éloigné(e)*
le moyen d'aide	*la manière d'aider*
profond(e)	*le contraire de superficiel/superficielle*
témoigner	*faire connaître la vérité*
l'usage (m.)	*l'utilisation (f.)*

Où suis-je? En France ou au Laos?

bordé(e)	*décoré(e) sur les côtés*
cesser	*arrêter*
se dégager	*sortir*
se dresser	*apparaître, se tenir droit*
fabriquer	*faire, construire*
orientaliser	*ajouter des éléments asiatiques*
le patrimoine	*l'ensemble (m.) des biens d'un groupe ou d'une communauté*
la ruelle	*la petite rue*
surmonté(e)	*couronné(e)*
la viennoiserie	*pâtisserie venant à l'origine de Vienne, en Autriche*

Descente le long d'une tyrolienne dans la réserve naturelle.

Felix Choo / Alamy Stock Photo

Coucher de soleil spectaculaire dans la réserve naturelle de Bokeo.

World History Archive / Alamy Stock Photo

Observez les gibbons dans leur élément naturel.

J'y arrive

Questions essentielles

- What is art? How do we define it?
- What is the value of art?
- How is art expressed in my community and in francophone cultures?

Une rencontre artistique

Vous avez envie d'aider à organiser le Festival annuel des arts du printemps. Vous participez à une réunion durant laquelle vous avez l'occasion de rencontrer l'artiste, Séverine Colmet-Daâge, virtuellement. Quelques jours après la réunion, vous décidez de partager vos idées avec un des organisateurs.

Avant de commencer, référez-vous à Explorer pour vous familiariser avec les critères d'évaluation de ***J'y arrive***.

Allez sur Explorer pour trouver tous les documents nécessaires de ***J'y arrive***.

Interpretive Assessment

Elle s'exprime

Regardez une vidéo où SEV parle de l'organisation d'une exposition d'art.

Interpersonal Assessment

Comment on fait? Discutons-en.

Répondez à un e-mail en partageant vos idées avec la présidente de l'organisation Fêtez les arts. Parlez de votre point de vue concernant l'art et répondez aux questions qu'elle vous pose afin de vous préparer pour la présentation finale au comité.

Presentational Assessment

Je propose une idée

Vous allez présenter, dans une vidéo, votre idée pour l'exposition du Festival des arts.

Le festival des lumières à Luang Prabang, au Laos.

Paris, France

Can-Do Statements

Unité 1

Mon progrès communicatif

- ❑ I can understand some information about the characteristics of a good friend. (p. 17)
- ❑ I can describe the characteristics of a good friend. (p. 18)
- ❑ I can understand when someone talks about what they do with friends. (pp. 23, 26)
- ❑ I can describe a new and developing friendship to another person. (pp. 25, 26)
- ❑ I can exchange advice about how to be a good friend. (p. 26)
- ❑ I can exchange information about how I feel at the beginning of a new school year. (p. 29)
- ❑ I can exchange information about what I used to like or not like to do. (pp. 31, 38)
- ❑ I can understand information about preferred leisure activities in an infographic. (p. 32)
- ❑ I can understand when someone talks about activities they used to do. (pp. 33, 38)
- ❑ I can describe how I felt about the first days of school and some events that took place. (p. 38)
- ❑ I can present reasons why I should be given more independence. (p. 41)
- ❑ I can exchange information about work or volunteer experiences and describe my qualifications. (p. 45)
- ❑ I can understand someone telling about life events. (pp. 48, 51)
- ❑ I can write about events that took place in the course of a friendship. (p. 49)
- ❑ I can ask and answer questions about life events. (pp. 50, 51)
- ❑ I can tell about an important event in my life. (p. 51)

Mon progrès interculturel

- ❑ I can describe similarities and differences between myself and a francophone teen. (p. 9)
- ❑ I can compare the words used to describe friendship in francophone countries and in my community. (p. 15)
- ❑ I can identify how students transport school supplies in francophone cultures and how this reflects the culture. (p. 34)
- ❑ I can identify similarities and differences in obtaining a driver's license in francophone countries and in my community and how the differences affect daily life. (p. 46)

Unité 2

Mon progrès communicatif

- ❑ I can describe some advantages of technology. (p. 69)
- ❑ I can describe some advantages of technology and how to use it responsibly. (pp. 71, 81)
- ❑ I can identify some positive or negative uses of the Internet. (pp. 72, 75, 81)
- ❑ I can exchange information about some advantages and/or disadvantages of technology. (pp. 73, 81)
- ❑ I can answer questions to describe my use of social media. (p. 77)
- ❑ I can suggest a change to the rights of citizens and give some reasons why I made the suggestion. (p. 84)
- ❑ I can identify the main ideas and some details in posts about online behaviors. (pp. 86, 91)
- ❑ I can exchange information about how I and others use cell phones in school. (p. 87)
- ❑ I can exchange opinions about how to be a good digital citizen. (pp. 89, 91)
- ❑ I can give advice about Internet responsibility. (pp. 90, 91)
- ❑ I can understand an infographic about various uses of the Internet. (p. 94)
- ❑ I can write simple sentences about how I and others use the Internet to pursue interests. (p. 95)
- ❑ I can understand when people explain an app they would create. (pp. 101, 103)
- ❑ I can explain how an app would be useful as a tool to pursue interests. (pp. 101, 103)
- ❑ I can exchange opinions about what I and others would do in certain situations. (p. 101)
- ❑ I can respond to posts about how I would use a new app. (p. 103)

Mon progrès interculturel

- ❑ I can identify a poet or other artist that has influenced my country as much as Aimé Césaire influenced Martinique. (p. 62)
- ❑ I can compare my daily life to that of a teen from Martinique. (p. 64)
- ❑ I can compare attitudes about the use of mobile communication devices in schools in France and in my community. (p. 71)
- ❑ I can compare the rights of young people in Canada to those in my community. (p. 83)
- ❑ I can compare national mottos to gain insight into cultural perspectives. (p. 84)
- ❑ I can identify ways in which languages evolve over time based on changing technology and other influences. (p. 96)

Unité 3

Mon progrès communicatif

- ❑ I can understand the main ideas when someone describes interests and dreams for the future. (pp. 121, 132)
- ❑ I can describe my interests and skills related to a potential career path for the future. (pp. 122, 132)
- ❑ I can present a series of steps for choosing a future career path. (p. 124)
- ❑ I can understand and respond to short online messages about interests, skills, and career paths. (p. 126)
- ❑ I can connect ideas about planning for the future related to what I want, what I need, and what interests me. (pp. 131, 132)
- ❑ I can understand the main ideas and some details about how to balance my workload and personal life. (pp. 134, 142)
- ❑ I can understand some strategies for balancing workload and personal life. (p. 137)
- ❑ I can give simple advice about how to balance workload and personal life. (pp. 138, 142)
- ❑ I can state what I think will happen in various situations. (pp. 141, 142)
- ❑ I can understand and respond to a short post to state what will happen. (p. 141)
- ❑ I can identify key information about competencies and soft skills needed for a job. (pp. 144, 151)
- ❑ I can use connected sentences to describe my soft skills and what makes me an ideal candidate. (pp. 144, 151)
- ❑ I can correspond appropriately with a prospective employer. (pp. 145, 151)
- ❑ I can ask and answer simple questions about my and others' future impact on society. (p. 149)
- ❑ I can understand the main ideas and some details when someone describes dreams and plans for the future. (p. 150)

Mon progrès interculturel

- ❑ I can identify some ways that local language and culture are influenced by bordering countries or regions. (p. 113)
- ❑ I can compare my daily life to that of a teen from Belgium. (p. 116)
- ❑ I can compare similarities and differences in what young people consider as "work" in francophone cultures and in my community. (p. 128)
- ❑ I can describe the role of routines in francophone cultures and in my daily life. (p. 136)
- ❑ I can compare practices and perspectives related to participating in strikes or demonstrations in francophone cultures and in my community. (p. 148)

Unité 4

Mon progrès communicatif

- ❑ I can understand suggestions for preserving the environment. (pp. 169, 180)
- ❑ I can describe the characteristics of an eco-citizen. (p. 171)
- ❑ I can respond to a message to share my plans for preserving the environment. (p. 177)
- ❑ I can understand a poem describing what a poet must do. (p. 178)
- ❑ I can convince others of a plan of action for preserving the environment. (pp. 179, 180)
- ❑ I can answer questions to provide details about a plan of action for protecting the environment. (p. 180)
- ❑ I can understand an infographic about protecting the environment. (pp. 182, 192)
- ❑ I can understand when others describe their role as eco-citizens. (p. 184)
- ❑ I can interact with others to find solutions to environmental problems. (p. 187)
- ❑ I can suggest actions for protecting the environment. (pp. 191, 192)
- ❑ I can interact with others to justify an environmental project. (p. 192)
- ❑ I can exchange information about sustainable development. (pp. 194, 203)
- ❑ I can understand an informational video about sustainable development. (pp. 195, 203)
- ❑ I can understand a podcast about ecological challenges. (p. 200)
- ❑ I can propose and justify a community project related to sustainable development. (pp. 202, 203)

Mon progrès interculturel

- ❑ I can describe the value of International Education Studies for students in Quebec and in my community. (p. 163)
- ❑ I can compare recycling efforts in my community to those in francophone cultures. (p. 172)
- ❑ I can describe government measures taken to reduce automobile pollution in francophone cultures and in my community. (p. 188)
- ❑ I can describe the benefits of a solar energy project and compare it to clean energy projects in the francophone world and in my community. (p. 198)

Unité 5

Mon progrès communicatif

- ❑ I can understand when someone describes personal identity. (pp. 222, 229)
- ❑ I can discuss important aspects of personal identity. (pp. 222, 229)
- ❑ I can present information comparing statistics about the practice of religion in France and my community. (p. 223)
- ❑ I can express my individuality in a short poem. (p. 226)
- ❑ I can write a short biography or CV that includes important facets of my identity. (pp. 228, 229)
- ❑ I can understand when someone describes past experiences and their effect on personal identity. (p. 231)
- ❑ I can answer questions about past experiences that affected my identity. (pp. 231, 237)
- ❑ I can understand an announcement for a volunteer position. (pp. 232, 237)
- ❑ I can understand when someone describes challenges related to personal identity and the importance of remaining true to oneself. (p. 232)
- ❑ I can express my opinion about what I consider essential for each facet of personal identity. (p. 236)
- ❑ I can describe my experiences and qualifications for a volunteer position. (p. 237)
- ❑ I can understand advice about making positive decisions. (pp. 238, 245)
- ❑ I can share my ideas and comment on the ideas of others. (pp. 239, 245)
- ❑ I can respond to text messages about my developing identity. (p. 244)
- ❑ I can present some personal objectives for joining an organization. (p. 245)

Mon progrès interculturel

- ❑ I can compare how a francophone teen and I choose to spend free time. (p. 216)
- ❑ I can compare practices for choosing names in francophone cultures and in my community. (p. 226)
- ❑ I can compare how people express their individuality through personal appearance in francophone cultures and in my community. (p. 233)
- ❑ I can identify examples of both sexist and inclusive language use in French and other languages. (p. 240)

Unité 6

Mon progrès communicatif

- ❑ I can tell others why I like a work of art. (p. 263)
- ❑ I can express my opinion about art. (pp. 268, 270)
- ❑ I can understand an article about the pros and cons of street art. (pp. 269, 270)
- ❑ I can express my opinion about whether something is art. (p. 269)
- ❑ I can exchange opinions about whether something is art. (p. 270)
- ❑ I can read and respond to posts about the value of art. (pp. 272, 278)
- ❑ I can use French to learn about francophone comics or graphic novels. (p. 273)
- ❑ I can present a work of art to be included in an exhibition. (p. 274)
- ❑ I can convince someone to attend an artistic event. (p. 277)
- ❑ I can understand a message about the importance of art. (pp. 277, 278)
- ❑ I can present justifications for supporting arts programs. (pp. 277, 278)
- ❑ I can understand and summarize key ideas. (pp. 280, 289)
- ❑ I can share my point of view about a work of art. (pp. 281, 289)
- ❑ I can understand main ideas and key details in a personal journal about how cultures influence one another. (p. 283)
- ❑ I can share my opinion about the value of art from different cultures. (pp. 283, 289)

Mon progrès interculturel

- ❑ I can compare opportunities for developing bilingualism in a francophone country and my community as well as describe some advantages of learning another language. (p. 257)
- ❑ I can give examples of how art influences daily life in francophone cultures and in my community. (p. 266)
- ❑ I can compare the popularity of comics and graphic novels in francophone cultures and in my community. (p. 275)
- ❑ I can give examples of how variations among similar dishes reflect cultural differences. (p. 287)

Alger, Algeria

Rubrics

Level 3 *EntreCultures* Analytic Growth Rubric

Interpretive Reading, Listening, Audiovisual, and Viewing

Level 3 Target: Intermediate Low - Intermediate Mid

DOMAINS	NOVICE HIGH	INTERMEDIATE LOW	INTERMEDIATE MID	INTERMEDIATE HIGH
HOW WELL DO I UNDERSTAND? ***MAIN IDEA AND/OR DETAILS***	I can identify pieces of information and sometimes the main idea(s) without explanation when the idea is familiar, short, and simple.	I can identify the main idea(s) and some details when the idea is familiar, short, and simple.	I can identify the main idea(s) and a few supporting details when the idea is related to everyday life and personal interests and studies.	I can easily identify the main idea and some supporting details on a variety of topics when the main idea is related to everyday life and personal interests and studies.
WHAT WORDS AND STRUCTURES DO I UNDERSTAND? ***VOCABULARY AND STRUCTURES IN CONTEXT***	I can understand words, phrases, simple sentences, and some structures in short, simple texts or sentence-length speech, one utterance at a time, with support, related to familiar topics of study.	I can identify words, phrases, high-frequency expressions, and some learned structures in short, simple, loosely connected texts or sentence-length speech, one utterance at a time, related to familiar topics of study.	I can identify some words, phrases, and structures in various time frames (e.g., past, future) in simple, loosely connected texts or straightforward speech related to everyday life and personal interests and studies.	I can understand vocabulary and structures in various time frames (e.g., past, future) in some connected texts or speech with description and narration on personal and social interests and studies.
HOW WELL CAN I UNDERSTAND UNFAMILIAR LANGUAGE? ***CONTEXT CLUES***	I can understand basic meaning when short, non-complex authentic texts or speech include cognates and visual clues, on familiar topics.	I can understand literal meaning from authentic texts or speech on familiar topics and from highly predictable texts related to daily life.	I can understand literal meaning from authentic texts or speech on familiar topics and from predictable texts related to daily life and personal interests or studies.	I can easily understand literal meaning in authentic texts and sometimes in paragraph-length speech on concrete topics in familiar genres.

DOMAINS	NOVICE HIGH	INTERMEDIATE LOW	INTERMEDIATE MID	INTERMEDIATE HIGH
HOW WELL CAN I INFER MEANING BEYOND WHAT I READ OR HEAR? ***INFERENCES***	I can make a few inferences based on visual clues, organizational layout, background knowledge, keywords, intonation and/or body language.	I can make some inferences based on the main idea and on information, such as visual clues, organizational layout, background knowledge, keywords, intonation and/or body language.	I can make inferences based on the main idea and on information, such as visual clues, organizational layout, background knowledge, keywords, intonation and/or body language.	I can make inferences based on details and recognition of examples in the text or speech.
HOW INTERCULTURAL AM I? ***INTERCULTURALITY*** *Based on classroom tasks/activities/ intercultural reflections and outside classroom experiences.	I can identify some cultural products, practices, and perspectives, including cultural behaviors and expressions related to daily life.	I can describe cultural products, practices, and perspectives, including cultural behaviors and expressions related to daily life.	I can compare cultural products, practices, and perspectives, including cultural behaviors and expressions related to daily life.	I can explain cultural products, practices, and perspectives, including cultural behaviors and expressions related to daily life.

Adapted from Jefferson County Public Schools World Languages: Performance Assessment Rubrics (Kentucky), Howard County Public Schools World Languages (Maryland).

Level 3 *EntreCultures* Analytic Growth Rubric

Interpersonal Communication: Speaking and Writing

Level 3 Target: Intermediate Low - Intermediate Mid

DOMAINS	NOVICE HIGH	INTERMEDIATE LOW	INTERMEDIATE MID	INTERMEDIATE HIGH
HOW WELL DO I MAINTAIN THE CONVERSATION? *QUALITY OF INTERACTION*	I can participate in short social interactions by asking and answering simple questions and relying heavily on learned phrases and short or incomplete sentences. I speak with hesitation, pauses, and/or repetition.	I can sustain the conversation by relying on phrases, simple sentences, and a few appropriate questions. I attempt to self-correct but speak with hesitation, pauses, and/or repetition.	I can start and sustain the conversation by asking appropriate questions and responding with a series of sentences. I can rephrase, self-correct, and use circumlocution but speak with some hesitation, pauses, and/or repetition.	I can sustain and advance the conversation with ease and confidence using connected sentences to narrate, argue, or explain but speak with occasional hesitation, pauses, and/or repetition.
WHAT LANGUAGE/ WORDS DO I USE? *VOCABULARY IN CONTEXT*	I can use learned words and phrases to interact with others in tasks and activities on familiar topics.	I can use a variety of new and previously learned words and phrases to interact with others on a range of familiar topics.	I can use a variety of words, expressions, and personalized vocabulary to interact with others on a wide range of topics and begin to expand vocabulary within a topic.	I can use a wide range of words and expressions to interact with others on topics related to my environment and experiences. I can expand and/or elaborate on a topic or theme, sometimes in an unexpected context.
HOW DO I USE LANGUAGE? *FUNCTION AND TEXT TYPE*	I can use phrases, simple sentences, and questions. I am beginning to create original sentences with simple details, but errors sometimes interfere with the message.	I can combine words and phrases to create original sentences in present time with a few details on familiar topics. I can sometimes vary the time frames (e.g., past, future), but errors may interfere with the message.	I can use a series of sentences to describe or explain with details, using a variety of time frames (e.g., past, future), but I make frequent errors in complex structures. I can combine simple sentences using connectors or transitions.	I can use connected sentences to describe and explain with details and elaboration. I can be most accurate when I use connected sentences in a paragraph-length response that uses a single time frame. I can handle a transaction, sometimes with a complication.

DOMAINS	NOVICE HIGH	INTERMEDIATE LOW	INTERMEDIATE MID	INTERMEDIATE HIGH
HOW WELL AM I UNDERSTOOD ? *COMPREHENSIBILITY*	I am often understood by someone accustomed to a language learner.	I am usually understood by someone accustomed to a language learner.	I am easily understood by someone accustomed to a language learner.	I am generally understood by someone unaccustomed to a language learner.
HOW WELL DO I UNDERSTAND? *COMPREHENSION*	I can understand pieces of information and sometimes the main idea in straightforward language that uses familiar structures. I occasionally rely on visual cues, repetition, and/or a slowed rate of speech.	I can understand the main idea in short, simple messages and conversations in sentence-length speech that uses familiar structures. I rely on restatement, paraphrasing, and/or contextual clues.	I can understand the main idea in messages and conversations on a variety of everyday topics and personal interests. I can understand extended speech but with frequent gaps in comprehension.	I can easily understand the main idea in discussions on a variety of everyday topics and personal interests. I can usually understand a few details when something unexpected is expressed.
HOW INTERCULTURAL AM I? *INTERCULTURALITY* *Based on classroom tasks/activities/ intercultural reflections and outside classroom experiences.	I can apply my knowledge of cultural products, practices, and perspectives in order to interact with respect and understanding.	I can apply my knowledge of cultural products, practices, and perspectives in order to interact with respect and understanding.	I can apply my knowledge of cultural products, practices, and perspectives in order to interact with respect and understanding.	I can apply my knowledge of cultural products, practices, and perspectives in order to interact with respect and understanding.

Adapted from Jefferson County Public Schools World Languages: Performance Assessment Rubrics (Kentucky), Howard County Public Schools World Languages (Maryland).

Level 3 *EntreCultures* Analytic Growth Rubric

Presentational Speaking

Level 3 Target: Intermediate Low - Intermediate Mid

DOMAINS	NOVICE HIGH	INTERMEDIATE LOW	INTERMEDIATE MID	INTERMEDIATE HIGH
WHAT LANGUAGE/ WORDS DO I USE? ***VOCABULARY IN CONTEXT***	I can use words and expressions that I have practiced to present familiar topics.	I can use a variety of new and previously learned words and phrases to present a range of familiar topics.	I can use a variety of words, expressions, and personalized vocabulary to present a wide range of familiar topics. I am beginning to use expanded vocabulary within a topic of study.	I can use a wide range of words and expressions to present topics related to my environment and experiences. I can expand and begin to elaborate on a topic or theme.
HOW DO I USE LANGUAGE? ***FUNCTION AND TEXT TYPE***	I can use phrases, simple sentences and questions. I am beginning to create original sentences with some simple details in familiar contexts.	I can use a series of simple sentences by combining words and phrases to create original sentences with some details and elaboration in familiar contexts.	I can use a series of sentences to describe or explain with some detail and elaboration using connector words to create original sentences in contexts related to familiar topics and studies.	I can use connected sentences to describe and explain. I can begin to narrate/tell a paragraph-length story with details and elaboration on a variety of topics.
HOW WELL AM I UNDERSTOOD? ***COMPREHENSIBILITY***	I am often understood by someone accustomed to a language learner.	I am usually understood by someone accustomed to a language learner.	I am easily understood by someone accustomed to a language learner.	I am generally understood by someone unaccustomed to a language learner.
HOW ACCURATE AM I? ***STRUCTURES***	I can use basic structures in present time with some errors, relying on memorized phrases.	I can use basic structures with some variety in time frames, (e.g., past, future) with some errors.	I can use basic structures in a variety of time frames (e.g., past, future), including some complex structures with connectors and transitions but may have frequent errors.	I can use complex structures with connected sentences in a variety of time frames (e.g., past, future) but may have some errors.
HOW WELL DO I DELIVER MY MESSAGE? ***DELIVERY, FLUENCY, VISUALS, IMPACT ON AUDIENCE***	I can deliver my message by relying on learned phrases and short or incomplete sentences, speaking with hesitation, pauses, and/or repetition.	I can deliver my message by relying on phrases and simple sentences, speaking with hesitation, pauses, and/or repetition.	I can deliver my message by using a series of sentences. I can self-correct some of the time, speaking with some hesitation, pauses, and/or repetition.	I can deliver my message with ease and confidence using connected sentences to narrate, argue, or explain. I can self-correct, speaking with occasional hesitation, pauses, and/ or repetition.
HOW INTER-CULTURAL AM I? ***INTERCULTURALITY*** *Based on classroom tasks/ activities/ intercultural reflections and outside classroom experiences.	I can apply my knowledge of cultural products, practices, and perspectives in order to interact with respect and understanding.	I can apply my knowledge of cultural products, practices, and perspectives in order to interact with respect and understanding.	I can apply my knowledge of cultural products, practices, and perspectives in order to interact with respect and understanding.	I can apply my knowledge of cultural products, practices, and perspectives in order to interact with respect and understanding.

Adapted from Jefferson County Public Schools World Languages: Performance Assessment Rubrics (Kentucky), Howard County Public Schools World Languages (Maryland).

Level 3 *EntreCultures* Analytic Growth Rubric

Presentational Writing

Level 3 Target: Intermediate Low - Intermediate Mid

DOMAINS	NOVICE HIGH	INTERMEDIATE LOW	INTERMEDIATE MID	INTERMEDIATE HIGH
WHAT LANGUAGE/ WORDS DO I USE? ***VOCABULARY IN CONTEXT***	I can use words and expressions that I have practiced on familiar topics.	I can use a variety of new and previously learned words and phrases on a range of familiar topics.	I can use a variety of words, expressions, and personalized vocabulary on a wide range of familiar topics. I am beginning to use expanded vocabulary within a topic.	I can use a wide range of words and expressions on topics related to my environment and experiences. I can expand and begin to elaborate on a topic or theme.
HOW DO I USE LANGUAGE? ***FUNCTION AND TEXT TYPE***	I can write short messages, postcards, and simple notes on familiar topics related to everyday life. I can use learned vocabulary and structures to create simple sentences and questions on very familiar topics. I can add simple details.	I can write a series of simple sentences on most familiar topics. I can create original sentences and questions using some connectors, and I can describe or explain with some detail and elaboration.	I can write on a wide variety of familiar topics using connected sentences in paragraphs. I can describe or explain events and experiences with details and elaboration. I am beginning to provide clarification or justification.	I can write on topics related to school, work, and community in a generally organized way. I can create multiple paragraphs with a variety of connectors. I can narrate, argue, or explain with details, elaboration, clarification, or justification.
HOW WELL AM I UNDERSTOOD? ***COMPREHENSIBILITY***	I am often understood by someone accustomed to a language learner.	I am usually understood by someone accustomed to a language learner.	I am easily understood by someone accustomed to a language learner.	I am generally understood by someone unaccustomed to a language learner.
HOW WELL DO I USE THE LANGUAGE? ***LANGUAGE CONTROL***	I can use basic structures in present time with some errors.	I can use basic structures with some variety in time frames (e.g., past, future), but more errors may occur.	I can use basic structures in a variety of time frames (e.g., past, future), but when I use complex structures, I may make frequent errors.	I can use complex structures in a variety of time frames (e.g., past, future) but with some errors.
HOW WELL DO I COMPLETE THE TASK? ***IDEAS AND ORGANIZATION***	I can complete the task with familiar content and some examples. My ideas are somewhat developed and organized.	I can complete the task with familiar content with some details and examples. My ideas are mostly developed and organized.	I can complete the task with appropriate content, details, and adequate examples. My ideas are adequately developed and organized.	I can complete the task with appropriate content, details, and many supporting examples. My ideas are well developed and well organized.
HOW INTER-CULTURAL AM I? ***INTERCULTURALITY*** *Based on classroom tasks/activities/ intercultural reflections and outside classroom experiences.	I can apply my knowledge of cultural products, practices, and perspectives in order to convey respect and understanding.	I can apply my knowledge of cultural products, practices, and perspectives in order to convey respect and understanding.	I can apply my knowledge of cultural products, practices, and perspectives in order to convey respect and understanding.	I can apply my knowledge of cultural products, practices, and perspectives in order to convey respect and understanding.

Adapted from Jefferson County Public Schools World Languages: Performance Assessment Rubrics (Kentucky), Howard County Public Schools World Languages (Maryland).

Level 3 *EntreCultures* Holistic Rubric

Interpretive Reading, Listening, and Viewing: Written, Print, Audio, Visual, and Audio Visual Resources

Level 3 Target:
Intermediate Low - Intermediate Mid

Daily work, formative assessments.

1 This is still a goal.
2 Can do this with help.
3 Can do this independently.[1]

	INTERPRETIVE: READING, LISTENING, AND VIEWING	1	2	3
NH	• Understands and identifies words, phrases, questions, simple sentences, and sometimes the main idea in short pieces of informational text or speech in familiar contexts. • Makes a few inferences from visual and/or contextual clues, cognates, keywords, or uses other interpretive strategies. • Identifies some cultural products, practices, and perspectives related to daily life, including cultural behaviors and expressions.*			
IL	• Understands and identifies the main idea and key details in short, simple, loosely connected texts or speech in familiar contexts. • Makes some inferences from visual and/or contextual clues, cognates, keywords, or uses other interpretive strategies. • Describes cultural products, practices, and perspectives related to daily life, including cultural behaviors and expressions.**			
IM	• Identifies main ideas and a few supporting details in various time frames (e.g., past, future) in loosely connected texts or speech related to personal interests and studies. • Makes appropriate inferences from visual and/or contextual clues, cognates, keywords and some details, or uses other interpretive strategies. • Compares cultural products, practices, and perspectives related to daily life, including cultural behaviors and expressions.**			
IH	• Identifies main ideas and some supporting details in various time frames (e.g., past, future) in some connected texts or speech with description and narration on personal and social interests and studies. • Makes consistent inferences from contextual clues, cognates, keywords, examples, details, or uses other interpretive strategies. • Explains cultural products, practices, and perspectives related to daily life, including cultural behaviors and expressions.**			

Based on classroom tasks/activities/ intercultural reflections and outside classroom experiences.

1 LinguaFolio®, NCSSFL. (2014). Interculturality. Retrieved from http://ncssfl.org/secure/index.php?interculturality, March 6, 2016.
* Novice range: using appropriate gestures, imitating appropriate etiquette, simple interactions in stores and restaurants.
** Intermediate range: demonstrating how to be culturally respectful, forms of address, appropriate interactions in everyday life.

<table>
<tr><th colspan="2">LEARNER SELF-REFLECTION: WHAT INTERPRETIVE STRATEGIES CAN I USE TO HELP ME UNDERSTAND WHAT I READ/HEARD/VIEWED?</th></tr>
<tr><td>READING
What strategies can I use to help me understand what I read?
❑ I preview titles, photos, layout, and visuals, etc.
❑ I skim the text for cognates and familiar words and phrases.
❑ I scan the text for specific details.
❑ I make predictions based on context, prior knowledge, and/or experience.</td><td>LISTENING/VIEWING
What strategies can I use to help me understand what I heard/viewed?
❑ I listen/watch for emotional reactions.
❑ I listen for time frames.
❑ I listen for intonation.
❑ I listen for cognates, familiar words and phrases, and word-order patterns.</td></tr>
</table>

Adapted from Jefferson County Public Schools World Languages: Performance Assessment Rubrics (Kentucky).

Level 3 *EntreCultures* Holistic Rubric

Interpersonal Communication: Speaking, Listening, and Writing

Level 3 Target:
Intermediate Low - Intermediate Mid

Daily class work, participation, class discussions, pair work, group work, and formative assessments.

1 This is still a goal.
2 Can do this with help.
3 Can do this independently.[1]

	INTERPERSONAL COMMUNICATION: SPEAKING, LISTENING, AND WRITING	1	2	3
NH	• Communicates and exchanges information with learned words, phrases, simple sentences, and sometimes the main idea/simple details in familiar contexts. Some interference from first language. • Participates in short social interactions by asking and answering simple questions with hesitation, pauses, and/or repetition, using a few communication strategies. • Makes a few inferences from visual and/or contextual clues, cognates, or other language features. • Applies knowledge of cultural products, practices, and perspectives in order to interact with respect and understanding.*			
IL	• Communicates and exchanges information with a variety of new and learned words, phrases, and original sentences in the present tense with some details in familiar contexts. Limited interference from first language. • Participates in social interactions by asking and answering a few appropriate questions with hesitation, pauses, and/or repetition, using some communication strategies. • Makes some inferences from visual and/or contextual clues, cognates, or other language features. • Applies knowledge of cultural products, practices, and perspectives in order to interact with respect and understanding.**			
IM	• Communicates with a variety of expressions and personalized vocabulary with a series of sentences to describe details in a variety of time frames in daily life. A few errors may interfere with the message. • Participates in conversations by asking and answering a variety of questions with some hesitation, pauses, and/or repetition, using a variety of communication strategies. • Makes appropriate inferences from visual and/or contextual clues, cognates, or other language features. • Applies knowledge of cultural products, practices, and perspectives in order to interact with respect and understanding.**			
IH	• Communicates with a variety of expressions and personalized vocabulary with details and connected sentences to elaborate in some unexpected contexts. Minimal errors may interfere with the message. • Participates in conversations about events and experiences with ease and confidence and in various time frames, using a variety of communication strategies. • Makes consistent inferences from visual and/or contextual clues, cognates, or other language features. • Applies knowledge of cultural products, practices, and perspectives in order to interact with respect and understanding.**			

Based on classroom tasks/activities/ intercultural reflections and outside classroom experiences.

1 LinguaFolio®, NCSSFL. (2014). Interculturality. Retrieved from http://ncssfl.org/secure/index.php?interculturality, March 6, 2016.
* Novice range: using appropriate gestures, imitating appropriate etiquette, simple interactions in stores and restaurants.
** Intermediate range: demonstrating how to be culturally respectful, forms of address, appropriate interactions in everyday life.

LEARNER SELF-REFLECTION: WHAT COMMUNICATION STRATEGIES CAN I USE TO HELP ME UNDERSTAND AND MAKE MYSELF UNDERSTOOD?	
SPEAKING/WRITING *What strategies can I use to make myself understood?*	**LISTENING** *What strategies did I use to help me understand what I heard?*
❑ I repeat words and phrases. ❑ I use facial expressions, gestures, and appropriate openings and closings. ❑ I self-correct when I am not understood. ❑ I imitate modeled words. ❑ I restate and rephrase using different words. ❑ I build upon what I've heard/read and elaborate in my response. ❑ I use level-appropriate vocabulary in familiar and contextualized situations.	❑ I ask for clarification or repetition. ❑ I repeat statements as questions for clarification. ❑ I listen for intonation. ❑ I listen for cognates, familiar words, phrases, and word-order patterns. ❑ I indicate lack of understanding. ❑ I ask questions.

Adapted from Jefferson County Public Schools World Languages: Performance Assessment Rubrics (Kentucky).

Level 3 *EntreCultures* Holistic Rubric

Presentational Speaking

Level 3 Target: Intermediate Low - Intermediate Mid

Daily class work, participation, share out or present to class, present to a group, formative assessments, and using the Explorer audio and video recording feature.

1 This is still a goal.
2 Can do this with help.
3 Can do this independently.[1]

	PRESENTATIONAL SPEAKING	1	2	3
NH	• Uses most highly practiced/learned words and expressions with simple details in familiar contexts. Some interference from first language. • Delivers message using present time frame with some errors and some memorized new structures. Speaks with hesitation, pauses, and/or repetition. • Makes some use of gestures, self-correction, and examples/visuals to support the message, or a few other communication strategies. • Applies knowledge of cultural products, practices, and perspectives in order to interact with respect and understanding.*			
IL	• Uses new and previously learned words and phrases in a series of simple sentences/ questions to describe or explain with some details and elaboration in familiar contexts. Limited interference from first language. • Delivers message using basic structures with some variety in time frames (e.g., past, future) with some errors. Speaks with hesitation, pauses, and/or repetition. • Makes appropriate use of gestures, self-correction, and examples/visuals to support the message, or other communication strategies. • Applies knowledge of cultural products, practices, and perspectives in order to interact with respect and understanding.**			
IM	• Uses a variety of expressions and personalized vocabulary in a series of sentences to describe or explain with details and elaboration in familiar contexts. A few errors may interfere with the message. • Delivers message using a variety of basic time frames (e.g., past, future) using connectors and transitions, including complex structures with frequent errors. Speaks with some hesitation, pauses, and/or repetition. • Makes consistent use of gestures, self-correction, and examples/visuals to support the message, and other communication strategies. • Applies knowledge of cultural products, practices, and perspectives in order to interact with respect and understanding.**			
IH	• Uses a wide range of vocabulary with details and connected sentences to elaborate and expand in some unexpected contexts. Minimal errors may interfere with the message. • Delivers message with ease using complex structures in a variety of time frames (e.g., past, future) but with some errors. Speaks with occasional hesitation, pauses, and/or repetition. • Makes thorough use of gestures, self-correction, and examples/visuals to support the message, and other communication strategies. • Applies knowledge of cultural products, practices, and perspectives in order to interact with respect and understanding.**			

Based on classroom tasks/activities/ intercultural reflections and outside classroom experiences.

1 LinguaFolio®, NCSSFL. (2014). Interculturality. Retrieved from http://ncssfl.org/secure/index.php?interculturality, March 6, 2016.
* Novice range: using appropriate gestures, imitating appropriate etiquette, simple interactions in stores and restaurants.
** Intermediate range: demonstrating how to be culturally respectful, forms of address, appropriate interactions in everyday life.

<table>
<tr><th colspan="2">LEARNER SELF-REFLECTION: WHAT COMMUNICATION STRATEGIES DID I USE TO MAKE MYSELF UNDERSTOOD TO MY AUDIENCE?</th></tr>
<tr><td>PRESENTATIONAL SPEAKING
❑ I organize my presentation in a clear manner.
❑ I use facial expressions and gestures.
❑ I self-correct when I make mistakes.
❑ I present my own ideas.
❑ I use examples to support my message.
❑ I use visuals to support meaning.</td><td>❑ I include a hook to gain the audience's attention.
❑ I notice the reaction of the audience during the presentation.
❑ I repeat or rephrase if the audience doesn't understand.
❑ I project my voice so the audience can hear me.
❑ I practice my presentation before I present to the audience.</td></tr>
</table>

Adapted from Jefferson County Public Schools World Languages: Performance Assessment Rubrics (Kentucky).

Level 3 *EntreCultures* Holistic Rubric

Presentational Writing

Level 3 Target: Intermediate Low - Intermediate Mid

Daily written class work, forms, organizers, charts, messages, notes, formative assessments, and using the Explorer tasks, surveys, discussion forums, and more.

1 This is still a goal.
2 Can do this with help.
3 Can do this independently.[1]

	PRESENTATIONAL WRITING	1	2	3
NH	• Uses highly practiced/learned words, phrases, questions, and simple sentences to write short and simple messages with simple details in familiar contexts. Some interference from first language. • Completes the tasks using present time frame and some memorized new structures. Ideas are partially developed and somewhat organized. • Makes some use of drafting, outlining, or peer review, or other presentational writing strategies. • Applies knowledge of cultural products, practices, and perspectives in order to convey respect and understanding.*			
IL	• Uses new and previously learned words and phrases in a series of original and simple sentences/questions to describe or explain in some detail with some supporting examples and elaboration in familiar contexts. Limited interference from first language. • Completes the task using basic structures with some variety in time frames (e.g., past, future) with some errors. Ideas are mostly developed and organized. • Makes appropriate use of drafting, outlining, peer review, or other presentational writing strategies. • Applies knowledge of cultural products, practices, and perspectives in order to convey respect and understanding.*			
IM	• Uses a variety of expressions and personalized vocabulary and connected sentences in paragraphs to describe with details, supporting examples, and elaboration; beginning to provide clarification or justification on a wide variety of familiar topics. A few errors may interfere with the message. • Completes the task using a variety of basic time frames (e.g., past, future), using connectors and transitions, including complex structures with frequent errors. Ideas are adequately developed and organized. • Makes consistent use of drafting, outlining, peer review, and other presentational writing strategies. • Applies knowledge of cultural products, practices, and perspectives in order to convey respect and understanding.*			
IH	• Uses a wide range of vocabulary in multiple paragraphs and a variety of connectors and transitions. Narrates, argues, or explains with details, elaboration, clarification, or justification, using many supporting examples related to current issues and experiences. Minimal errors may interfere with the message. • Completes the task using complex structures in a variety of time frames (e.g., past, future) but with some errors. Ideas are well developed and well organized. • Makes effective use of drafting, outlining, peer review, or other presentational writing strategies. • Applies knowledge of cultural products, practices, and perspectives in order to convey respect and understanding.*			

1 LinguaFolio®, NCSSFL. (2014). Interculturality. Retrieved from http://ncssfl.org/secure/index.php?interculturality, March 6, 2016.
* Novice range: using appropriate gestures, imitating appropriate etiquette, simple interactions in stores and restaurants.
** Intermediate range: demonstrating how to be culturally respectful, forms of address, appropriate interactions in everyday life.

LEARNER SELF-REFLECTION: WHAT COMMUNICATION STRATEGIES CAN I USE TO MAKE MY MESSAGE UNDERSTOOD TO THE READER?	
PRESENTATIONAL WRITING ❏ I organize my presentation in a clear manner. ❏ I include a hook to gain the reader's attention. ❏ I present my own ideas. ❏ I write an outline before I begin to write. ❏ I cite my sources if I have done research on the topic.	❏ I write a draft of my message. ❏ I use examples to support my message. ❏ I ask someone to peer edit my draft before I submit it. ❏ I check all spelling and grammar before I submit it. ❏ I make sure my writing is clear and my handwriting is legible.

Adapted from Jefferson County Public Schools World Languages: Performance Assessment Rubrics (Kentucky).

EntreCultures 3 – General *J'avance* Rubric

DOMAINS	BEGINNING	DEVELOPING	MEETING
Task Completion	Minimal completion of the task. Ideas are not developed. Responses display minimal/no understanding of the information presented.	Partial completion of the task. Ideas are minimally developed. Responses display a limited understanding of the information presented.	Adequate completion of the task. Ideas are appropriately developed. Responses display an adequate understanding of the information presented.
Structures (Grammar) in Context	Minimal use of target language structures. Errors make comprehension difficult.	Limited accuracy with target language structures. Errors may impede comprehension.	Generally accurate use of target language structures with a few errors. Errors do not impede comprehension.
Vocabulary in Context	Vocabulary used is inaccurate and repetitive and minimally includes essential unit vocabulary.	Vocabulary is limited to highly practiced words and expressions and includes some essential unit vocabulary.	Vocabulary is adequate and mostly relevant to the task and includes essential unit vocabulary.
Comprehensibility & Pronunciation	Message may be comprehensible with great difficulty. Pronunciation impedes ability to understand.	Message is somewhat comprehensible. Pronunciation may interfere with ability to understand.	Message is generally comprehensible. Pronunciation facilitates understanding.
Quality of Interaction or Presentation	Insufficient language to communicate message; reverts to English. Requires prompting or teacher assistance to maintain interaction/presentation. Frequent hesitations.	Limited language to communicate message and may revert to English. Requires some prompting or teacher assistance to maintain interaction/presentation. Some hesitations.	Attempts creative use of language to communicate message. May require prompting or teacher assistance to maintain interaction/presentation. Occasional hesitations.

Not all domains will apply to every mode. There is also a single-point rubric available in Explorer for each ***J'avance*** assessment.

	Scores:		
EXCEEDING	**INTERPRETIVE**	**INTERPERSONAL**	**PRESENTATIONAL**
Exceeds task expectations. Ideas are well developed. Responses display a complete understanding of the information presented, including details.			
Very accurate use of target language structures with minimal errors. Errors do not impede comprehension.			
Vocabulary is varied and relevant to the task and may exceed essential unit vocabulary.			
Message is fully comprehensible. Pronunciation enhances understanding.			
Creative use of language to communicate message. Little to no prompting needed to maintain interaction/ presentation. Few to no hesitations.			

Integrated Performance Assessment Rubric

Unité 1 – *Les grandes étapes de ma vie*

Domains	Task Components	NOVICE HIGH
INTERPRETIVE ASSESSMENT **Interpretive Audiovisual**	**Identifies key facts from a video.** Student identifies three relevant facts provided by Lily in a blog regarding school experiences. Student records answers in the section of the Venn Diagram labeled Lily.	Correctly identifies a few of the relevant facts from the video to complete the Venn Diagram.
PRESENTATIONAL ASSESSMENT **Presentational Writing**	**Étape1: Identifies facts about an important event.** Student identifies an important personal life event and records three facts about it. **Étape2: Compares facts to identify a shared aspect.** Student compares personal experiences to Lily's and provides details about the event and the impact that this event has had.	The written response minimally addresses the task's components. Provides responses that include simple sentences, with some elaboration. Student language is somewhat comprehensible, requiring some reader interpretation. **Interculturality** Minimally demonstrates understanding of similarities between life events of francophone students and one's own.
INTERPERSONAL ASSESSMENT **Interpersonal Speaking**	**Shares experience with a partner.** Student takes turns sharing an identified life event with a partner. Student responds to one or two questions asked by a partner, then in turn, asks one or two questions to the partner.	Responds appropriately to a classmate, using some unit vocabulary and expressions in simple sentences. Asks a simple question using some unit vocabulary and expressions. Speaks with some hesitation, pauses, and/or repetition.

INTERMEDIATE LOW	INTERMEDIATE MID	INTERMEDIATE HIGH
Correctly identifies some of the relevant facts from the video to complete the Venn Diagram.	Correctly identifies most of the relevant facts from the video to complete the Venn Diagram.	Correctly identifies all or almost all of the relevant facts from the video to complete the Venn Diagram.
The written description includes some of the task's components. Provides responses that include a series of simple and some original sentences with a few original ideas, some simple details, and minimal elaboration. Student language is mostly comprehensible, requiring some reader interpretation. **Interculturality** Adequately demonstrates understanding of similarities between life events of francophone students and one's own.	The written description includes most of the task's components. Provides responses that include a series of original sentences with some original ideas, some details, and elaboration. Student language is mostly comprehensible, requiring minimal interpretation. **Interculturality** Appropriately demonstrates understanding of similarities between life events of francophone students and one's own.	The written response includes all of the task's components. Provides responses that include a series of connected original sentences and ideas with details and elaboration. Student language is comprehensible and may require minimal interpretation. **Interculturality** Clearly demonstrates understanding of similarities between life events of francophone students and one's own.
Responds appropriately to a classmate, using a variety of unit vocabulary and expressions in simple, original sentences. Asks one or two simple questions using a variety of unit vocabulary and expressions. Attempts to self-correct when necessary. May speak with hesitation, pauses, and/or repetition. Usually understood despite a few errors.	Responds appropriately to a classmate, using a variety of unit vocabulary in original sentences. Asks two or more questions using a variety of unit vocabulary and expressions. Self-corrects when necessary. May speak with some hesitation, pauses, and/or repetition. Almost always understood despite a few errors.	Responds appropriately to a classmate, using a variety of unit vocabulary in connected original sentences. Asks two or more questions using a variety of vocabulary and expressions from a wide range of topics. Self-corrects when necessary. Speaks with little hesitation or repetition and with a few pauses. Consistently understood despite a few errors.

Integrated Performance Assessment Rubric

Unité 2 – *La technologie dans la salle de classe*

Domains	Task Components	NOVICE HIGH
INTERPRETIVE ASSESSMENT	**Identifies key information.** Student identifies advantages of using technology in schools for students, teachers, and parents mentioned in the infographic.	Correctly identifies few of the relevant advantages from the infographic.
INTERPERSONAL ASSESSMENT **Interpersonal Speaking**	**Persuades the principal.** Student responds to questions asked by the principal in order to convince him of the advantages of providing computers for students to use at the school in Martinique.	Responds appropriately to the principal, using some unit vocabulary and expressions in simple sentences. Responses lack logical, persuasive arguments. Speaks with some hesitation, pauses, and/or repetition. Often understood despite some errors.
PRESENTATIONAL ASSESSMENT **Presentational Writing**	**Proposes a fundraising project.** Student completes a form to seek financial support from the community. Student includes a description of the project and supporting information.	The written response minimally addresses the task's components. Responses lack logical persuasive arguments. Provides responses that include simple sentences, with some elaboration. Student language is somewhat comprehensible, requiring some reader interpretation. **Interculturality** Minimally demonstrates understanding of the differences regarding access to technology in Martinique and in the student's own community.

INTERMEDIATE LOW	INTERMEDIATE MID	INTERMEDIATE HIGH
Correctly identifies some of the relevant advantages from the infographic.	Correctly identifies most of the relevant advantages from the infographic.	Correctly identifies all or almost all of the relevant advantages from the infographic.
Responds appropriately to the principal, using a variety of unit vocabulary and expressions in simple, original sentences. Responses incorporate some logical, persuasive arguments. Attempts to self-correct when necessary. May speak with hesitation, pauses, and/or repetition. Usually understood despite a few errors.	Responds appropriately to the principal, using a variety of unit vocabulary in original sentences. Responses incorporate logical, persuasive arguments. Self-corrects when necessary. May speak with some hesitation, pauses, and/or repetition. Almost always understood despite a few errors.	Responds appropriately to the principal, using a variety of unit vocabulary in connected original sentences. Responses incorporate logical and connected persuasive arguments. Self-corrects when necessary. Speaks with little hesitation or repetition, and a few pauses. Consistently understood despite a few errors.
The written response includes some of the task's components. Responses incorporate some logical persuasive arguments. Provides responses that include a series of simple and some original sentences. Student language is mostly comprehensible, requiring some reader interpretation. **Interculturality** Adequately demonstrates understanding of the differences regarding access to technology in Martinique and in the student's own community.	The written response includes most of the task's components. Responses incorporate logical persuasive arguments. Provides responses that include a series of original sentences with some details. Student language is mostly comprehensible, requiring minimal interpretation. **Interculturality** Appropriately demonstrates understanding of the differences regarding access to technology in Martinique and in the student's own community.	The written response includes all of the task's components. Responses incorporate logical and connected persuasive arguments. Provides responses that include a series of connected original sentences with details. Student language is comprehensible and may require minimal interpretation. **Interculturality** Clearly demonstrates understanding of the differences regarding access to technology in Martinique and in the student's own community.

Integrated Performance Assessment Rubric

Unité 3 – *Penser à l'avenir*

Domains	Task Components	NOVICE HIGH
INTERPRETIVE ASSESSMENT **Interpretive Print**	**Sorts skills.** Student reads an article about skills students should have by the end of high school, then matches the skills with images. Student then identifies skills already possessed and those that need to be developed.	Correctly matches a few of the skills identified in the article.
INTERPERSONAL ASSESSMENT **Interpersonal Speaking**	**Converses with a counselor.** Student responds to questions asked by the counselor relating to personal strengths, goals and plans to establish a proper work-life balance.	Responds appropriately to the counselor, using some unit vocabulary and expressions in simple sentences. Speaks with some hesitation, pauses, and/or repetition. Often understood despite some errors.
PRESENTATIONAL ASSESSMENT **Presentational Writing**	**Writes an email expressing interest.** Student writes a formal email to a Belgian youth organisation providing an introduction and expressing personal strengths and goals.	The written response minimally addresses the task's components. Responses lack logical persuasive arguments. Provides responses that include simple sentences with some elaboration. Student language is somewhat comprehensible, requiring some reader interpretation. **Interculturality** Minimally demonstrates understanding of formal French writing etiquette.

INTERMEDIATE LOW	INTERMEDIATE MID	INTERMEDIATE HIGH
Correctly matches some of the skills identified in the article.	Correctly matches most of the skills identified in the article.	Correctly matches all or almost all of the skills identified in the article.
Responds appropriately to the counselor, using a variety of unit vocabulary and expressions in simple, original sentences. Attempts to self-correct when necessary. May speak with hesitation, pauses, and/or repetition. Usually understood despite a few errors.	Responds appropriately to the counselor, using a variety of unit vocabulary in original sentences. Self-corrects when necessary. May speak with some hesitation, pauses, and/or repetition. Almost always understood despite a few errors.	Responds appropriately to the counselor, using a variety of unit vocabulary in connected original sentences. Self-corrects when necessary. Speaks with little hesitation or repetition, and a few pauses. Consistently understood despite a few errors.
The written response includes some of the task's components. Responses incorporate some logical persuasive arguments. Provides responses that include a series of simple sentences and some original sentences. Student language is mostly comprehensible, requiring some reader interpretation. **Interculturality** Adequately demonstrates understanding of formal French writing etiquette.	The written response includes most of the task's components. Responses incorporate logical persuasive arguments. Provides responses that include a series of original sentences with some details. Student language is mostly comprehensible, requiring minimal interpretation. **Interculturality** Appropriately demonstrates understanding of formal French writing etiquette.	The written response includes all of the task's components. Responses incorporate logical and connected persuasive arguments. Provides responses that include a series of connected original sentences with details. Student language is comprehensible and may require minimal interpretation. **Interculturality** Clearly demonstrates understanding of formal French writing etiquette.

Integrated Performance Assessment Rubric

Unité 4 – *Un projet mondial pour le bien-être de tous*

Domains	Task Components	NOVICE HIGH
INTERPRETIVE ASSESSMENT **Interpretive Print**	**Identifies key objectives.** Student reads the United Nations seventeen objectives, chooses three of the objectives that are the most interesting, indicates the pillars to which they correspond, and simplifies the titles of three objectives. Student identifies each as an objective that can be met by one person or a group of people.	Chooses three objectives. Correctly classifies objectives according to a few pillars. Accurately simplifies the title of one objective. Appropriately states the number of people required for the action in one instance.
INTERPERSONAL ASSESSMENT **Interpersonal Speaking**	**Converses with a classmate.** Student asks a classmate questions about actions the classmate has chosen to take, where and how the classmate will carry out those actions, and why those actions are important to the classmate. Student responds to questions posed by classmate about personal choices.	Asks several simple questions and responds appropriately to the classmate, using some unit vocabulary and expressions in simple sentences. Speaks with some hesitation, pauses, and/or repetition. Often understood despite some errors.
PRESENTATIONAL ASSESSMENT **Presentational Writing**	**Writes a persuasive essay.** Student writes a persuasive essay to the school's United Nations club, outlining two to three ideas for a project that will positively impact the community and world.	The written response minimally addresses the task's components. Responses lack logical persuasive arguments. Provides responses that include simple sentences, with some elaboration. Student language is somewhat comprehensible, requiring some reader interpretation. **Interculturality** Minimally demonstrates understanding of patterns of sustainability in the francophone world and/or how young people in different cultures face global challenges.

INTERMEDIATE LOW	INTERMEDIATE MID	INTERMEDIATE HIGH
Chooses three objectives. Correctly classifies some of the key objectives according to some pillars. Accurately simplifies the title of two objectives. Appropriately states the number of people required for the action in two instances.	Chooses three objectives. Correctly classifies objectives according to most pillars. Accurately simplifies the title of two objectives. Appropriately states the number of people required for the action in two instances.	Chooses three objectives. Correctly classifies objectives according to all pillars. Accurately simplifies the title of all three objectives. Appropriately states the number of people required for the action in all instances.
Asks several questions and responds appropriately to the classmate, using a variety of unit vocabulary and expressions in simple, original sentences. Attempts to self-correct when necessary. May speak with hesitation, pauses, and/or repetition. Usually understood despite a few errors.	Asks several questions and responds appropriately to the classmate, using a variety of unit vocabulary and expressions in original sentences. Self-corrects when necessary. May speak with some hesitation, pauses, and/or repetition. Almost always understood despite a few errors.	Asks several questions and responds appropriately to the classmate, using a variety of unit vocabulary and expressions in connected original sentences. Self-corrects when necessary. Speaks with little hesitation or repetition, and a few pauses. Consistently understood despite a few errors.
The written response includes some of the task's components. Responses incorporate some logical persuasive arguments. Provides responses that include a series of simple and some original sentences. Student language is mostly comprehensible, requiring some reader interpretation. **Interculturality** Adequately demonstrates understanding of patterns of sustainability in the francophone world and/or how young people in different cultures face global challenges.	The written response includes most of the task's components. Responses incorporate logical persuasive arguments. Provides responses that include a series of original sentences with some details. Student language is mostly comprehensible, requiring minimal interpretation. **Interculturality** Appropriately demonstrates understanding of patterns of sustainability in the francophone world and/or how young people in different cultures face global challenges.	The written response includes all of the task's components. Responses incorporate logical and connected persuasive arguments. Provides responses that include a series of connected original sentences with details. Student language is comprehensible and may require minimal interpretation. **Interculturality** Clearly demonstrates understanding of patterns of sustainability in the francophone world and/or how young people in different cultures face global challenges.

Integrated Performance Assessment Rubric

Unité 5 – *La société honoraire de français*

Domains	Task Components	NOVICE HIGH
INTERPRETIVE ASSESSMENT **Interpretive Print**	**Identifies quotations from a mission statement and writes corresponding personal examples.** Student reads an Honor Society mission statement, and identifies a quotation from the mission statement that corresponds to each of four themes. Student then writes an example of something the student does or would do in the Honor Society for each of the themes.	Correctly identifies a few of the quotations. Writes a few examples that minimally or somewhat appropriately correspond to the themes.
INTERPERSONAL ASSESSMENT **Interpersonal Speaking**	**Converses with a counterpart (French Honor Society President) from another school.** Student responds to questions asked by the counterpart relating to goals in establishing a French Honor Society, and activities planned for the Honor Society.	Responds appropriately to the counterpart, using some unit vocabulary and expressions in simple sentences. Speaks with some hesitation, pauses, and/or repetition. Often understood despite some errors.
PRESENTATIONAL ASSESSMENT **Presentational Writing**	**Writes an email.** Student writes a formal email to a national organization of French teachers explaining the mission of the school's French Honor Society, the goals of the society, and possible activities, persuading the organization of the value of these goals and activities.	The written response minimally addresses the task's components. Responses lack logical persuasive arguments. Provides responses that include simple sentences, with some elaboration. Student language is somewhat comprehensible, requiring some reader interpretation. **Interculturality** Minimally demonstrates understanding of how a community's mission and goals can reflect the individuality of its members.

INTERMEDIATE LOW	INTERMEDIATE MID	INTERMEDIATE HIGH
Correctly identifies some of the quotations. Writes some examples that somewhat appropriately correspond to the themes.	Correctly identifies most of the quotations. Writes examples for most of the themes that appropriately correspond to the themes.	Correctly identifies all or almost all of the quotations. Writes examples for all of the themes that appropriately correspond to the themes.
Responds appropriately to the counterpart, using a variety of unit vocabulary and expressions in simple, original sentences. Attempts to self-correct when necessary. May speak with hesitation, pauses, and/or repetition. Usually understood despite a few errors.	Responds appropriately to the counterpart, using a variety of unit vocabulary in original sentences. Self-corrects when necessary. May speak with some hesitation, pauses, and/or repetition. Almost always understood despite a few errors.	Responds appropriately to the counterpart, using a variety of unit vocabulary in connected original sentences. Self-corrects when necessary. Speaks with little hesitation or repetition, and a few pauses. Consistently understood despite a few errors.
The written response includes some of the task's components. Responses incorporate some logical persuasive arguments. Provides responses that include a series of simple and some original sentences. Student language is mostly comprehensible, requiring some reader interpretation. **Interculturality** Adequately demonstrates understanding of how a community's mission and goals can reflect the individuality of its members.	The written response includes most of the task's components. Responses incorporate logical persuasive arguments. Provides responses that include a series of original sentences with some details. Student language is mostly comprehensible, requiring minimal interpretation. **Interculturality** Appropriately demonstrates understanding of how a community's mission and goals can reflect the individuality of its members.	The written response includes all of the task's components. Responses incorporate logical and connected persuasive arguments. Provides responses that include a series of connected original sentences with details. Student language is comprehensible and may require minimal interpretation. **Interculturality** Clearly demonstrates understanding of how a community's mission and goals can reflect the individuality of its members.

Integrated Performance Assessment Rubric

Unité 6 – *Une rencontre artistique*

Domains	Task Components	NOVICE HIGH
INTERPRETIVE ASSESSMENT **Interpretive Audiovisual**	**Identifies components.** Student watches a video in which an artist presents her experiences regarding exhibits. Student then identifies the components of a successful artistic exhibition shared by the artist.	Correctly identifies a few of the components mentioned by the artist in the video.
INTERPERSONAL ASSESSMENT **Interpersonal Writing**	**Responds to an email.** Student reads an email from the president of an arts organization and writes an email responding to the president's questions relating to the role of art in society, considerations when evaluating artistic works, and how artists' diversity can enrich an arts festival.	Responds appropriately to the president of the organization, using some unit vocabulary and expressions in simple sentences. Student language is somewhat comprehensible, requiring some reader interpretation.
PRESENTATIONAL ASSESSMENT **Presentational Speaking**	**Creates a persuasive video.** Student creates a video for organizers of an upcoming festival, describing why a specific work of art should be included in the festival, and what makes the work of art unique.	The video presentation minimally addresses the task's components. Presentation lacks logical, persuasive arguments. Speaks with some hesitation, pauses, and/or repetition. Often understood despite some errors. **Interculturality** Minimally demonstrates understanding of how art is expressed in different communities or cultures.

INTERMEDIATE LOW	INTERMEDIATE MID	INTERMEDIATE HIGH
Correctly identifies some of the components mentioned by the artist in the video.	Correctly identifies most of the components mentioned by the artist in the video.	Correctly identifies all or almost all of the components mentioned by the artist in the video.
Responds appropriately to the president of the organization, using a variety of unit vocabulary and expressions in simple, original sentences. Student language is mostly comprehensible, requiring some reader interpretation.	Responds appropriately to the president of the organization, using a variety of unit vocabulary in original sentences. Student language is mostly comprehensible, requiring minimal interpretation.	Responds appropriately to the president of the organization, using a variety of unit vocabulary in connected original sentences. Student language is comprehensible and may require minimal interpretation.
The video presentation includes some of the task's components. Presentation incorporates some logical, persuasive arguments. Attempts to self-correct when necessary. May speak with hesitation, pauses, and/or repetition. Usually understood despite a few errors. **Interculturality** Adequately demonstrates understanding of how art is expressed in different communities or cultures.	The video presentation includes most of the task's components. Presentation incorporates logical, persuasive arguments. Self-corrects when necessary. May speak with some hesitation, pauses, and/or repetition. Almost always understood despite a few errors. **Interculturality** Appropriately demonstrates understanding of how art is expressed in different communities or cultures.	The video presentation includes all of the task's components. Presentation incorporates logical and connected persuasive arguments. Self-corrects when necessary. Speaks with little hesitation or repetition, and a few pauses. Consistently understood despite a few errors. **Interculturality** Clearly demonstrates understanding of how art is expressed in different communities or cultures.

EntreCultures 3 AP® and IB Correlation Guide

AP® Theme	Unit 1	Unit 2	Unit 3	Unit 4	Unit 5	Unit 6
Les défis mondiaux						
La tolérance					✓	
L'économie						✓
L'environnement				✓	✓	
La santé			✓	✓		
Les droits de l'être humain		✓	✓	✓		✓
L'alimentation				✓		✓
La paix et la guerre						
La science et la technologie						
La recherche et ses nouvelle frontières		✓				
Les découvertes et les inventions		✓		✓		
Les choix moraux		✓	✓	✓		
L'avenir de la technologie		✓				
La propriété intellectuelle		✓				
Les nouveaux moyens de communication		✓	✓			
La technologie et ses effets sur la société		✓				
La vie contemporaine						
La publicité et le marketing		✓				
L'éducation et l'enseignement	✓	✓	✓	✓	✓	
Les fêtes	✓					✓
Le logement					✓	
Les loisirs et le sport	✓	✓	✓	✓	✓	✓
Le monde du travail	✓	✓	✓	✓	✓	
Les rites de passage	✓		✓			
Les voyages	✓	✓		✓	✓	✓

AP® Theme	Unit 1	Unit 2	Unit 3	Unit 4	Unit 5	Unit 6
La quête de soi						
L'aliénation et l'assimilation				✓	✓	✓
Les croyances et les systèmes de valeurs			✓	✓	✓	✓
La sexualité					✓	
L'identité linguistique		✓	✓		✓	✓
Le pluriculturalisme	✓	✓	✓		✓	✓
Le nationalisme et le patriotisme				✓		
La famille et la communauté						
Les rapports sociaux	✓	✓	✓	✓	✓	
L'enfance et l'adolescence	✓		✓			
La citoyenneté		✓		✓		
Les coutumes	✓					✓
La famille	✓			✓	✓	
L'amitié et l'amour	✓	✓				
L'esthétique						
L'architecture						✓
Le patrimoine						✓
Le beau						✓
Les arts littéraires	✓	✓		✓	✓	✓
La musique		✓	✓	✓	✓	✓
Les arts du spectacle						✓
Les arts visuels						✓

IB Theme	Unit 1	Unit 2	Unit 3	Unit 4	Unit 5	Unit 6
1. Identités	✓	✓	✓	✓	✓	✓
2. Expériences	✓	✓	✓	✓	✓	✓
3. Ingéniosité humaine		✓		✓		✓
4. Organisation sociale	✓	✓	✓	✓	✓	
5. Partage de la planète				✓		

Glossary French-English

LEGEND

f. - feminine

f. pl. - feminine plural

m. - masculine

m. pl. - masculine plural

accueillant(e) welcoming (5)

accueillir to welcome (2, 3, 5)

accéder à la plate-forme de la classe to acces the class learning platform (2)

actif/active active (1)

les **activités (f. pl.) entre amis** group activities (1)

admirer to admire (6)

adopter to adopt (5)

afin de/d' in order to (2)

agir to act (4)

aider to help (2, 3, 4, 5)

ailleurs elsewhere (2)

s' **aimer (bien)** to like each other (well) (1)

ambitieux/ambitieuse ambitious (1, 6)

améliorer to improve (2, 3, 4)

l' **amende (m.)** monetary fine (1)

amical(e) friendly (1)

l' **amitié (f.)** friendship (1)

amusant(e) amusing (1)

s' **amuser** to have fun (together) (1, 6)

l' **appartement (m.)** apartment (5)

appartenir à to belong to (5)

l' **appli(cation) (f.)** app(lication) (2)

apprendre to learn (3, 4, 5)

l' **architecture (f.)** architecture (6)

l' **argent (m.) de poche** spending money (1)

arroser to water (3)

l' **artiste (m./f.)** artist (6)

artistique artistic (6)

les **arts (m. pl.) culinaires** culinary arts (6)

les **arts (m. pl.) de la scène** dramatic arts (6)

les **arts (m. pl.) visuels** visual arts (6)

l' **assainissement (m.)** sanitation, purification (4)

asseyez-vous sit down (1)

s' **assumer** to take charge of oneself (5)

l' **athlète (m./f.)** athlete (6)

l' **atout (m.)** asset (5)

atteindre to attain (3)

l' **attitude (f.) d'ouverture** open attitude (5)

attrayant(e) attractive (6)

l' **auditeur (m.)/auditrice (f.)** listener (6)

l' **autobus (m.)** bus (1)

l' **auto-école (f.)** driving school (1)

autonome autonomous (1)

l' **avantage (m.)** advantage (2)

l' **avenir (m.)** future (3, 4)

avoir accès à to have access to (2, 4)

avoir confiance en to trust in (1)

avoir hâte de/d' to be excited (to), to look forward (to) (1)

avoir la trouille to be afraid (1)

avoir un intérêt en commun to have interests/dreams in common (1)

la **bande dessinée** comic strip (6)

la **banlieue** suburb (5)

la **banque alimentaire** food bank (3)

le **bâtiment** building (6)

le/la **bénévole** volunteer (3, 4)

le **besoin** need (6)

bilingue bilingual (5)

le **billet d'entrée** entry ticket (6)

le bonheur happiness (3)

la bonne estime de soi high self-esteem (1)

bordé(e) lined, bordered, edged (6)

bosser to work (3)

le bruit noise (4)

le but goal (6)

le/la caissier/caissière cashier (1)

se calmer to calm down (6)

la cantine cafeteria (1)

la capacité capacity (6)

cesser to stop (6)

le changement climatique climate change (4)

le/la chanteur/chanteuse singer (6)

le/la chef leader (3)

chercher quelque chose to look for something (6)

le choix choice (5)

choquer to shock (6)

cibler to target (3)

le ciné-club film club (6)

le/la citoyen/citoyenne citizen (4)

la classe class (1)

le climat climate (5)

le club théâtre theater club (6)

le code de la route driving manual, rules of the road (1)

le collecteur recycling bin (4)

la colonie de vacances summer camp (1)

commencer to begin (1)

commentaire négatif negative comment (2)

la communauté community (5)

communiquer plus facilement to communicate more easily (2)

commun(e) common (6)

les compétences (f. pl.) skills (3)

se comporter to behave oneself (2)

compréhensif/compréhensive understanding, comprehensive (5, 6)

compte account (2)

compter sur quelqu'un to count on someone (1)

le concert concert (6)

le/la conducteur/conductrice driver (1)

conduire to drive (1)

la confiance en soi self-confidence (1)

confiant(e) confident (1)

le conflit conflict (3)

connaître to know (1, 5)

conseiller to give advice to (2, 3, 4, 5)

la conséquence consequence (5)

conservateur/conservatrice conservative (5)

construire des maisons to build houses (3)

contempler to contemplate (6)

contenir to contain (6)

contribuer à to contribute to (2, 3, 4)

courageux/courageuse courageous (1, 6)

le cours class, course (1)

la crainte fear (5)

créatif/créative creative (1, 6)

créer to create (2, 3, 4)

le critère criterion (5)

la croyance belief (5)

cyberdépendant(e) cyber-dependent (2)

le cyberharcèlement cyber harassment (2)

c'est important de/d'... it is important to... (5)

danser to dance (6)

débarasser le lave-vaisselle/la table to empty the dishwasher/to clear the table (3)

débrancher to disconnect, to unplug (4)

les déchets (m. pl.) waste (4)

(se) décider to decide (for oneself) (3)
décontracté(e) relaxed (5)
découvrir to discover (5)
le défi challenge (3, 4, 5)
se dégager to go out (6)
déjà already (4)
déjeuner to eat lunch (1)
le déjeuner lunch (1)
déléguer to delegate (3)
le déménagement relocation, moving (5)
déménager to move (3, 5)
le déplacement movement from one place to another (4)
le dessin design (6)
dessiner to design (6)
se détendre to relax (2)
le développement durable sustainable development (4)
devenir to become (5)
dévoiler to unveil (6)
dévoué(e) dedicated (1)
digne de confiance trustworthy (1)
discret/discrète discreet (5)
dispo(nible) available (1)
se disputer to argue with each other (1)
se divertir to entertain (2)
les divertissements (m. pl.) entertainment (2)
donner des conseils to give advice (2)
donner le moyen de/d' to allow to (2)
donner un coup de main to lend a hand (5)
se dresser to stand up straight (6)
les droits (m. pl.) rights (2)
drôle funny, comical (1)
dur(e) hard (5)
dynamique dynamic (1, 5, 6)
l' eau (f.) potable drinking water (4)
échanger to exchange (3)
s' échapper (de) to escape (6)
l' échec (m.) failure (3)
l' école (f.) school (5)
économiser l'énergie to save energy (4)
s' écouter to listen to each other (1)
l' écran (m.) screen (2)
l' écriture (f.) writing (6)
l' édifice (m.) building (6)
égoïste selfish (1)
élire to elect (4)
embaucher to hire (3)
émettre to emit (4)
l' émission (f.) TV show (1)
en charge charging (4)
encourager to encourage (1)
énergique energetic (1, 5, 6)
s' engager to be involved, to commit (5)
s' enrichir to enrich (oneself) (6)
l' enseignant(e) teacher (1)
enseigner to teach (4)
s' entendre (bien/mal) to get along (well/ badly) with one another (1)
s' entourer to surround oneself (5)
s' entraider to help each other (5)
en un seul clic in one click (2)
l' esprit (m.) d'équipe (f.) team spirit (1)
l' essai (m.) try, attempt (3)
essayer de/d' to try to (2)
essayer quelque chose de nouveau to try something new (3)
essayer to try (5)
établir to establish (5)
éteindre to switch off (4)
être de bonne humeur to be in a good mood (3)
être en train de/d'... to be in the middle of (5)
être en train d'apprendre to be in the process of learning (2)

être respectueux/respectueuse to be respectful (2)

être à l'aise to be comfortable, to be at ease (3)

éviter (de/d') to avoid (2, 5)

exigeant(e) demanding (3)

exposer to exhibit (6)

l' exposition (f.) exhibit (6)

s' exprimer to express oneself (5)

fabriquer to fabricate, to create (6)

la faim hunger (4)

faire attention à to pay attention to (4)

faire confiance à to trust (3)

faire du bénévolat to volunteer, to do volunteer work (2, 3, 4)

faire du jardinage to garden (3)

faire face à (quelque chose) to face (something) (3, 5)

faire la navette to go back and forth (3)

se faire mal to hurt oneself (1)

faire partie de/d' to be a part of (1, 2)

faire pression to pressure (5)

faire une pause to take a break (3)

faire (la) grève to go on strike (3)

la fanfare brass band (6)

fascinant(e) fascinating (6)

favoriser to favor (4)

le festival festival (6)

la fête foraine fairground (6)

fiable reliable, dependable (1)

fidèle loyal, faithful (5, 6)

fier/fière proud (1)

la filière track of school courses (3)

(se) fixer des objectifs to set goals (3)

flâner to stroll (6)

la fois time (1)

le fonctionnement operation (6)

la fondation foundation (3)

le foyer des soins nursing home (3)

la gaffe blunder, mess-up (2)

gagner to win (1)

garder l'esprit ouvert to keep an open mind (5)

garder to keep (3)

la garderie daycare facility (3)

généreux/généreuse generous (6)

le genre gender (5)

gentil/gentille gentle, kind (6)

gérer to manage (3, 4, 5)

gestuel/gestuelle gestural (6)

grâce à thanks to (2)

grand(e) tall (1)

gros/grosse fat, big (1)

l' habitude (f.) habit (5)

s' habituer à to get used to (5)

hebdomadaire weekly (3, 4)

hiérarchiser to prioritize (3)

l' hôpital (m.) hospital (3)

hyperconnecté(e) hyperconnected (2)

identifier to identify (5)

l' île (f.) island (5)

il est important de/d'... it is important to... (2, 5)

il est nécessaire de (faire quelque chose) it is necessary to (do something) (5)

il est nécessaire que/qu'... it is necessary that... (5)

il faut que/qu'... it is necessary that... (5)

il faut (faire quelque chose) it is necessary (to do something) (2, 5)

il y a (deux semaines) (two weeks) ago (1)

impatient(e) impatient (1)

l' inconvénient (m.) disadvantage (2)

indépendent(e) independant (5)

l' inégalité (f.) inequality (4)

intelligent(e) smart, intelligent (1)

interdit(e) forbidden (1)
s' **interroger** to question oneself (3)
inviter quelqu'un to invite someone (6)
s' **inviter** to invite each other (1)
isolé(e) isolated (6)
le **jardin communautaire** community garden (3)
le/la **jardinier/jardinière** gardener (1)
Je te conseille de/d'... I advise you to (2)
jeune young (1)
jouer to play (1)
jouer (au sport, d'un instrument) to play (a sport, an instrument) (6)
juger to judge (5)
laisser froid to leave cold (6)
lancer de nouvelles idées to introduce, to initiate new ideas (3)
laver to wash (3)
Le plus important, c'est de/d'... What's most important is to... (2)
le/la **lecteur/lectrice** reader (6)
léger/légère light (6)
leur/leurs their (5)
le **lieu** place (6)
le **logement** housing (4)
la **loi** law (2)
lointain(e) distant (6)
la **maison** house (5)
le/la **maître-nageur/maître-nageuse** lifeguard (1)
le **malheur** misfortune, sadness (3)
la **matière brute** raw material (6)
la **menace** threat (2)
mener to lead (5)
mensuel/mensuelle monthly (3, 4)
mériter to deserve (3)
le **métier** occupation, job (3)
mettre le couvert/la table to set the table (3)
mignon/mignonne cute (1)
militant(e) activist (5)
mince thin (1)
mon/ma/mes my (5)
le **moteur de recherche** serach engine (2)
motivé(e) motivated (5, 6)
le **moyen d'aide** means of help, assistance (6)
le/la **musicien/musicienne** musician (6)
mûrir to mature (3)
le **musée** museum (6)
ne pas gaspiller to not waste (4)
notre/nos our (5)
l' **œuvre (f.)** work, piece (6)
On devrait... One should... (2)
l' **orchestre (m.)** orchestra (6)
organiser son emploi du temps to organize one's schedule (3)
organisé(e) organized (5, 6)
orgueilleux/orgueilleuse pretentious, arrogant (1)
orientaliser to add Asian elements (6)
l' **orientation (f.)** career path (3)
s' **orienter** to orient oneself, choose one's path (3)
l' **outil (m.)** tool (2)
ouvert(e) d'esprit open-minded (1)
l' **ouverture (f.) d'esprit** open-mindedness (1)
la **paix** peace (4)
le **parc** park (6)
se **parler** to talk to each other (1)
parler derrière le dos de quelqu'un to gossip (1)
partager to share (6)
partager des ressources (f. pl.) to share resources (2)
le **parti politique** political party (5)
passer du temps to spend time (6)
passer l'aspirateur to vacuum (3)

passer son permis (de conduire) to take one's driver's test (1)

patient(e) patient (1)

patiner to skate (1)

le patrimoine heritage (6)

la pauvreté poverty (4)

le pays country (5)

le/la peintre painter (6)

la peinture painting (6)

la peluche stuffed animal (1)

la pensée thought (6)

perdre to lose (1)

permettre de/d' to permit, to allow (1)

petit(e) short (1)

le piercing piercing (5)

la pierre stone (6)

le pilier pillar (4)

la place public square (6)

le plagiat plagiarism (2)

planifier to plan (3, 4)

planter des arbres to plant trees (3)

plier le linge to fold laundry (3)

la poésie poetry (6)

le point de vue point of view (5)

positif/positive positive (1, 5, 6)

poster to post (online) (2)

le pote friend, pal (1)

poursuivre to pursue (2)

le préjugé prejudice (5)

prendre en main to take charge (1)

prendre soin de/d' to take care of (3)

prendre un congé to take a leave (3)

préserver to preserve (4)

prévenir to prevent, to inform (4)

privé(e) private, personnel(le) (2)

le produit chimique a chemical product (4)

profiter de/d' to take advantage of (3)

profond(e) deep, profound (6)

progressiste liberal (5)

le projet project, plan (3, 4)

promouvoir to promote (4)

se protéger to protect oneself (2)

prudent(e) careful (2)

puni(e) punished (2)

les qualités (f. pl.) personality traits, characteristics (1)

le quartier neighborhood (5, 6)

quotidien/quotidienne daily (3, 4)

ramasser les déchets to pick up trash (3, 4)

ranger to put away (3)

le rapport relationship, connection (1)

les rapports (m. pl.) sociaux social relationships (5)

réagir to react (6)

réaliser to make happen, to achieve (3, 5)

se réconcilier to reconcile with one another (1)

réconforter (quelqu'un) to comfort (someone) (2, 3, 5)

reconnaître to recognize (5)

le recyclage recycling (4)

rééquilibrer sa vie to rebalance one's life (3)

le refuge pour animaux animal shelter (3)

le refuge pour sans-abris homeless shelter (3)

refuser de/d' to refuse (1)

se regarder to look at each other (1)

la région region (5)

la relation relationship (1)

relever un défi to take on a challenge (5)

la religion religion (5)

se rencontrer to meet each other (for the first time) (3)

se rendre compte de/d' to realize (4)

renfermé(e) withdrawn (3)

renoncer à to give up (5)

se renseigner to seek information (3)

répondre au téléphone to answer the telephone (3)

le réseau network (2)

le réseau social social network (2)

la réserve reserve (5)

résoudre to resolve (3)

la responsabilité responsibility (2)

les responsabilités (f. pl.) sociales social responsibilities (2)

rester au courant de/d' to stay informed (2)

se retrouver to meet up with each other (1)

retrouver toute la bande de copains to meet up with friends (1)

la réunion meeting (3, 4)

rêver to dream (6)

rigoler to laugh and have fun (1)

le roman novel (6)

rouler (vite/lentement) to drive (quickly/slowly) (1)

la rue street (5, 6)

la ruelle small street (6)

sain(e) healthy (4)

le salon (job) fair (3)

sauvegarder un fichier to save a file (2)

savoir garder son calme to know how to stay calm (3)

savoir (faire quelque chose) to know (how to do something) (5)

la sculpture sculpture (6)

secouer to shake (6)

le secteur job sector, field (3)

sécuriser le profil to secure one's profile (2)

le sentiment sentiment (6)

se sentir to feel (5)

se sentir écouté(e)(s) to feel listened to (1)

sérieux/sérieuse serious (1, 6)

se servir de/d' to use (2)

servir to serve (3, 4)

signaler to report (2)

le site historique historical site (6)

sociable sociable (5)

la soirée party (6)

la soirée pyjama sleepover (1)

son/sa/ses his, her, one's (5)

la sortie outing, exit (1, 6)

soutenir to support (2, 3, 4, 5)

se souvenir de/d' to remember (1)

soyez le/la/les bienvenu(e)(s) welcome (5)

le spectacle show (6)

le/la spectateur/spectatrice spectator (6)

sportif/sportive athletic (1, 6)

stocker des fichiers (m. pl.) to store files (2)

le stylisme fashion design (6)

supprimer to delete (2)

surmonté(e) on top of, crowned (6)

la taille size (6)

le tarif price, cost (6)

le tatouage tattoo (5)

télécharger to download (2)

se téléphoner to make a telephone call to each other (1)

témoigner to witness (6)

le temps libre free time (6)

tenir ses engagements to keep my commitments (3)

tenter de nouvelles choses to try new things (5, 6)

la tenue à la mode fashionable outfit (5)

le terrain de jeux playground (1)

le théâtre theater (6)

timide shy, timid (1)

tomber to fall down (1)

ton/ta/tes your (informal) (5)

transférer un fichier to move a file (2)

travailler à domicile to work from home (3)

travailler en équipe to work in groups (4)

travailleur/travailleuse hard-working (1, 5, 6)

trier to sort (4)

trier et distribuer le courrier to sort and hand out, distribute the mail (3)

triste sad (1)

l' **usage (m.)** use (6)

l' **usine (f.)** factory (4)

les **valeurs (f. pl.)** values (5)

(se) **valoriser** to value (oneself) (1)

la **veille** the day/evening before (1)

vider la corbeille to empty the trash, to permanently delete (4)

la **vie en ligne** life online (2)

la **vie privée** private/personal life (2)

la **viennoiserie** pastry that originated in Vienna, Austria (6)

la **ville** city (5)

visé(e) par targeted by (2)

votre/vos your (formal) (5)

Expressions utiles French-English

accorder la priorité à... to prioritize... (3)

À mon avis In my opinion (5)

au besoin if necessary (5)

au niveau de/d' at the level of (4)

Aussitôt dit, aussitôt fait! No sooner said than done! (3)

avoir tendance à to have a tendancy to (5)

Bonne idée! Good idea! (3)

Ça me fait imaginer. It makes me imagine. (6)

Ça me fait penser à ma famille, à mon ami(e)... It reminds me of my family, my friend... (6)

Ça me rend... This/That makes me... (6)

car because (6)

Ce dont je rêve, c'est... What I dream of is... (3)

Ce n'est pas comme ça. It is not like that. (6)

Ce n'est pas correct. That is not correct. (6)

Ce que je veux faire, c'est... What I want to do is... (3)

Ce qui me passionne, c'est... What I am passionate about is... (3)

Ce qui me plaît, c'est... What I like is, What pleases me is... (3)

Ce qui m'intéresse, c'est... What interests me is... (3)

Ce sera... It will be... (2)

C'est important de/d'... It is important to... (3, 4)

C'est pareil (différent) pour moi. It is the same (different) for me. (5)

C'est une œuvre de/d'... It is a work of... (6)

C'était... It was... (1)

concernant concerning (4)

la **conciliation études-travail** school-work balance (3)

concilier les études et le travail to balance school and work (3)

définir ses priorités to define one's priorities (3)

dès que possible as soon as possible (3)

donner à manger to feed (3)

donner son opinion to offer one's opinion (5)

donner un coup de main to lend a helping hand (2, 3, 4)

en lien avec in connection with (5)

faire le lit to make the bed (3)

Il est important de/d'... It is important to... (4, 6)

Il faut... It is necessary to... (6)

Il s'agit de/d' It is a matter of (5)

Il y aura... There will be... (2)

J'ai fait... I did... (1)

J'ai le droit de/d'... I have the right to... (2)

J'ai participé à... I participated... (1)

J'ai pris... I took... (1)

J'ai voyagé... I travelled... (1)

J'ai vu... I saw... (1)

J'avais... I had... (1)

Je choisis (de/d')... I choose to... (2)

Je ferai... I will do, make... (2)

Je gère. I'm on top of it. (1)

Je (ne) dois (pas)... I must (not)... (4)

Je (ne) suis (pas) d'accord. I (do not) agree. I (do not) have the same opinion as you. (3, 4, 6)

Je pense que tu as mal compris. I think you misunderstood. (6)

Je ressemble le plus à... I look the most like... (1)

Je rêve de/d'... I dream of... (3)

Je suis allé(e)... I went... (1)

Je suis d'accord. I agree. (5)

Je suis fort(e) en... I am good at..., I am strong in... (3)

J'étais... I was... (1)

Je te conseille de/d'... I advise you to... (4)

Je travaille de 8h00 à 13h00. I work from 8:00 a.m. to 1:00 p.m. (1)

Je trouve ça beau/moche/créatif/artistique/intéressant. I find that beautiful/ugly/creative/artistic/interesting. (6)

Je verrai... I will see... (2)

Je voudrais... I would like... (2)

Je vous propose (de/d')... I propose to you to... (4)

laisser plus de temps de parole to allow more speaking time (5)

laisser prendre to let happen (5)

laisser vivre to let live (5)

La loi empêche (de/d')... The law prevents... (2)

La loi interdit (de/d')... The law forbids... (2)

La loi permet (de/d')... The law permits... (2)

...me plaît. ...pleases me. (6)

Le moins important pour moi, c'est... What's least important for me, is... (5)

(Ne) sois (pas)...! (Don't) be...! (1)

Nous irons... We will go... (2)

On devrait... One should... (4, 6)

parce que/qu'... because (6)

Le plus important pour moi, c'est... What's most important for me, is... (5)

les "pour" et les "contre" the pros and the cons (5)

prendre du temps pour soi to take time for yourself (3)

Quand j'étais petit(e)... When I was little... (1)

Qu'en penses-tu? What do you think? (5, 6)

sans aucun doute without a single doubt (4)

sans doute without a doubt (4)

si jamais... if ever... (3)

Tout à fait! Absolutely! (5)

Tu as raison. You are right. (5)

Tu as tort. You are wrong. (5, 6)

Tu n'as pas raison. You are not correct. (6)

un mode de vie sain a healthy lifestyle (3)

un monde meilleur a better world (3, 4)

une fois... one time... (1)

...y compris... ...included... (4)

Glossary English-French

LEGEND

f. - feminine

f. pl. - feminine plural

m. - masculine

m. pl. - masculine plural

to acces the class learning platform accéder à la plate-forme de la classe (2)

account compte (2)

to act agir (4)

active actif/active (1)

activist militant(e) (5)

to add Asian elements orientaliser (6)

to admire admirer (6)

to adopt adopter (5)

to allow to permettre de/d', donner le moyen de/d' (1, 2)

already déjà (4)

ambitious ambitieux/ambitieuse (1, 6)

amusing amusant/amusante (1)

animal shelter le refuge pour animaux (3)

to answer the telephone répondre au téléphone (3)

apartment l'appartement (m.) (5)

app(lication) l'appli(cation) (f.) (2)

architecture l'architecture (f.) (6)

to argue with each other se disputer (1)

arrogant orgueilleux/orgueilleuse (1)

artist l'artiste (m./f.) (6)

artistic artistique (6)

asset l'avantage (m.), l'atout (m.) (2, 5)

athlete l'athlète (m./f.) (6)

athletic sportif/sportive (1, 6)

to attain atteindre (3)

attempt l'essai (m.) (3)

attractive attrayant(e) (6)

autonomous autonome (1)

available dispo(nible) (1)

to avoid éviter (de/d') (2, 5)

to be afraid avoir la trouille (1)

to be a part of faire partie de/d' (2)

to be at ease être à l'aise (3)

to become devenir (5)

to be comfortable être à l'aise (3)

to be excited (to) avoir hâte (de/d') (1)

to begin commencer (1)

to behave oneself se comporter (2)

to be in a good mood être de bonne humeur (3)

to be in the middle of... être en train de/d'... (5)

to be in the process of learning être en train d'apprendre (2)

to be involved s'engager (5)

belief la croyance (5)

to belong to appartenir à (5)

to be part of faire partie de/d' (1)

to be respectful être respectueux/respectueuse (2)

big gros/grosse (1)

bilingual bilingue (5)

blunder la gaffe (2)

bordered bordé(e) (6)

brass band la fanfare (6)

to build houses construire des maisons (3)

building le bâtiment, l'édifice (m.) (6)

bus l'autobus (m.) (1)

cafeteria la cantine (1)

to calm down se calmer (6)

capacity la capacité (6)

career path l'orientation (f.) (3)

careful prudent(e) (2)

cashier le/la caissier/caissière (1)

challenge le défi (3, 4, 5)

characteristics les qualités (f. pl.) (1)

charging en charge (4)

chemical product le produit chimique (4)

choice le choix (5)

to choose one's path s'orienter (3)

city la ville (5)

class la classe, le cours (1)

climate le climat (5)

climate change le changement climatique (4)

to comfort (someone) réconforter (quelqu'un) (2, 3, 5)

comical drôle (1)

comic strip la bande dessinée (6)

to commit s'engager (5)

common commun(e) (6)

to communicate more easily communiquer plus facilement (2)

community la communauté (5)

community garden le jardin communautaire (3)

comprehensive compréhensif/compréhensive (6)

concert le concert (6)

confident confiant(e) (1)

conflict le conflit (3)

connection le rapport (1)

consequence la conséquence (5)

conservative conservateur/conservatrice (5)

to contain contenir (6)

to contemplate contempler (6)

to contribute to contribuer à (2, 3, 4)

cost le tarif (6)

to count on someone compter sur quelqu'un (1)

country le pays (5)

courageous courageux/courageuse (1, 6)

course le cours (1)

to create créer, fabriquer (2, 3, 4, 6)

creative créatif/créative (1, 6)

criterion le critère (5)

crowned surmonté(e) (6)

culinary arts les arts (m. pl.) culinaires (6)

cute mignon/mignonne (1)

cyber-dependent cyberdépendant(e) (2)

cyber harassment le cyberharcèlement (2)

daily quotidien/quotidienne (3, 4)

to dance danser (6)

day before la veille (1)

daycare facility la garderie (3)

to decide (for oneself) (se) décider (3)

dedicated dévoué(e) (1)

deep profond(e) (6)

to delegate déléguer (3)

to delete supprimer (2)

demanding exigeant(e) (3)

dependable fiable (1)

to deserve mériter (3)

design le dessin (6)

to design dessiner (6)

disadvantage l'inconvnient (m.) (2)

to disconnect débrancher (4)

to discover découvrir (5)

discreet discret/discrète (5)

discuss with each other se disputer (1)

distant lointain(e) (6)

to do volunteer work faire du bénévolat (2, 3, 4)

to download télécharger (2)

dramatic arts les arts (m. pl.) de la scène (6)

to dream rêver (6)

drinking water l'eau (f.) potable (4)

to drive (quickly/slowly) rouler (vite/lentement) (1)

driver le/la conducteur/conductrice (1)

driving manual le code de la route (1)

driving school l'auto-école (f.) (1)

dynamic dynamique (1, 5, 6)

to eat lunch déjeuner (1)

edged bordé(e) (6)

to elect élire (4)

elsewhere ailleurs (2)

to emit émettre (4)

to empty the dishwasher/to clear the table débarasser le lave-vaisselle/la table (3)

to empty the trash, to permanently delete vider la corbeille (4)

to encourage encourager (1)

energetic énergique (1, 5, 6)

to enrich (oneself) s'enrichir (6)

to entertain se divertir (2)

entertainment les divertissements (m. pl.) (2)

entry ticket le billet d'entrée (6)

to escape s'échapper (de/d') (6)

to establish établir (5)

evening before la veille (1)

to exchange échanger (3)

exhibit l'exposition (f.) (6)

to exhibit exposer (6)

exit la sortie (6)

to express oneself s'exprimer (5)

to fabricate fabriquer (6)

to face (something) faire face à (quelque chose) (3, 5)

factory l'usine (f.) (4)

to fall down tomber (1)

fairground la fête foraine (6)

fascinating fascinant(e) (6)

fashionable outfit la tenue à la mode (5)

fashion design le stylisme (6)

fat gros/grosse (1)

to favor favoriser (4)

fear la crainte (5)

to feel se sentir (5)

female citizen la citoyenne (4)

festival le festival (6)

field le secteur (3)

film club le ciné-club (6)

to fold laundry plier le linge (3)

food bank la banque alimentaire (3)

forbidden interdit(e) (1)

foundation la fondation (3)

free time le temps libre (6)

friend le pote (1)

friendly amical/amicale (1)

friendship l'amitié (f.) (1)

funny amusant(e), drôle (1)

future l'avenir (m.) (3, 4)

to garden faire du jardinage (3)

gardener le/la jardinier/jardinière (1)

gender le genre (5)

generous généreux/généreuse (6)

gentle gentil/gentille (6)

gestural gestuel/gestuelle (6)

to get along (well/badly) with one another s'entendre (bien/mal) (1)

to get used to s'habituer à (5)

to give advice donner des conseils (2)

to give advice to conseiller (2, 3, 4, 5)

to give up renoncer à (5)

goal le but (6)

to go back and forth faire la navette (3)

to go on strike faire (la) grève (3)

to go out se dégager (6)

to gossip parler derrière le dos de quelqu'un (1)

group activities les activités (f. pl.) entre amis (1)

habit l'habitude (f.) (5)

happiness le bonheur (3)

hard dur(e) (5)

hard-working travailleur/travailleuse (1, 5, 6)

to have access to avoir accès à (2, 4)

to have fun (together) s'amuser (1, 6)

to have interests/dreams in common avoir un intérêt en commun (1)

healthy sain(e) (4)

to help aider (2, 3, 4, 5)

to help each other s'entraider (5)

heritage le patrimoine (6)

high self-esteem la bonne estime de soi (1)

to hire embaucher (3)

his, her, one's son/sa/ses (5)

historical site le site historique (6)

homeless shelter le refuge pour sans-abris (3)

hospital l'hôpital (m.) (3)

house la maison (5)

housing le logement (4)

hunger la faim (4)

to hurt oneself se faire mal (1)

hyperconnected hyperconnecté(e) (2)

I advise you to... Je te conseille de/d' (2)

to identify identifier (5)

impatient impatient(e) (1)

to improve améliorer (2, 3, 4)

independant indépendent(e) (5)

inequality l'inégalité (f.) (4)

inform prévenir (4)

in one click en un seul clic (2)

in order to afin de/d' (2)

intelligent intelligent(e) (1)

to introduce, to initiate new ideas lancer de nouvelles idées (3)

to invite each other s'inviter (1)

to invite someone inviter quelqu'un (6)

island l'île (f.) (5)

isolated isolé(e) (6)

it is important to... il est important de/d'... (2, 5)

it is important to... c'est important de/d'... (5)

it is necessary that... il est nécessaire que/qu'..., , il faut que/qu'... (5)

it is necessary (to do something) il est nécessaire de (faire quelque chose), il faut (faire quelque chose) (2, 5)

job le secteur (3)

(job) fair le salon (3)

job sector le métier (3)

to judge juger (5)

to keep garder (3)

to keep an open mind garder l'esprit ouvert (5)

to keep one's commitments tenir ses engagements (3)

kind gentil/gentille (6)

to know connaître (1, 5)

to know (how to do something) savoir (faire quelque chose) (5)

to know how to stay calm savoir garder son calme (3)

to laugh and have fun rigoler (1)

law la loi (2)

leader le/la chef (3)

to lead mener (5)

to learn apprendre (3, 4, 5)

to leave cold laisser froid (6)

to lend a hand donner un coup de main (5)

liberal progressiste (5)

lifeguard le maître-nageur/la maître-nageuse (1)

life online la vie en ligne (2)

light léger/légère (6)

to like each other (well) s'aimer (bien) (1)
lined bordé(e) (6)
listener l'auditeur (m.)/auditrice (f.) (6)
to listen to each other s'écouter (1)
to look at each other se regarder (1)
to look for something chercher quelque chose (6)
to look forward (to) avoir hâte (de/d') (1)
to lose perdre (1)
loyal, faithful fidèle (5, 6)
lunch le déjeuner (1)
to make a telephone call to each other se téléphoner (1)
to make happen, to achieve réaliser (3, 5)
male citizen le citoyen (4)
to manage gérer (3, 4, 5)
to mature mûrir (3)
means of help, assistance le moyen d'aide (6)
meeting la réunion (3, 4)
to meet each other (for the first time) se rencontrer (3)
to meet up with friends retrouver toute la bande de copains (1)
mess up la gaffe (2)
misfortune, sadness le malheur (3)
monetary fine l'amende (m.) (1)
monthly mensuel/mensuelle (3, 4)
motivated motivé(e) (5, 6)
to move a file transférer un fichier (2)
to move from one place to another le déplacement (4)
movement déménager (3, 5)
moving le déménagement (5)
museum le musée (6)
musician le/la musicien/musicienne (6)
my mon/ma/mes (5)
need le besoin (6)
negative comment commentaire négatif (2)
neighborhood le quartier (5, 6)
network le réseau (2)
noise le bruit (4)
to not waste ne pas gaspiller (4)
novel le roman (6)
nursing home le foyer des soins (3)
occupation le métier (3)
One should... On devrait... (2)
on top of surmonté(e) (6)
open attitude l'attitude (f.) d'ouverture (5)
open-minded ouvert(e) d'esprit (1)
open-mindedness l'ouverture (f.) d'esprit (1)
operation le fonctionnement (6)
orchestra l'orchestre (m.) (6)
to organize one's schedule organiser son emploi du temps (3)
organized organisé(e) (5, 6)
to orient oneself s'orienter (3)
our notre/nos (5)
outing la sortie (1)
painter le/la peintre (6)
painting la peinture (6)
pal le pote (1)
park le parc (6)
party la soirée (6)
pastry that originated in Vienna, Austria la viennoiserie (6)
patient patient(e) (1)
to pay attention to faire attention à (4)
peace la paix (4)
to permit permettre de/d' (1)
personality traits les qualités (f. pl.) (1)
personal life la vie privée (2)
to pick up trash ramasser les déchets (3, 4)
piece, work l'œuvre (f.) (6)
piercing le piercing (5)

pillar le pilier (4)
place le lieu (6)
plagiarism le plagiat (2)
to plan planifier, le projet (3, 4)
to plant trees planter des arbres (3)
to play jouer (1)
to play (a sport, an instrument) jouer (au sport, d'un instrument) (6)
playground le terrain de jeux (1)
poetry la poésie (6)
point of view le point de vue (5)
political party le parti politique (5)
positive positif/positive (1, 5, 6)
to post (online) poster (2)
poverty la pauvreté (4)
prejudice le préjugé (5)
to preserve préserver (4)
to pressure faire pression (5)
pretentious orgueilleux/orgueilleuse (1)
to prevent prévenir (4)
price le tarif (6)
to prioritize hiérarchiser (3)
private privé(e) (2)
private/personal life la vie privée (2)
profound profond(e) (6)
project le projet (3, 4)
to promote promouvoir (4)
to protect oneself se protéger (2)
proud fier/fière (1)
public square la place (6)
punished puni(e) (2)
purification l'assainissement (m.) (4)
to pursue poursuivre (2)
to put away ranger (3)
to question oneself s'interroger (3)
raw material la matière brute (6)
to react réagir (6)
reader le/la lecteur/lectrice (6)
to realize se rendre compte de/d' (4)
to rebalance one's life rééquilibrer sa vie (3)
to recognize reconnaître (5)
to reconcile with one another réconcilier (1)
recycling le recyclage (4)
recycling bin le collecteur (4)
refuse refuser (de/d') (1)
region la région (5)
relationship la relation (1)
relaxed décontracté(e) (5)
to relax se détendre (2)
reliable fiable (1)
religion la religion (5)
relocation le déménagement (5)
to remember se souvenir de/d' (1)
to report signaler (2)
reserve la réserve (5)
to resolve résoudre (3)
responsibility la responsabilité (2)
rights les droits (m. pl.) (2)
rules of the road le code de la route (1)
sad triste (1)
sanitation l'assainissement (m.) (4)
to save a file sauvegarder un fichier (2)
to save energy économiser l'énergie (4)
school l'école (f.) (5)
screen l'écran (m.) (2)
sculpture la sculpture (6)
to secure one's profile sécuriser le profil (2)
to seek information se renseigner (3)
self-confidence la confiance en soi (1)
selfish égoïste (1)
sentiment le sentiment (6)
serach engine le moteur de recherche (2)
serious sérieux/sérieuse (1, 6)
to serve servir (3, 4)

to set goals (se) fixer des objectifs (3)

to set the table mettre le couvert/la table (3)

to shake secouer (6)

to share partager (6)

to share resources partager des ressources (f. pl.) (2)

to shock choquer (6)

short petit(e) (1)

show le spectacle (6)

shy timide (1)

singer le/la chanteur/chanteuse (6)

sit down asseyez-vous (1)

size la taille (6)

to skate patiner (1)

skills les compétences (f. pl.) (3)

sleepover la soirée pyjama (1)

small street la ruelle (6)

smart intelligent(e) (1)

sociable sociable (5)

social network le réseau social (2)

social relationships les rapports (m. pl.) sociaux (5)

social responsibilities les responsabilités (f. pl.) sociales (2)

to sort trier (4)

to sort and hand out, distribute the mail trier et distribuer le courrier (3)

spectator le/la spectateur/spectatrice (6)

spending money l'argent (m.) de poche (1)

to spend time passer du temps (6)

to stand up straight se dresser (6)

to stay informed rester au courant de/d' (2)

stone la pierre (6)

to stop cesser (6)

to store files stocker des fichiers (m. pl.) (2)

street la rue (5, 6)

to stroll flâner (6)

stuffed animal la peluche (1)

suburb la banlieue (5)

summer camp la colonie de vacances (1)

to support soutenir (2, 3, 4, 5)

to surround oneself s'entourer (5)

sustainable development le développement durable (4)

to switch off éteindre (4)

to take a break faire une pause (3)

to take advantage of profiter de/d' (3)

to take a leave prendre un congé (3)

to take care of prendre soin de/d' (3)

to take charge of oneself prendre en main, s'assumer (1, 5)

to take on a challenge relever un défi (5)

to take one's driver's test passer son permis (de conduire) (1)

to talk to each other se parler (1)

tall grand(e) (1)

to target cibler (3)

targeted by visé(e) par (2)

tattoo le tatouage (5)

to teach enseigner (4)

teacher l'enseignant(e) (1)

team spirit l'esprit (m.) d'équipe (f.) (1)

thanks to grâce à (2)

theater club le club théâtre (6)

theater le théâtre (6)

their leur/leurs (5)

thin mince (1)

thought la pensée (6)

threat la menace (2)

time la fois (1)

timid timide (1)

tool l'outil (m.) (2)

track of school courses la filière (3)

to trust faire confiance à (3)

to trust in avoir confiance en (1)

trustworthy digne de confiance (1)

try l'essai (m.) (3)

to try essayer (5)

to try new things tenter de nouvelles choses (5, 6)

to try something new essayer quelque chose de nouveau (3)

to try to essayer de/d' (2)

TV show l'émission (f.) (1)

(two weeks) ago il y a (deux semaines) (1)

understanding compréhensif/compréhensive (5)

to unplug débrancher (4)

to unveil dévoiler (6)

use l'usage (m.) (6)

to use se servir de/d' (2)

to vacuum passer l'aspirateur (3)

values les valeurs (f. pl.) (5)

to value (oneself) (se) valoriser (1)

visual arts les arts (m. pl.) visuels (6)

volunteer le/la bénévole (3, 4)

to volunteer faire du bénévolat (2, 3, 4)

to wash laver (3)

waste les déchets (m. pl.) (4)

to water arroser (3)

weekly hebdomadaire (3, 4)

to welcome accueillir (2, 3, 5)

welcome soyez le/la/les bienvenu(e)(s) (5)

welcoming accueillant(e) (5)

What's most important is to... Le plus important, c'est de/d'... (2)

to win gagner (1)

withdrawn renfermé(e) (3)

to witness témoigner (6)

to work bosser (3)

work, piece l'œuvre (f.) (6)

to work from home travailler à domicile (3)

to work in groups travailler en équipe (4)

writing l'écriture (f.) (6)

young jeune (1)

your (formal) votre/vos (5)

your (informal) ton/ta/tes (5)

Expressions utiles English-French

a better world un monde meilleur (3, 4)

Absolutely! Tout à fait! (5)

a healthy lifestyle un mode de vie sain (3)

to allow more speaking time laisser plus de temps de parole (5)

as soon as possible dès que possible (3)

at the level of au niveau de/d' (4)

to balance school and work concilier les études et le travail (3)

because car (6)

because parce que/qu'... (6)

concerning concernant (4)

to define one's priorities définir ses priorités (3)

(Don't) be...! (Ne) sois (pas)...! (1)

to feed donner à manger (3)

Good idea! Bonne idée! (3)

to have a tendancy to avoir tendance à (5)

I advise you to... Je te conseille de/d'... (4)

I agree. Je suis d'accord. (5)

I am good at..., I am strong in... Je suis fort(e) en... (3)

I choose to... Je choisis (de/d')... (2)

I did... J'ai fait... (1)

I (do not) agree. I (do not) have the same opinion as you. Je (ne) suis (pas) d'accord. (3, 4, 6)

I dream of... Je rêve de/d'... (3)

if ever... si jamais... (3)

I find that beautiful/ugly/creative/artistic/interesting. Je trouve ça beau/moche/créatif/artistique/intéressant. (6)

if necessary au besoin (5)

I had... J'avais... (1)

I have the right to... J'ai le droit de/d'... (2)

I look the most like... Je ressemble le plus à... (1)

I'm on top of it. Je gère. (1)

I must (not)... Je (ne) dois (pas)... (4)

...included... ...y compris... (4)

in connection with en lien avec (5)

In my opinion À mon avis (5)

I participated... J'ai participé à... (1)

I propose to you to... Je vous propose (de/d')... (4)

I saw... J'ai vu... (1)

I think you misunderstood. Je pense que tu as mal compris. (6)

It is a matter of Il s'agit de/d' (5)

It is a work of... C'est une œuvre de... (6)

It is important to... C'est important de/d'... (3, 4)

It is important to... Il est important de/d'... (4, 6)

It is necessary to... Il faut... (6)

It is not like that. Ce n'est pas comme ça. (6)

It is the same (different) for me. C'est pareil (différent) pour moi. (5)

It makes me imagine. Ça me fait imaginer. (6)

I took... J'ai pris... (1)

I travelled... J'ai voyagé... (1)

It reminds me of my family, my friend... Ça me fait penser à ma famille, à mon ami(e)... (6)

It was... C'était... (1)

It will be... Ce sera... (2)

I was... J'étais... (1)

I went... Je suis allé(e)... (1)

I will do, make... Je ferai... (2)

I will see... Je verrai... (2)

I work from 8:00 a.m. to 1:00 p.m. Je travaille de 8h00 à 13h00. (1)

I would like... Je voudrais... (2)

to lend a helping hand donner un coup de main (2, 3, 4)

to let happen laisser prendre (5)

to let live laisser vivre (5)

to make the bed faire le lit (3)

No sooner said than done! Aussitôt dit, aussitôt fait! (3)

to offer one's opinion donner son opinion (5)

One should... On devrait... (4, 6)

one time... une fois... (1)

to prioritize... accorder la priorité à... (3)

school-work balance la conciliation études-travail (3)

to take time for yourself prendre du temps pour soi (3)

That is not correct. Ce n'est pas correct. (6)

The law forbids... La loi interdit (de/d')... (2)

The law permits... La loi permet (de/d')... (2)

The law prevents... La loi empêche (de/d')... (2)

the pros and the cons les "pour" et les "contre" (5)

There will be... Il y aura... (2)

This/That makes me... Ça me rend... (6)

We will go... Nous irons... (2)

What do you think? Qu'en penses-tu? (5, 6)

What I am passionate about is... Ce qui me passionne, c'est... (3)

What I dream of is... Ce dont je rêve, c'est... (3)

What I like is, What pleases me is... Ce qui me plaît, c'est... (3)

What interests me is... Ce qui m'intéresse, c'est... (3)

What I want to do is... Ce que je veux faire, c'est... (3)

What's least important for me, is... Le moins important pour moi, c'est... (5)

What's most important for me, is... Le plus important pour moi, c'est... (5)

When I was little... Quand j'étais petit(e)... (1)

without a doubt sans doute (4)

without a single doubt sans aucun doute (4)

You are not correct. Tu n'as pas raison. (6)

You are right. Tu as raison. (5)

You are wrong. Tu as tort. (5, 6)

...pleases me. ...me plaît. (6)

Glossary French-French

LEGEND

f. - feminine

f. pl. - feminine plural

m. - masculine

m. pl. - masculine plural

accueillant(e) qui fait bon accueil (5)

accueillir recevoir quelqu'un qui arrive, qui se présente (2, 3, 5)

accéder à la plate-forme de la classe parvenir à l'ensemble de télécommunication interconnectée pour un cours (2)

actif/active dynamique, énergique (1)

les **activités (f. pl.) entre amis** (1)

admirer regarder et apprécier (6)

adopter prendre, choisir (5)

afin de/d' pour (2)

agir faire quelque chose (4)

aider secourir, assister (2, 3, 4, 5)

ailleurs dans un autre lieu (2)

s' **aimer (bien)** éprouver de l'affection l'un pour l'autre (1)

ambitieux/ambitieuse qui a de l'ambition (1, 6)

amical/amicale qui manifeste de l'amitié, inspiré par l'amitié (1)

l' **amitié (f.)** le sentiment d'affection, attachement (1)

l' **amende (m.)** la somme d'argent à payer pour avoir fait quelque chose d'interdit (1)

amusant/amusante drôle, divertissant/divertissante (1)

s' **amuser** se distraire, prendre plaisir (1, 6)

améliorer rendre meilleur, changer en mieux (2, 3, 4)

l' **appartement (m.)** le logement composé de plusieur pièces (5)

appartenir à faire partie de/d' (5)

l' **appli(cation) (f.)** le programme, ou l'ensemble (m.) de programmes, destiné à aider l'utilisateur d'un ordinateur pour le traitement d'une tâche précise (2)

apprendre acquérir des connaissances, s'informer (3, 4, 5)

l' **architecture (f.)** l'art de la conception et la construction de bâtiments (6)

l' **argent (m.) de poche** une somme de monnaie réservée aux petites dépenses personnelles (1)

arroser mouiller en répandant de l'eau ou un liquide (3)

l' **artiste (m./f.)** la personne qui exerce un des beaux-arts (6)

artistique relatif/relative aux arts, fait ave le souci du beau (6)

les **arts (m. pl.) culinaires** les arts attribués à la cuisine y compris la préparation et la présentation de plats et de desserts (6)

les **arts (m. pl.) de la scène** l'ensemble (m.) des manifestations artistiques exécutées sur une scène (6)

les **arts (m. pl.) visuels** les pratiques (f. pl.) de recherche et de création en peinture, sculpture, dessin, arts textiles, photographie, et toute autre forme d'expression de même nature (6)

l' **assainissement (m.)** la purification (4)

asseyez-vous installez-vous sur un siège (1)

s' **assumer** s'accepter, se prendre en charge (5)

l' **athlète (m./f.)** la personne qui pratique des sports (6)

l' **atout (m.)** l'avantage (m.) (5)

atteindre arriver au but (3)

l' attitude (f.) d'ouverture le point de vue sans contraintes (5)

attrayant(e) attractif, attractive (6)

l' auditeur (m.)/auditrice (f.) la personne qui écoute (6)

l' autobus (m.) le grand véhicule automobile de transport en commun urbain et suburbain (1)

l' auto-école (f.) l'ensemble de cours qui préparent les conducteurs (1)

autonome qui est indépendant (1)

l' avantage (m.) ce qui constitue un profit, un gain (2)

l' avenir (m.) le futur (3, 4)

avoir accès à ce qui permet d'accéder à un lieu, une situation, etc., qui permet d'aller à un endroit, un événement (2, 4)

avoir confiance en se fier entièrement à quelqu'un d'autre (1)

avoir hâte (de/d') être pressé(e) (de/d') (1)

avoir la trouille être nerveux/nerveuse (1)

avoir un intérêt en commun avoir le même sentiment de curiosité ou le même projet que quelqu'un (1)

la bande dessinée le genre de narration illustrée (6)

la banlieue la partie de la ville en dehors du centre-ville (5)

la banque alimentaire l'endroit (m.) où on donne de la nourriture à ceux qui ont faim et qui sont dans le besoin (3)

le bâtiment la construction, l'édifice (m.) (6)

le/la bénévole quelqu'un qui fait quelque chose sans être rémunéré, qui fait une chose gratuitement (3, 4)

le besoin l'envie (f.) de quelque chose, la nécessité de quelque chose (6)

bilingue qui parle deux langues (5)

le billet d'entrée le ticket qui permet ou qui autorise l'accès à un lieu (6)

le bonheur état de complète satisfaction, de plénitude (3)

la bonne estime de soi l'opinion positive qu'une personne a d'elle-même (1)

bordé(e) décoré(e) sur les côtés (6)

bosser travailler (3)

le bruit le son créé par un objet ou une machine (4)

le but l'objectif (6)

se calmer s'apaiser (6)

le/la caissier/caissière la personne qui prend l'argent et rend la monnaie dans un magasin (1)

la cantine le réfectoire où sont servis les repas (1)

la capacité l'aptitude (f.) (6)

cesser arrêter (6)

c'est important de/d'... c'est essentiel de/d'... (5)

le changement climatique le réchauffement ou refroidissement des températures au cours du temps (4)

le/la chanteur/chanteuse celui/celle qui chante (6)

le/la chef la personne qui commande, qui exerce une autorité, une direction (3)

chercher quelque chose s'efforcer de trouver quelque chose (6)

le choix la possibilité (5)

choquer heurter (6)

cibler viser (3)

le ciné-club l'association (f.) pour la diffusion de la culture cinématographique (6)

le citoyen le membre masculin d'un état considéré du point de vue de ses droits politiques (4)

la citoyenne le membre féminin d'un état considéré du point de vue de ses droits politiques (4)

la classe l'enseignement (m.) donné dans les écoles, collèges, lycées, le cours (1)

le climat l'ensemble (m.) des circonstances atomosphériques auxquelles est soumise une région, l'ambiance (f.) (5)

le club théâtre l'association (f.) pour la diffusion de la culture théâtrale (6)

le code de la route l'ensemble de règles qu'il faut suivre en conduisant un véhicule (1)

le collecteur l'endroit (m.) où l'on dépose des objets recyclables (4)

la colonie de vacances le séjour organisé pour enfants pendant l'été (1)

commencer entreprendre la première phase d'une action (1)

commentaire négatif la remarque caracterisée par un refus, une négation sur un événement ou une série d'événements (2)

la communauté le groupe d'habitants d'un village ou d'une ville (5)

commun(e) collectif/collective (6)

communiquer plus facilement faire passer un message de manière plus facile d'une personne à une autre (2)

se comporter se conduire d'une certaine manière (2)

compréhensif/compréhensive bienveillant(e), dévoué(e) (5, 6)

le compte le calcul d'un nombre, l'évaluation (f.) d'une quantité (2)

compter sur quelqu'un s'appuyer sur quelque chose ou quelqu'un (1)

les compétences (f. pl.) la capacité reconnue en telle ou telle matière, et qui donne le droit d'en juger (3)

le concert la séance musicale (6)

le/la conducteur/conductrice la personne au volant d'une voiture (1)

conduire l'action de rouler en voiture (1)

la confiance en soi l'assurance que l'on a en sa valeur (1)

confiant(e) sûr(e) de pouvoir compter sur quelque chose (1)

le conflit l'antagonisme (m.), l'opposition (f.) de sentiments (3)

connaître avoir une idée plus ou moins juste et précise, avoir l'idée (1, 5)

conseiller guider par des conseils, donner un conseil à, donner un avis à (2, 3, 4, 5)

conservateur/conservatrice le contraire de réformiste ou de progressiste (5)

construire des maisons bâtir un logement (3)

la conséquence le résultat (5)

contempler admirer, considérer (6)

contenir retenir dans sa capacité (6)

contribuer à participer à un résultat par sa présence, par une action, par un apport d'argent, payer sa part d'une dépense, d'une charge (2, 3, 4)

courageux/courageuse qui manifeste du courage, celui/celle qui a du courage, qui travaille dure (1, 6)

le cours l'enseignement (m.) donné par un(e) professeur sous forme d'une série de leçons ou de conférences (1)

la crainte la peur, l'appréhension (5)

créatif/créative qui est capable de créer, d'inventer, d'imaginer quelque chose de nouveau, d'original, qui manifeste de la créativité, celui/celle qui montre de l'imagination (1, 6)

créer concevoir, réaliser, inventer (2, 3, 4)

le critère l'aspect (m.) (5)

la croyance ce que l'on croit (religion, philosophie, politique) (5)

cyberdépendant(e) dépendent(e) d'internet (2)

le cyberharcèlement l'action (f.) de harceler à travers internet (2)

danser mouvoir le corps en cadence (6)

débarasser le lave-vaisselle/la table enlever ce qui encombre le lave-vaisselle/la table (3)

débrancher déconnecter d'une source d'électricité ou autre source d'énergie (4)

les déchets (m. pl.) ce qui n'est plus nécessaire (4)

(se) décider prendre une résolution (3)

décontracté(e) à l'aise, contraire de coincé(e) (5)

découvrir trouver ce qui était inconnu(e), caché(e) (5)

le défi le problème, la difficulté que pose une situation et que l'on doit surmonter, une situation difficile, a provocation (3, 4, 5)

se dégager sortir (6)

déjà dès ce moment, auparavant (4)

déjeuner prendre le repas de midi (1)

le déjeuner le repas de midi (1)

déléguer confier une responsabilité à un(e) subordonné(e) (3)

le déménagement le changement de maison ou d'environnement (5)

déménager transporter des meubles d'une maison dans une autre (3, 5)

le déplacement le fait d'aller d'un endroit à un autre (4)

le dessin l'image (f.) créée avec un/des crayon(s) ou un/des feutre(s) (6)

dessiner reproduire la forme des objets (6)

se détendre se relâcher, être relâché, relâcher sa tension nerveuse, se reposer, se distraire (2)

le développement durable le développement que l'on peut maintenir à longue durée (4)

devenir évoluer au cours du temps (5)

dévoiler révéler (6)

dévoué(e) qui manifeste un attachment zêlé (1)

digne de confiance quelqu'un de fiable, fidèle, responsable (1)

discret/discrète qui n'attire pas l'attention (5)

dispo(nible) libre, qui a du temps pour soi (1)

se disputer être en rivalité avec, se quereller (1)

se divertir s'amuser, se distraire (2)

les divertissements (m. pl.) les actions (f. pl.), les moyens (m. pl.) de se divertir, de s'amuser, de divertir les autres (2)

donner des conseils guider par des conseils (2)

donner le moyen de/d' ce qui permet de faire quelque chose (2)

donner un coup de main aider (5)

se dresser se tenir droit (6)

les droits (m. pl.) l'ensemble (m.) des règles juridiques en vigueur dans une société (2)

drôle qui fait rire, comique (1)

dur(e) difficile (5)

dynamique qui fait preuve d'efficacité, d'entrain, de goût pour l'entreprise, relatif à la force, celui/celle qui montre de l'énergie (1, 5, 6)

l' eau (f.) potable l'eau (f.) de qualité saine à consommer (4)

échanger donner une chose et en recevoir un autre en contrepartie (3)

s' échapper (de/d') s'enfuir (de/d'), sortir (de/d') (6)

l' échec (m.) le manque de réussite (3)

l' école (f.) l'établissement (m.) où on se donne un enseignement collectif (5)

économiser l'énergie le contraire de dépenser l'énergie (4)

s' écouter prêter attention aux pensées des uns et des autres (1)

l' écran (m.) le panneau, le dispositif qui arrête, atténue la chaleur, la lumière (2)

l' écriture (f.) l'art d'écrire (6)

l' édifice (m.) le bâtiment surtout en parlant d'église, de palais, de temple et d'autres grands bâtiments (6)

égoïste qui ne pense qu'à soi (1)

élire choisir ou voter pour quelqu'un ou quelque chose (4)

embaucher engager un(e) salarié(e), passer avec lui/elle un contrat de travail (3)

émettre polluer, produire (4)

l' émission (f.) le spectacle télévisé (1)

en charge être branché à une source d'électricité ou autre source d'énergie (4)

encourager donner du courage (1)

énergique qui manifeste une puissance active, vigoureux/vigoureuse, celui/celle qui montre de la force (1, 5, 6)

s' engager participer à une action ou à un événement (5)

s' enrichir devenir plus riche, s'améliorer (6)

l' enseignant(e) le professeur (1)

enseigner instruire, apprendre à autrui (4)

s' entendre (bien/mal) sympathiser (1)

s' entourer avoir quelqu'un ou quelque chose autour de soi (5)

s' entraider se soutenir mutuellement (5)

en un seul clic l'enfoncement (m.) puis le relâchement rapide du bouton de la souris d'un ordinateur (2)

l' équipe (f.) le groupe de personnes travaillant à une même tâche ou unissant leurs efforts dans le même but (1)

l' esprit (m.) d'équipe (f.) le sentiment positif d'un groupe (1)

l' essai (m.) l'action (f) d'expérimenter, la tentative (3)

essayer faire l'essai de/d' (5)

essayer de/d' tenter de/d' (2)

essayer quelque chose de nouveau s'efforcer de ou tenter de faire quelque chose de nouveau (3)

établir commencer, fonder (5)

éteindre mettre en position de non-utilisation, le contraire d'allumer (4)

être à l'aise le contentement, le bien-être (3)

être de bonne humeur être dans de bonnes dispositions (3)

être en train d'apprendre acquérir la connaissance (2)

être en train de/d' être au milieu de/d' (5)

être respectueux/respectueuse qui témoigne, marque du respect (2)

éviter de/d' échapper de/d', ne pas faire (2, 5)

exposer montrer (6)

l' exposition (f.) la présentation d'objets à du public (6)

s' exprimer se faire comprendre, communiquer ses sentiments (5)

fabriquer faire, construire (6)

la faim la sensation d'avoir besoin de manger (4)

faire attention à prendre garde à (4)

faire confiance à compter sur, partager ses secrets avec (3)

faire du bénévolat faire une chose gratuitement (2, 3, 4)

faire du jardinage cultiver un terrain (3)

faire face à en présence l'un de l'autre (3)

faire face à (quelque chose) affronter (5)

faire (la) grève la cessation collective et concertée du travail, décidée par des salariés dans le but d'appuyer une revendication professionnelle (3)

faire la navette le va-et-vient (3)

se faire mal se blesser (1)

faire partie de/d' être un élément d'un ensemble, être participant d'un groupe, une activité (1, 2)

faire pression donner du stress (5)

faire une pause l'arrêt (m.) momentané d'une activité (3)

la fanfare l'orchestre (m.) composé d'instruments de cuivre, la musique militaire à base de trompettes et de clairons (6)

fascinant(e) celui/celle qui exerce de l'attirance (6)

favoriser préférer quelque chose ou quelqu'un (4)

le festival la manifestation artistique (6)

la fête foraine la foire consitutée de manèges (6)

fiable à qui l'on peut se fier, quelqu'un en qui on peut avoir confiance (1)

fidèle qui remplit ses engagements, constant(e), loyal(e) (5, 6)

fier/fière qui tire orgueil, satisfaction de quelque chose, de quelqu'un (1)

la filière la succession de cours à franchir (3)

(se) fixer des objectifs établir des buts (3)

flâner se promener (6)

la fois l'occurrence (f.) (1)

le fonctionnement la manière dont une chose marche (6)

la fondation la création, par voie de donation d'un établissement d'intérêt général (3)

le foyer des soins la maison de retraités (3)

la gaffe l'action (f.), la parole maladroite (2)

gagner remporter la victoire (1)

garder conserver pour soi-même (3)

garder l'esprit ouvert avoir une opinion flexible (5)

la garderie la garde, la surveillance collective de jeunes enfants (3)

le genre l'identité (f.) masculine, féminine ou non-binaire (5)

gentil/gentille sympathique (6)

gestuel/gestuelle relatif aux mouvements du corps, notamment des bras et des mains (6)

grand(e) de taille élevée (1)

gros/grosse qui a des dimensions (volume, épaisseur) importantes (1)

grâce à par l'action heureuse de (2)

généreux/généreuse celui/celle qui donne largement (6)

gérer administrer, régir pour autrui (3, 4, 5)

l' habitude (f.) quelque chose que l'on fait régulièrement (5)

s' habituer à s'adapter à (5)

hebdomadaire de la semaine, de chaque semaine (3, 4)

hiérarchiser organiser selon un ordre hiérarchique (3)

l' hôpital (m.) l'établissement (m.), public ou privé, où sont effectués des soins médicaux ou chirurgicaux (3)

hyperconnecté(e) lié(e) de manière extrême (2)

identifier établir l'identité (5)

l' île (f.) la terre entourée d'eau (f.) de tous côtés (5)

il est important de/d'... il est essentiel de/d'... (2, 5)

il est nécessaire de (faire quelque chose) avoir besoin de (5)

il est nécessaire que/qu'... avoir besoin de (5)

il faut (faire quelque chose) avoir besoin de (2, 5)

il faut que/qu'... avoir besoin de (5)

il y a (deux semaines) (deux semaines) dans le passé (1)

impatient(e) qui manifeste un manque de patience (1)

l' inconvénient (m.) la conséquence fâcheuse ou négative d'une situation, d'une action (2)

indépendent(e) qui ne dépend de personne (5)

l' inégalité (f.) la situation où certain(e)s ont plus de droits ou de ressources que d'autres (4)

intelligent(e) qui manifeste de l'intelligence, de la raison, du discernement (1)

interdit(e) défendu(e) (1)

s' interroger se poser des questions (3)

s' inviter convier mutuellement quelqu'un à venir (1)

inviter quelqu'un convier quelqu'un, prier quelqu'un de venir (6)

isolé(e) séparé(e), peu fréquenté(e) (6)

le jardin communautaire le terrain public où on cultive des légumes (3)

le/la jardinier/jardinière la personne qui s'occupe des plantes (1)

jaser bavarder pour le plaisir de parler ou de médire, faire des commérages (1)

Je te conseille de/d'... Je te guide avec ces conseils de/d'... (2)

jeune qui n'est pas avancé(e) en âge (1)

jouer se divertir en pratiquant un jeu, s'amuser avec un jeu, un jouet, pratiquer un sport (1)

jouer (au sport, d'un instrument) faire partie d'un jeu, tirer des sons d'un instrument de musique (6)

juger avoir des opinions, tirer une conclusion (5)

laisser froid rendre indifférent(e) (6)

lancer de nouvelles idées introduire de nouvelles idées (3)

laver nettoyer avec un liquide, notamment avec de l'eau (3)

le/la **lecteur/lectrice** la personne qui lit (6)

léger/légère contraire de lourd(e) (6)

leur/leurs qui est à eux/elles, le leur/les leurs (5)

le **lieu** l'endroit (m.) (6)

le **logement** l'endroit (m.) où l'on peut vivre (par ex., maison ou appartement) (4)

la **loi** la prescription établie par l'autorité souveraine de l'État, applicable à tous, et définissant les droits et les devoirs de chacun (2)

lointain(e) éloigné(e) (6)

la **maison** l'édifice (f.), le logement où l'on habite (5)

le/la **maître-nageur/maître-nageuse** la personne qui aide et sauve ceux qui nagent (1)

le **malheur** la situation pénible qui affecte douloureusement quelqu'un (3)

la **matière brute** le produit naturel que l'on peut transformer (6)

la **menace** la parole, le geste, l'acte (m.) par lesquels on exprime la volonté que l'on a de faire du mal à quelqu'un, par lequel on manifeste sa colère (2)

mener emmener une personne (animal ou chose) à un lieu (5)

mensuel/mensuelle du mois, de chaque mois, qui se fait, qui paraît tous les mois (3, 4)

mériter être digne de récompense (3)

le **métier** la profession caracterisée par une spécificité exigeant une formation, de l'expérience (f.) (3)

mettre le couvert/la table placer les assiettes, les verres, les serviettes, les couteaux, les fourchettes, et les cuillères dans un endroit déterminé sur la table (3)

mignon/mignonne qui a de la grâce, de la délicatesse (1)

militant(e) activiste (5)

mince qui est peu épais (1)

mon/ma/mes qui est à moi, le mien/la mienne/les mien(ne)s (5)

le **moteur de recherche** l'appareil (m.) pour faire des enquêtes (2)

motivé(e) inspiré(e), mobilisé(e), incité(e) à l'action, ayant l'envie (f.) de faire quelque chose (5, 6)

le **moyen d'aide** la manière d'aider (6)

mûrir deviner mûr, arriver à maturité (3)

le **musée** le lieu où sont exposées des collections d'objets d'importance (6)

le/la **musicien/musicienne** celui/celle dont la profession est de composer ou d'exécuter de la musique (6)

ne pas gaspiller économiser (4)

notre/nos qui est à nous, le nôtre/les nôtres (5)

l' **œuvre (f.)** la création artistique (6)

On devrait... On serait obligé(e) (2)

l' **orchestre (m.)** l'ensemble (m.) des instrumentistes qui se trouvent entre la scène et les spectateurs (6)

organisé(e) structuré(e), disposé(e) pour fonctionner (5, 6)

organiser son emploi du temps coordonner son travail, ses affaires de façon efficace (3)

orgueilleux/orgueilleuse qui manifeste de la prétention, arrogant/arrogante (1)

orientaliser ajouter des éléments asiatiques (6)

l' orientation (f.) l'action (f.) d'orienter quelqu'un dans ses études (3)

s' orienter l'action de choisir son métier (3)

l' outil (m.) l'objet (m.) fabriqué, utilisé manuellement ou sur une machine pour réaliser une opération déterminée (2)

passer son permis (de conduire) réussir l'examen pour être conducteur (1)

ouvert(e) d'esprit la personne très tolérante, manifestant de l'intérêt (m.) pour des idées différentes (1)

l' ouverture (f.) d'esprit la mentalité qui est prête à accepter des idées (1)

la paix le contraire de la guerre, l'état (m.) ou la période calme (4)

le parc le terrain délimité pour l'agrément d'une population (6)

se parler s'adresser la parole (1)

parler derrière le dos de quelqu'un bavarder pour le plaisir de parler ou de médire (1)

partager diviser en parts (6)

partager des ressources (f. pl.) donner un part de ce que l'on possède (2)

le parti politique le groupe de personnes qui partagent des opinions politiques (5)

passer du temps consacrer un moment (6)

passer l'aspirateur utiliser l'appareil (m.) ménager servant à aspirer les poussières, les menus déchets (3)

patient(e) qui a de l'aptitude (f.) à supporter avec constance ou résignation les maux, les déagrements de l'existence (1)

patiner le sport d'hiver qui consiste à glisser sur la glace (1)

la patrimoine l'ensemble (m.) des biens d'un groupe ou d'une communauté (6)

la pauvreté le manque d'argent (4)

le pays le territoire d'une nation (5)

le/la peintre la personne qui crée une peinture (6)

la peinture la représentation d'une image ou d'un sentiment sur toile ou papier (6)

la peluche un jouet d'enfant en forme d'un animal (1)

la pensée n'importe quelle opération de l'intelligence (6)

perdre ne pas gagner, ne plus avoir (1)

permettre de/d' donner la liberté, le pouvoir de faire (1)

petit(e) de taille peu élevée (1)

le piercing le trou dans la peau où on porte un bijou (5)

la pierre la matière rocheuse (6)

le pilier le support vertical dans une construction, une idée essentielle (4)

la place le lieu, l'endroit (m.) dans une commune (6)

le plagiat ce qui est copié (2)

planifier organiser, diriger suivant un plan détérminé (3, 4)

planter des arbres mettre en terre des arbres (3)

plier le linge mettre en double une ou plusieurs fois en rabbattant sur lui-même un vêtement souple (3)

Le plus important, c'est de/d'... Le plus essentiel, c'est de/d'... (2)

la poésie le genre littéraire dans lequel un ouvrage est écrit en vers (6)

le point de vue la perspective, l'opinion (f.) (5)

positif/positive qui a un effet favorable, bon, heureux, bénéfique, certain(e), constant(e) (1, 5, 6)

poster placer dans un endroit déterminé (2)

le pote l'ami (m.)/l'amie (f.), le copain/la copine (1)

poursuivre continuer une action sans relâche (2)

le préjugé l'opinion (f.) négative établie à l'avance (5)

prendre en main diriger (1)

prendre soin de porter attention à quelqu'un ou à quelque chose (3)

prendre un congé l'autorisation (f.) accordée à un(e) salarié(e) de cesser son travail (3)

préserver garantir d'un mal, mettre à l'abri (m.) de/d' (4)

prévenir empêcher, informer (4)

privé(e) qui est strictement personnel, intime (2)

le produit chimique l'article (m.) fabriqué, pas naturel (4)

profiter de/d' tirer un avantage matériel ou moral de/d' (3)

profond(e) le contraire de superficiel/superficielle (6)

progressiste libéral(e) (5)

le projet l'ensemble (m.) d'actions relatives à l'atteinte d'un objectif, l'étude (f.), avec dessin et devis, d'une construction à réaliser (3, 4)

promouvoir élever à un niveau supérieur, encourager (4)

se protéger se mettre à l'abri (m.) de dangers (2)

prudent(e) qui manifeste de la prudence, sage, avisé (2)

puni(e) qui subit une punition (2)

les qualités (f. pl.) les traits (m. pl.) de caractère d'une personne (1)

le quartier la division administrative d'une ville (5, 6)

quotidien/quotidienne du jour, de chaque jour, qui se fait ou revient chaque jour (3, 4)

ramasser les déchets (m. pl.) rassembler les débris (m. pl.), collecter les détritus (m. pl.) (3, 4)

ranger mettre en rang, en ordre (3)

le rapport le lien d'amitié entre deux ou plusieurs personnes (1)

les rapports (m. pl.) sociaux les relations (f. pl.) entre personnes (5)

réagir répondre (6)

réaliser rendre réel et effectif (3, 5)

se réconcilier se pardonner (1)

réconforter (quelqu'un) relever le courage (2, 3, 5)

reconnaître identifier (5)

le recyclage la réutilisation d'objets (au lieu de jeter ces objets) (4)

rééquilibrer sa vie rétablir l'équilibre de sa vie (3)

le refuge pour animaux l'établissement (m.) public qui donne de l'abri aux animaux domestiques sans familles (3)

le refuge pour sans-abris l'établissement (m.) public pour les personnes sans logement (3)

refuser de/d' ne pas vouloir (1)

se regarder échanger des regards avec quelqu'un, être en face l'un de l'autre (1)

la région l'étendue (f.) de pays qui doit son unité à des causes physiques ou humaines (5)

la relation le lien entre deux personnes (1)

relever un défi faire face à une difficulté (5)

la religion l'ensemble (m.) de croyances (5)

se rencontrer se trouver en même temps au même endroit (3)

se rendre compte de/d... prendre conscience de/d'... (4)

renfermé(e) replié(e) sur soi, peu communicatif (3)

renoncer à décider de ne plus faire quelque chose (5)

se renseigner s'informer (3)

répondre au téléphone réagir au sonnement d'un téléphone, décrocher (3)

le réseau social l'ensemble (m.) social de télécommunication interconnectée (2)

le réseau l'ensemble (m.) d'ordinateurs interconnectés (2)

la réserve ce que l'on garde (5)

résoudre trouver une solution (3)

la responsabilité la capacité de prendre une décision sans en référer préalablement à une autorité supérieure (2)

les responsabilités (f. pl.) sociales la capacité de prendre une décision sociale sans en référer préalablement à une autorité supérieure (2)

rester au courant de/d' informé(e) (2)

se retrouver se donner rendez-vous (1)

retrouver toute la bande de copains revoir tous/toutes ses ami(e)s (1)

la réunion un rassemblement de personnes, rapprochement, groupement (3, 4)

rêver avoir des images et des idées en tête pendant le sommeil (6)

rigoler rire et s'amuser (1)

le roman le livre écrit en prose (6)

rouler (vite/lentement) conduire (rapidement/doucement) (1)

la rue le chemin bordé de maisons ou des édifices dans une ville, la petite avenue (5, 6)

la ruelle la petite rue (6)

sain(e) dont les facultés intellectuelles, morales et physiques sont en bon état (4)

le salon l'exposition (f.) collective des métiers (3)

sauvegarder un fichier protéger contre toute atteinte un ensemble organisé d'informations (2)

savoir (faire quelque chose) être instruit(e) dans quelque chose (5)

savoir garder son calme préserver la tranquilité (3)

la sculpture l'art (m.) de créer un objet à partir de pierre, de bois ou de métaux (6)

secouer remuer (6)

le secteur le domaine défini d'activité économique (3)

sécuriser le profil rendre son profil plus sûr (2)

le sentiment la faculté de recevoir des impressions ou des émotions (6)

se sentir éprouver une impression physique ou morale (5)

sérieux/sérieuse qui manifeste de la réflexion, de l'application, un respect des engagements pris, grave, sans frivolité (1, 6)

servir donner ses soins à quelque chose, rendre de bons services à (3, 4)

se servir de/d' utiliser, faire usage de (2)

signaler annoncer, indiquer par un signal (2)

le site historique l'endroit (m.) historique (6)

sociable capable de vivre en société, de relations humaines faciles (5)

la soirée la fête (6)

la soirée pyjama une fête où l'on passe la nuit chez un(e) ami(e) (1)

son/sa/ses qui est à lui/elle, le sien/la sienne/les sien(ne)s (5)

la sortie l'excursion, l'action (f.) de sortir (1, 6)

soutenir servir de support, d'appui à, supporter (2, 3, 4, 5)

se souvenir de/d' se rappeler (1)

soyez le/la/les bienvenu(e)(s) on vous accueille (5)

le spectacle le divertissement offert au public (6)

le/la spectateur/spectatrice la personne qui regarde un spectacle (6)

sportif/sportive athlétique (1, 6)

stocker des fichiers (m. pl.) garder l'ensemble organisé d'informations (2)

le stylisme le travail consistant à imaginer et dessiner des modèles vestimentaires destinés à être portés (6)

supprimer mettre un terme à l'existence de, faire disparaître (2)

surmonté(e) couronné(e) (6)

la taille la mesure en longueur, largeur ou hauteur d'un objet ou d'une personne (6)

le tarif le prix, le coût (6)

le tatouage le dessin permanent sur la peau (5)

télécharger effecteur un transfer vers un ordinateur local d'un fichier sité sur un ordinateur distant, via un réseau de télécommunication (2)

se téléphoner communiquer par téléphone (1)

témoigner faire connaître la vérité (6)

le temps libre le moment pendant lequel on ne travaille pas, le moment de loisir (6)

tenir ses engagements garder ses promesses (3)

tenter de nouvelles choses essayer de nouvelles choses (5, 6)

la tenue à la mode le groupe de vêtements portés ensemble au goût du jour (5)

le terrain de jeux le lieu où les enfants jouent (1)

le théâtre le lieu où l'on représente des œuvres littéraires, l'endroit (m.) où l'on peut voir des pièces (6)

timide qui manque de hardiesse, d'assurance, timoré(e) (1)

tomber faire une chute (1)

ton/ta/tes qui est à toi, le tien/la tienne/les tien(ne)s (5)

transférer un fichier faire passer d'un lieu dans un autre un ensemble organisé d'informations (2)

travailler en équipe bosser avec des collègues (4)

travailler à domicile exercer un métier chez soi (3)

le/la travailleur/travailleuse la personne qui pratique un ou plusieurs sports, qui aime le travail et qui le fait bien, celui/celle qui aime travailler dure (1, 5, 6)

trier faire un sélectionnement par catégories (4)

trier et distribuer le courrier organiser la correspondance (par ex. lettres) reçue ou envoyée par la poste (3)

triste qui manifeste du chagrin (1)

l' usage (m.) l'utilisation (f.) (6)

l' usine (f.) l'endroit (m.) où on fabrique des objets ou des produits (4)

les valeurs (f. pl.) les vertus (f. pl.) qui guident quelqu'un (5)

(se) valoriser (se) donner de l'importance (1)

la veille le jour avant (1)

vider la corbeille supprimer définitivement des fichiers, photos ou e-mails dont on n'a plus besoin (4)

la vie en ligne l'action (f.) qui se passe sur internet (2)

la vie privée l'ensemble des activités personnelles (2)

la viennoiserie la pâtisserie venant à l'origine de Vienne, en Autriche (6)

la ville le quartier d'une agglomération urbaine (5)

visé(e) par l'action (f.) de diriger le regard, une arme, un appareil vers quelque chose, un objectif (2)

votre/vos qui est à vous, le vôtre/les vôtres (5)

Expressions utiles French-French

accorder la priorité à... mettre ou donner plus d'importance à, faire passer en premier... (3)

À mon avis D'après moi (5)

au besoin si nécessaire (5)

au niveau de/d' en ce qui concerne (4)

Aussitôt dit, aussitôt fait! Fait tout de suite!, chose concrétisée immédiatemment après avoir été dite (3)

avoir tendance à faire généralement (5)

Bonne idée! une inspiration excellente (3)

Ça me fait imaginer. Ça provoque la représentation d'une image dans mon esprit. (6)

Ça me fait penser à ma famille, à mon ami(e)... Ça provoque en moi des pensées à propos de ma famille, de mon ami(e)... (6)

Ça me rend... Ça me fait... (6)

car parce que/qu' (6)

Ça te/vous dit de/d'...? As-tu envie de/d'...?/Avez-vous envie de/d'...? (6)

Ce dont je rêve, c'est... Ce que j'aimerais faire, c'est... (3)

Ce n'est pas comme ça. Ce n'est pas le cas. (6)

Ce n'est pas correct. C'est incorrect. (6)

Ce que je veux faire, c'est... Ce que j'ai envie de faire, c'est... (3)

Ce qui me plaît, c'est... Ce que j'aime, c'est... (3)

Ce qui m'intéresse, c'est... ce qui intéressant pour moi, c'est..., ce qui a de l'intérêt pour moi, c'est... (3)

Ce sera... le futur simple du verbe être à la 3e personne du singulier (2)

C'est important de/d'... C'est esentiel de/d'... (3, 4)

C'est pareil (différent) pour moi. Il n'y a pas de (il y a une) différence pour moi. (5)

C'est une œuvre de/d'... C'est une création artistique de/d'... (6)

C'était... l'imparfait (m.) du verbe être à la 3e personne du singulier (1)

concernant à propos de/d' (4)

la **conciliation études-travail** l'équilibre (m.) entre les études et le travail (3)

concilier les études et le travail trouver un équilibre entre les études et le travail (3)

définir ses priorités décider quelles priorités sont les plus importantes (3)

dès que possible le plus tôt/vite que l'on peut, aussitôt que possible (3)

donner son opinion offrir son point de vue (5)

donner un coup de main aider quelqu'un (2, 3, 4)

donner à manger offrir de la nourriture, nourrir (3)

en lien avec par rapport à (5)

faire le lit border les draps du matelas où on dort (3, 4)

Il est important de/d'... Il est essentiel de/d'... (4, 6)

Il faut... Il est nécessaire de/d'... (6)

il s'agit de/d' c'est au sujet de/d' (5)

Il y aura... le futur simple du verbe avoir à la 3e personne du singulier (2)

J'ai fait... le passé composé du verbe faire à la 1re personne du singulier (1)

J'ai le droit de/d'... Je peux..., je suis autorisé(e) à... (2)

J'ai participé à... le passé composé du verbe participer à la 1re personne du singulier, participer = prendre part à quelque chose (1)

J'ai pris... le passé composé du verbe prendre à la 1re personne du singulier (1)

J'ai voyagé... le passé composé du verbe voyager à la 1re personne du singulier (1)

J'ai vu... le passé composé du verbe voir à la 1re personne du singulier (1)

J'avais... l'imparfait (m.) du verbe avoir à la 1re personne du singulier (1)

Je choisis (de/d')... Je décide (de/d')..., J'opte pour... (2)

Je ferai... le futur simple du verbe faire à la 1re personne du singulier (2)

Je gère. Tout va bien. (1)

Je (ne) dois (pas)... Je (ne) suis (pas) obligé(e) (4)

Je (ne) suis (pas) d'accord (avec toi). Je (ne) suis (pas) du même avis. Je (n') ai (pas) la même opinion (que toi). (3, 4)

Je ne suis pas d'accord. Je ne le vois pas comme ça. (6)

Je ne suis pas de ton avis. Je ne suis pas d'accord. (6)

Je pense que tu as mal compris. Je pense que tu as eu de problèmes de compréhension. (6)

Je ressemble le plus à... Je suis le plus comme..., Je suis semblable à... (1)

Je rêve de/d'... je suis captivé(e) par..., j'aspire à... (3)

Je suis allé(e)... le passé composé du verbe aller à la 1re personne du singulier (1)

Je suis d'accord. Je suis de la même opinion. (5)

Je suis fort(e) en... je suis bon(ne) en..., j'ai un don/talent pour... (3)

J'étais... l'imparfait (m.) du verbe être à la 1re personne du singulier (1)

Je te conseille de/d'... Je te recommande de/d'..., Je t'incite à... (4)

Je (te/vous) propose... Je te/vous suggère... (6)

Je travaille de 8h00 à 13h00. Je bosse de 8h00 à 13h00. (1)

Je trouve ça beau/moche/créatif/artistique/intéressant. Je juge ça beau/moche/créatif/artistique/intéressant. (6)

Je t'/vous invite à... Je te/vous propose de/d'... (6)

Je verrai... le futur simple du verbe voir à la 1re personne du singulier (2)

Je voudrais... le conditionel présent du verbe vouloir à la 1re personne du singulier (2)

Je vous propose (de/d')... Je vous suggère de/d'... (4)

laisser plus de temps de parole donner la possibilité de parler (5)

laisser prendre donner la possibilité d'avoir (5)

laisser vivre donner la possibilité d'exister (5)

La loi empêche (de/d')... La loi rend impossible... (2)

La loi interdit (de/d')... La loi prohibe... (2)

La loi permet (de/d')... La loi donne la possibilité (de/d'), La loi autorise... (2)

...me plaît. j'aime... (6)

Le moins important pour moi, c'est... Ce qui n'est pas prioritaire pour moi, c'est... (5)

(Ne) sois (pas)...! l'impératif (m.) du verbe être à la 2e personne du singulier (1)

Nous irons... le futur simple du verbe aller à la 1re personne du pluriel (2)

On devrait... On serait censé(e)..., Il faudrait... (4, 6)

parce que/qu'... car... (6)

Le plus important pour moi, c'est... La priorité pour moi, c'est... (5)

les "pour" et les "contre" les avantages et les inconvénients (5)

prendre du temps pour soi dédier du temps pour des activités qui nous font du bien/du plaisir, dédier du temps à soi (3)

Quand j'étais petit(e)... Lorsque j'étais très jeune... (1)

Qu'en penses-tu? Quelle est ton opinion? (5, 6)

sans aucun doute certainement, sûrement (4)

sans doute probablement, vraisemblablement (4)

si jamais... si un jour..., si d'aventure... (3)

Tout à fait! Exactement! (5)

Tu as raison. Ton avis est correct., Ton idée est mauvaise. (5, 6)

Tu as tort. Ton idée est mauvaise. (6)

Tu n'as pas raison. Je ne suis pas de ton avis. (6)

un mode de vie sain une façon d'exister qui est bonne pour la santé (3)

un monde meilleur une vie/planète plus agréable (3, 4)

une fois... une reprise... (1)

...y compris... ...inclus(e)... (4)

Credits

Every effort has been made to determine the copyright owners. In case of any omissions, the publisher will be happy to make suitable acknowledgements in future editions. All credits are listed in the order of appearance.

All images are © Shutterstock and © Thinkstock, except as noted below.

Unité 1

© Nations Unies, "Journée internationale de l'amitié", Permission d'utiliser le titre, Récupéré de https://www.un.org/fr/events/friendshipday/.

© Blogue Le Complément, Maman-conseil (2012), "10 caractéristiques d'un bon ami", Récupéré de https://blogues.csaffluents.qc.ca/lecomplement/2012/11/07/10-caracteristiques-dun-bon-ami/.

© Jacques Prévert, "Chanson", in *Paroles*, Editions Gallimard, 1946.

© Fatras / Succession Jacques Prévert, tous droits audio et numériques réservés.

© Fatras / Succession Jacques Prévert, All audio and electronic rights reserved.

© DRJSCS Île-de-France, Mission d'observation, d'expertise et d'appui (2011), "Analyse de la pratique des loisirs des enfants", Adaptée de http://ile-de-france.drjscs.gouv.fr/spip.php?article479.

Unité 1 Images

p. 6 (Photo), © Lily*. 2019.

pp. 7, 8 (Image of Léopold Senghor) Keystone Pictures USA / Alamy Stock Photo

Unité 2

© Aimé Césaire (1961), *Cadastres*,"Soleil et eau", Récupéré de http://www.poezie.ro/index.php/poetry/1778997/Soleil_et_eau.

© La Toupie, "Aimé Césaire", Information adaptée de http://www.toupie.org/Biographies/Cesaire.htm.

© Elizabeth Pineau (2018), "Les "smartphones" interdits à l'école à la rentrée en France", Citation récupérée de https://fr.reuters.com/article/technologyNews/idFRKCN1J31X1-OFRIN.

© Extrait de l'article, AS-TU L'ÂGE? (https://www.educaloi.qc.ca/jeunesse/as-tu-l-age), publié dans le site Éducaloi (educaloi.qc.ca), qui offre de l'information juridique en langage clair aux citoyens du Québec. Juin 2019.

© Alexandra Noirault (2018), "Comment être un citoyen numérique responsable?", Adapté dé https://www.bee-yoo.com/comment-etre-un-citoyen-numerique-responsable/.

© Vidéo tirée de la série VRAI ou FAUX (sujet : Tu peux dire et écrire ce que tu veux sur les médias sociaux?), educaloi.qc.ca. Septembre 2018.

© Family Insight (2018), "Les tendances de la rentrée scolaire 2018", Graphique récupéré de https://www.family-insight.fr/les-tendances-de-la-rentree-scolaire-2018/.

Best Efforts Made © IPSOS (2008), "Des usages d'internet de plus en plus diversifiés", Graphique récupéré de http://www.blog-crm.fr/exposes-etudiants/les-communautes-sur-internet/.

© LAURENCE SAUBADU, KEVIN TE / AFP (2016), "Plan numérique à l'école- Éducation nationale", Infographie récupérée de http://u.afp.com/3MBj.

Unité 2 Images

pp. 60, 63 (Photo), © Sylvette*. 2019.

p. 62 (Photo of Aimé Césaire), KEYSTONE Pictures USA / Alamy Stock Photo

p.70 (Bande dessinée), © UFAPEC (rue Belliard 23 A – 1040 Bruxelles), "Internet à la maison en 10 questions", Récupérée de https://internetalamaison.be/. 2012.

Unité 3

© European Trade Union Institute (2018), "Strikes- Map of Europe", Récupérée de https://www.etui.org/Services/Strikes-Map-of-Europe.

© US Bureau of Labor Statistics (2017), "Labor Force Participation for Teens", Information récupérée de https://blog.dol.gov/2017/03/09/teens-trends.

© Randstad (2017), "The Netherlands-Belgium, Which Students Work The Most?", Information récupérée de https://www.randstad.be/en/workforce360/detail/s/news/8f252941-b77a-4580-8521-5ea8da2cfc88/the-Netherlands%E2%80%93Belgium,-which-students-work-the-most?.

© Elina, J'admire la vie (2017), "10 leçons à retenir pour avancer dans la vie", Infographie adaptée de http://www.jadmirelavie.com/inspiration-psycho/10-lecons-a-retenir-pour-avancer-dans-la-vie/.

© Vie Publique, "International", Information adaptée de https://www.vie-publique.fr/international.

*To protect the privacy of these generous French speakers, we have changed or omitted their last names.

© Jeunes CSC (2019), "Enquête: Jeunes et travail en Belgique", Information adaptée de http://www.jeunes-csc.be/news/enquete-jeunes-et-travail-en-belgique.

Best Efforts Made © Béarn, Pierre (1951), "Métro Boulot Dodo", Récupéré de https://feralphilosophy.com/2018/11/05/the-last-line-of-a-poem-by-pierre-bearn-metro-boulot-dodo/.

© L'Étudiant, Term- "Recrut'day" (2019), Récupéré de https://www.letudiant.fr/etudes/salons/lille-recrut-day-forum-emploi.html.

Unité 3 Images

pp.112, 114, 150 (Photo), © Clément*. 2019.

p.113 (Book cover), © Pierre Assouline (2011), "Hergé: The Man Who Created Tintin". Trans. By Charles Ruas. Oxford University Press. Reproduced with permission of the Licensor through PLSclear, Image récupérée de https://www.amazon.com/Herge-Man-Who-Created-Tintin/dp/0199837279.

p.148 (Photo,Mai 68. Nuit d'émeutes. Manif. Barricades. Dégâts), © André Cros, 1968, Récupérée de https://commons.wikimedia.org/wiki/File:11-12.06.68_Mai_68._Nuit_d%27%C3%A9meutes._Manif._Barricades.D%C3%A9g%C3%A2ts_(1968)_-_53Fi1031.jpg.

p.148 (Photo, Manifestation des gilets jaunes à Tours, le 12 janvier 2019), © Guillaume70 (2019), Récupérée de https://commons.wikimedia.org/wiki/File:Tours_Jean-Jaur%C3%A8s_Gilets_jaunes_2.jpg.

p.150 (Photo), © Charles*. 2019.

p.150 (Photo), © Maggie*. 2019.

Unité 4

© Réseau de l'action bénévole du Québec (2017), "Que font les bénévoles?", Infographie récupérée de https://www.rabq.ca/benevolat-en-chiffres.php.

© Easy Recyclage (2018), "Canada, la crise du recyclage", Information adaptée de https://www.easyrecyclage.com/blog/canada-la-crise-du-recyclage/.

© Opération Recyclage. "Le recyclage dans le monde", Information adaptée de http://www.operationrecyclage.com/le-recyclage-dans-le-monde.html.

© La Banque mondiale (2018), "Déchets : un état des lieux mondial de la gestion des déchets ménagers à l'horizon 2050", Information adaptée de https://www.banquemondiale.org/fr/news/infographic/2018/09/20/what-a-waste-20-a-global-snapshot-of-solid-waste-management-to-2050.

© Évenements 3.0, " Les 3 piliers du développement durable", Information adaptée de http://www.3-0.fr/doc-dd/qu-est-ce-que-le-dd/les-3-piliers-du-developpement-durable.

© Victor Hugo (1856), "Il faut que le poète", in *Les Contemplations*.

Best Efforts Made © Orange.fr, "7 Conseils clés pour préserver l'environnement", Affiche adaptée de https://www.pinterest.com/pin/74661306301816972/?lp=true.

© World Health Organisation (2016), "Comment l'environnement a-t-il un impact sur notre santé?", Infographie recupérée de https://www.who.int/quantifying_ehimpacts/publications/PHE-prevention-diseases-infographic-FR.pdf.

Best Efforts Made © Ministère de la Transition Ecologique et Solidaire (2020), "Certificat qualité de l'air", Récréé de https://www.caradisiac.com/vignette-crit-air-oui-mais-sur-quels-criteres-112319.htm.

© BFM avec RMC (2019), "La circulation différenciée est-elle une mesure efficace ou démagogique?", Adaptée de https://rmc.bfmtv.com/mediaplayer/video/la-circulation-differenciee-est-elle-une-mesure-efficace-ou-demagogique-ca-fait-debat-sur-rmc-1182389.html.

© Agence Française de Développement, "Le plus grand complexe solaire thérmodynamique des pays du sud à Quarzazate ", Information récupérée de https://www.afd.fr/fr/carte-des-projets/le-plus-grand-complexe-solaire-thermodynamique-des-pays-du-sud-ouarzazate.

© United Nations, Objectifs de développement durable (2016), "17 objectifs pour sauver le monde", Récupérée de https://www.un.org/sustainabledevelopment/fr/objectifs-de-developpement-durable/.

Unité 4 Images

pp.160, 162 (Photo), © Maggie*. 2019.

p. 160 (Photo), © Jeangagnon (2012), "Démonstration de Arbraska, parc Jean-Drapeau, Montréal", CC BY-SA 4.0, Récupérée de https://commons.wikimedia.org/w/index.php?sort=relevance&search=arbraska&title=Special%3ASearch&profile=advanced&fulltext=1&advancedSearch-current=%7B%7D&ns0=1&ns6=1&ns12=1&ns14=1&ns100=1&ns106=1#/media/File:Arbraska.JPG.

p. 161 Julie Deshaies JD83 / Alamy Stock Photo

p. 161 Alain Le Garsmeur Canada / Alamy Stock Photo

p. 179 (Photo of engraving by Emile Bayard), © Ldorfman (2019), "Young Cosette sweeping", Public Domain, Image récupérée de https://commons.wikimedia.org/wiki/File:Ebcosette.jpg.

p. 188 (Photo of sign in French above the highway), © FREDERICK FLORIN/AFP via Getty Images.

Unité 5

© LU (2016), "Derrière le Véritable Petit Beurre se cache une véritable création", Information adaptée de https://www.lu.fr/veritablepetitbeurre/detente/veritablepetitbeurre-secrets-de-creation.

© AFS Vivre Sans Frontière (2020), "Devenir famille d'accueil bénévole: une expérience interculturelle unique" , Récréée de https://afs.fr/accueillir-un-etudiant-chez-soi-heberger-un-etudiant-etranger-devenir-famille-daccueil/.

© Haut Conseil à l'Égalité entre les femmes et les hommes (2016), "Guide de la parité - Du droit de vote des femmes aux lois dites de parité.", Infographie récupérée de http://www.haut-conseil-egalite.gouv.fr/IMG/pdf/hce_guide_parite_vf_2016_08_26_vf-2.pdf (p. 15).

© Chris Beauchemin et al (2010), "Dénominations religieuses selon le lien à la migration", Récupérée de https://www.ined.fr/fichier/s_rubrique/19558/dt168_teo.fr.pdf.

© Notre famille (2020)"Les prénoms mixtes", Adaptée de https://www.prenoms.com/edito-prenoms/les-prenoms-mixtes-les-prenoms-mixtes-traditionnels-o50602.html.

© Regard ailleurs (2017), "Comment la mode peut-elle influencer la vie des ados?", Information paraprhasée de http://www.regardailleurs.fr/influence-mode-adolescents/.

© Le Parisien (2017), "Plus d'un Français sur dix est tatoué", Information adaptée de http://www.leparisien.fr/societe/sept-millions-de-tatoue-e-s-17-01-2017-6576954.php.

© IFOP pour le Syndicat National des Artistes Tatoueurs (2016), "Les Français et le tatouage", Information adaptée de https://www.ifop.com/publication/les-francais-et-le-tatouage/. Echantillon de 1002 personnes de 18 ans et plus. La représentativité a été assurée par la méthode des quotas (sexe, âge, profession de la personne interrogée) après stratification par région et catégorie d'agglomération. Les interviews ont eu lieu par questionnaire auto-administré en ligne du 15 au 16 novembre 2016.

Best Efforts Made © Maman-conseil (2012), "8 conseils pour accompagner notre jeune à prendre de bonnes décisions", Adaptée de https://blogues.csaffluents.qc.ca/lecomplement/2012/10/24/8-conseils-pour-accompagner-notre-jeune-a-prendre-de-bonnes-decisions/.

© Jean Racine (1691), "Athalie", Récupérée de https://www.ibibliotheque.fr/athalie-jean-racine-rac_athalie/lecture-integrale/page30 (p. 25, line 1269).

© HATIER (2019), *Bescherelle: La grammaire pour tous*.

Unité 5 Images

pp. 212, 214, 215 (Photo), © Charles*. 2020.

p. 213 Altitude Drone / Alamy Stock Photo

p. 217 (Photo), © Sylvette*. 2020

p. 225 The History Collection / Alamy Stock Photo

p. 225 Godong / Alamy Stock Photo

p. 225 Lebrecht Music & Arts / Alamy Stock Photo

p. 225 World History Archive / Alamy Stock Photo

pp. 230, 235 (Photo), © Ariane*. 2020.

Unité 6

© Laos Autrement (2019), "Les principales fêtes religieuses et événements au Laos", Information adaptée de https://www.laosautrement.com/calendrier-fetes-laos/.

© Ambassade de France au Laos (2018), "Des activités culturelles: concerts, cinéma, dessin, théâtre", Adapté de https://la.ambafrance.org/Le-francais-est-un-plus-Celebrations-de-la-Francophonie-au-Laos-mars-2016 .

Best Efforts Made © Street Art (2009), "Opinion", Adaptée de https://controverses.sciences-po.fr/archive/streetart/wordpress/index-45143.html.

© Stéphanie Binet (2009), "Il faut sortir le graffiti du ghetto", Adaptée de https://next.liberation.fr/arts/2009/03/27/il-faut-sortir-le-graffiti-du-ghetto_549014.

© Quora (2017), "Quel est le but de l'art?", Adaptée de https://fr.quora.com/Quel-est-le-but-de-lart.

© Séverine Colmet-Daâge (2020), "Artitanic", Récupéré(e) de https://www.sevthequeen.com/dessin-de-presse.

© La crêperie rennaise (2018) "Histoire de la crêpe: de l'Asie à la Bretagne", Adaptée de https://www.creperierennaise.com/histoire-crepe-ou-galette/.

© LAROUSSE (2007), "Le Petit Larousse illustré en couleurs".

Unité 6 Images

pp. 254, 256 (Photo), © Panyphorn*. 2020.

p. 255 (Photo of Marguerite Duras), Album / Alamy Stock Photo

p. 262 (Portrait of Molière), © Racconish (2017), "Pierre Mignard: Portrait de Molière (1622-1673)", CC-PD-Mark, Reproduite de https:// commons.wikimedia.org/wiki/File:Moli%C3%A8re_Mignard.png.

p. 266 (Photo), © Robert Doisneau (1991), " Charlotte Perriand", CC0 1.0, Récupérée de https://commons.wikimedia.org/wiki/File:Charlotte_Perriand_Janvier_1991.jpg.

p. 266 (Photo), © Jacques.delacroix (Own work), "Charlotte Perriand (Française, 1903-1999): table et chaises, Grand Palais, 2008", CC-BY-SA-3.0, Récupérée de https://commons.wikimedia.org/wiki/File:Meubles_Charlotte_Perriand.JPG.

p. 266 (Photo), © Schulbausteine (Own work), "Diébédo Francis Kéré", CC-BY-SA-3.0, Récupérée de https://commons.wikimedia.org/wiki/File:Francis_K%C3%A9r%C3%A9.jpg.

p. 266 (Photo: The secondary school in Dano, Burkina Faso designed by Francis Kéré), © GandoIt (2007), "Kere Secondary School Dano", CC BY-SA 3.0, Récupérée de https://commons.wikimedia.org/wiki/File:Kere_Secondary_school_Dano.jpg.

p. 275 (Dessin animé: Noël sera-t-il jaune?), © Séverine Colmet-Daâge, "Noël sera-t-il jaune?", Récupéré de https://www.sevthequeen.com/dessin-de-presse.

p. 275 (Dessin animé: Saint-Valentin vs PSG), © Séverine Colmet-Daâge, "Saint-Valentin vs PSG", Récupéré de https://www.sevthequeen.com/dessin-de-presse.

p. 276 (Photo), © Séverine Colmet-Daâge. 2020.

p. 278 (Dessin animé: Artitanic), © Séverine Colmet-Daâge (2020), "Artitanic", Récupéré de https://www.sevthequeen.com/dessin-de-presse.

p. 295 (Photo), Felix Choo / Alamy Stock Photo

p. 295 (Photo), World History Archive / Alamy Stock Photo

Unité 6 Videos

© Fondation Paul Gérin-Lajoie (2018), "La Dictée P.G.L.: l'importance des arts à l'école", Récupérée de https://www.youtube.com/watch?v=U-0s6eV2QJA.